intorno delle vie ... e del
come io ho off... ...
puro ...
... in ...,
Testimone ... in 3 ele oltre
... faece de intimpete -
14 MAY 2019 (delle pre)

Spiegandosi da un evento, da una
Stagione, da una parola, un sentimento
vissuto, oppure... nostalgia... dettaglio
o fondale... Oggi venne l'intuire in
il senso dell'affetto, al punto del ode
sue da noia dell'altro e parte di questi
nuovo, al dove dello, che per percorrere
e parole allo stesso se dovessi del
uno stesso... von nuovo, al
posto che dalla sua di Larks Street
e così, da... petto di parte...
di così... due Spagletto Hill.
Ho scoperto poděl essere
abitante da 3½ e questa parte delle
Beverly Hill del giusto italiano —
Una vita di Hollywood accessibile e
poetica, superiore a quelle degli altri
avere appunto... e dalla
nolano, se sono più di me che
sono me dove... si può anche...

donno dovevan le loro fine, i loro
offetti, per ognuno come me -

Prima edizione settembre 2017
Seconda edizione settembre 2017
Terza edizione ottobre 2017
Quarta edizione ottobre 2017
Quinta edizione novembre 2017
Sesta edizione gennaio 2018
Settima edizione febbraio 2018
Ottava edizione giugno 2018
Nona edizione giugno 2018
Decima edizione giugno 2018
Undicesima edizione luglio 2018
Dodicesima edizione luglio 2018
Tredicesima edizione luglio 2018
Quattordicesima edizione luglio 2018

In copertina: fotografia © Robert Capa © International Center
of Photography / Magnum Photos / Contrasto
Art director: Francesca Leoneschi
Grafica: Giovanna Ferraris /*the*World*of*DOT
Progetto grafico: Guido Scarabottolo

Per essere informato sulle novità
del Gruppo editoriale Mauri Spagnol visita:
www.illibraio.it

ISBN 978-88-235-1835-3

© 2017 Ugo Guanda Editore S.r.l., Via Gherardini 10, Milano
Gruppo editoriale Mauri Spagnol
www.guanda.it

HELENA JANECZEK
LA RAGAZZA CON LA LEICA

UGO GUANDA EDITORE

« Era chiaramente... la ragazza carina a cui, come al destino, non si poteva che correre dietro. »

GEORG KURITZKES
in un'intervista radiofonica del 1987

Malgrado la tua morte e le tue spoglie,
l'oro antico dei tuoi capelli
il fresco fiore del tuo sorriso al vento
e la grazia quando saltavi,
ridendo delle pallottole,
per fissare scene di battaglia,
tutto questo, Gerda, ci rincuora ancora.

LUIS PÉREZ INFANTE,
A Gerda Taro, morta sul fronte di Brunete

Prologo

Coppie, fotografie, coincidenze #1

Da quando hai visto quella foto, ti incanti a guardarli. Sembrano felici, molto felici, e sono giovani, come si addice agli eroi. Belli non potresti dirlo ma neanche negarlo, e comunque non appaiono eroici per nulla. Colpa della risata che chiude i loro occhi e mette a nudo i denti, un riso non fotogenico ma così schietto da renderli stupendi.

Lui ha una dentatura da cavallo e la esibisce sino alle gengive. Lei no, ma il suo canino spicca sul vuoto del dente successivo, seppure con la grazia delle piccole imperfezioni attraenti. La luce si spalma sul bianco della camicia a righe, spiove sul collo della donna. La sua pelle limpida, la diagonale dei tendini scolpita dal profilo addossato allo schienale, persino la linea curva dei braccioli, amplificano l'energia gioiosa che si sprigiona da quella risata unisona.

Potrebbero trovarsi in una piazza ma, seduti in quelle poltroncine comode, danno piuttosto la sensazione di stare in un parco, dove lo sfondo si amalgama in una fitta cortina di foglie d'alberi. Ti chiedi, allora, se il riquadro che hanno tutto per sé possa essere stato il giardino di una villa della grande borghesia, fuggita oltre confine da quando Barcellona è in fermento rivoluzionario. Ora appartiene al popolo quel refrigerio sotto gli alberi: a loro due che si ridono addosso a occhi chiusi.

La rivoluzione è un giorno qualsiasi in cui si esce a fermare il golpe che vuole soffocarla, ma senza rinunciare a una tregua che fa festa. Portare il *mono azul* come un abitino estivo, infilare una cravatta sotto la salopette, per il desiderio di mostrarsi belli agli occhi dell'altro. Lì non serve il mastodontico fucile passato per le mani di chissà quanta infelice soldataglia, prima che lo ricevesse il miliziano anarchico che ora non può sfiorare il collo luminoso della sua donna.

A parte quell'intralcio, nell'attimo presente sono liberi da tutto. Hanno già vinto. Se vanno avanti a ridere così, se continuano a essere così felici, non sembra troppo urgente saper estrarre un colpo da quell'arma vetusta. Prevarrà chi è nel giusto. Adesso possono godersi il sole temperato dalle latifoglie, la compagnia della persona amata.

Il mondo è giusto che lo sappia. Deve vedere in un colpo d'occhio che da una parte c'è la guerra vecchia di secoli, i generali sbarcati dal Marocco con le feroci truppe mercenarie, dall'altra parte gente che desidera difendere quel che sta vivendo, e si desidera l'un l'altra.

A Barcellona, in quel principio d'agosto del 1936, stanno arrivando in tanti per unirsi al primo popolo d'Europa che non ha esitato ad armarsi contro il fascismo. Raccontano la città in subbuglio nella lingua universale delle immagini, che dalle pagine esposte nelle edicole di mezzo mondo, affisse nelle sedi di partito e sindacali, sventolate dagli strilloni, riutilizzate per avvolgere uova e prodotti della terra, saltano in faccia persino a chi non compra o non legge i giornali.

I barcellonesi accolgono fraternamente gli stranieri accorsi per combattere al loro fianco, e si stanno abituando a quella Babele che si aggira ovunque, assaporando il gusto di salutarli con *compañero* e *compañera*, per poi magari aiutarsi a gesti, suoni onomatopeici, dizionari in formato tasca. I fotografi, che non sono in attesa di armi e addestramento, fanno parte di quel continuo afflusso alle milizie volontarie. Sono qui per noi, sono come noi, compagni, comprende chi li vede all'opera e li lascia lavorare.

Ma i due miliziani della fotografia sono così rapiti dalla loro risata da non accorgersi di nulla. Chi li ritrae si sposta, scatta di nuovo, rischia di tradirsi per riprendere più da vicino quella coppia unita dal sorriso largo, molto intimo.

11

La foto appare quasi identica alla prima, salvo che qui diventa visibile che l'uomo e la donna sono talmente invaghiti da non curarsi della vita che si svolge attorno. La forbice dei passi di qualcuno che, tagliando il selciato alle loro spalle, rivela che non si trovano in un parco, ma forse addirittura sulle Ramblas, dove si raduna la città in mobilitazione. La poltroncina accanto, dove è seduta un'altra donna.

Della sua testa non vedi che un ciuffo di capelli crespi, del corpo soltanto un braccio infagottato. Avresti invece bisogno del suo sguardo, lo sguardo di chi ha visto da vicino ciò che puoi ricavare dalle immagini, ma che si sottrae ai tuoi occhi.

Il fotografo che ha catturato i due compagni non è da solo. Sono un uomo e una donna, appostati sul lato destro della strada, uno di fianco all'altra.

Poi scopri la foto di una donna seduta nelle stesse poltroncine e stenti a credere che possa esistere una fortuna così sfacciata. Sinché, in alto a destra, noti una fetta del profilo del giovane miliziano che nelle altre fotografie sorride estasiato alla sua ragazza bionda.

Questa operaia che tiene una rivista di moda nelle mani dissonanti e un fucile tra le gambe, non pare davvero il tipo che si fa prendere da curiosità pettegole per l'apparizione di una coppia di fotografi che immortala anche lei, dopo aver gareggiato a non farsi sfuggire la risata fragorosa dei compagni innamorati. No, ti dici, una così vede e non vede le cose che non la riguardano. Rimane un po' all'erta, perché le hanno dato un'arma, però vuole anzitutto gustarsi quell'attimo di pace.

Ma qualche giorno dopo – così t'immagini – quella miliziana arriva alla spiaggia dove si fa l'addestramento e ritrova i due fotografi. Lui con quell'aria da mezzo gitano o comunque alla buona, lei quasi una figurina uscita dalla rivista letta sulle Ramblas, ma con una ingombrante fotocamera appesa al collo che le arriva alle anche.

Adesso la donna è curiosa: chi sono quei due? Da dove vengono? Hanno una tresca, come le tante che fioriscono in questo clima di mobilitazione e piena estate e libertà, o sono marito e moglie? Qualcosa di simile, visto che, affiatati e coordinati, si dicono qualche parola in una lingua dura. Lei è sorridente e svelta come un gatto, ma più composta quando impartisce istruzioni su come le compagne devono posizionare le loro armi. Tutti e due si danno molto da fare, sono euforici e allegri, spartiscono persino le Gauloises come gesto di fratellanza e ringraziamento.

«Li ho già visti» interviene la miliziana, quando i fotografi si allontanano e comincia uno scambio concitato di commenti, ma nessuno le dà retta. Le notizie interessanti le ha il compagno giornalista che li ha portati lì. Sono appena arrivati da Parigi e hanno già rischiato il collo perché il bimotore ha fatto un atterraggio d'emergenza sulla Sierra. Un pezzo grosso della stampa francese si è rotto il braccio, ma loro due neanche un graffio, grazie al cielo. Lui, che si chiama Robert Capa, dice che Barcellona è magnifica e gli ricorda la sua città natale, solo che a Budapest non può tornare finché è in mano all'ammiraglio Horthy e al suo regime reazionario. Gerda Taro, la sua compagna, deve essere un'*alemana*, una di quelle giovani emancipate che non si sono sottomesse neanche a Hitler.

«Si può sapere quando escono le foto?» lo incalzano le miliziane.

Il giornalista promette di informarsi, non però dai fotografi che sono in procinto di partire per le zone in cui si combatte: prima vanno al fronte d'Aragona e poi giù, in Andalusia.

A un anno da quelle fotografie, a Barcellona ci sono stati i primi diciotto morti sotto i palazzi sventrati dal fuoco dell'incrociatore *Eugenio di Savoia*. Le milizie sono state sciolte, la miliziana è tornata in fabbrica. Magari cuce le uniformi dell'Ejército Popular, dove gli anarchici devono obbedire senza discutere e per le donne non c'è più posto. Ma negli stabilimenti si continua ad ascoltare la radio, a commentare le notizie, a farsi coraggio.

Allora ti figuri che qualcuno legga a voce alta un quotidiano che porta la data del 27 luglio 1937. C'è scritto che Madrid resiste eroicamente, anche se con l'aiuto criminale dell'aviazione tedesca e italiana il nemico è avanzato verso Brunete, dove è successo un fatto tragico. È caduta una fotografa venuta da lontano a immortalare la lotta del popolo spagnolo, un tale esempio di valore che il generale Enrique Líster si è inchinato alla sua bara e il poeta Rafael Alberti ha dedicato le parole più solenni alla compagna Gerda Taro.

«Non è quella che ci ha fotografate sulla spiaggia?» esclama un'operaia, richiamando l'attenzione delle ragazze che sull'uscio del capannone si sono messe a parlare dei fatti propri. Sì, è proprio lei: nell'articolo c'è scritto pure dell'«ilustre fotógrafo húngaro Robert Capa que recibió en París la trágica noticia».

Le operaie della fabbrica di uniformi sono attonite, toccate dai ricordi.

Il sole sulle spalle, la sabbia nelle scarpe, le risate quando una di loro caracollava sulla battigia sbilanciata dal rinculo dell'arma e, appena un'altra centrava il bersaglio, il boato di esultanza. E poi quella straniera che – lo capivi subito – era stata una *senyoreta* dalle manine morbide, e avrebbe potuto restarsene a Parigi a immortalare le attrici e manne-quin elegantissime, e invece era venuta a fotografare loro che imparavano a sparare sulla spiaggia. Le ammirava pu-re, sembrava quasi che un pochino le invidiasse. E adesso è morta come un soldato, mentre loro si rovinano la schiena nella fabbrica, e poi corrono a cercare da mangiare, ma so-no ancora vive. Non è giusto. Che crepino all'inferno, i fa-scisti.

Tra le più colpite dalla notizia c'è la donna che era sedu-ta con quella rivista di moda sulle Ramblas. La commozione che l'afferra in quel momento, con il mozzicone riacceso che le affumica le dita, le macchine per cucire che mitragliano alle sue spalle, non è solo quella di chi è scossa di riconoscenza per il sacrificio di uno scricciolo arrivato da un paese freddo. In lei è riaffiorata, nitida, un'immagine colta svagatamente un anno prima, alzando gli occhi dalla sua lettura: un uomo moro e una biondina con il caschetto fotografano una biondina con il caschetto e un uomo moro che ridono felici. La biondina scatta a testa inclinata con una fotocamera che le cela la fronte. L'uomo moro lavora con una macchina così piccola da lasciar scoperte le sopracciglia, folte come quelle del miliziano. Poi, appena finito di scattare, ridono anche loro, esuberanti e complici. Persino gli occhi di un'estranea come lei notano che quei due si sono riconosciuti negli altri due. E sono altrettanto innamorati.

Una piccola coincidenza ha voluto che i fotografi, appena sbarcati a Barcellona, si fossero imbattuti in una coppia a cui somigliavano. Magari era pure un frutto del caso che Gerda Taro fosse riuscita a realizzare la foto di una risata al suo apice, mentre Robert Capa perdeva qualche secondo forse aggiustando il grandangolo. Se lei avesse lavorato con la macchina con cui le aveva insegnato a fotografare – la Leica – anche i suoi negativi avrebbero avuto il formato rettangolare che consente di attribuire a Capa la seconda foto della coppia e quella della donna con la rivista. Gerda non avrebbe ottenuto la perfetta centratura dell'immagine quadrata, non si fosse comprata una reflex economica di medio formato, una Reflex-Korelle. Ma dopo sei mesi le comuni entrate erano sufficienti perché lui potesse procurarsi una

Contax e affidare la compagna dei suoi anni affamati, la sua Leica, alla ragazza che lo aveva incoraggiato a lasciarseli alle spalle.

Soldi non ne avevano al momento di partire da Parigi – lei all'inizio della sua avventura come fotografa, lui senza un ingaggio pur cominciando a essere richiesto – ma possedevano una fiducia inesauribile che si sarebbero fatti un nome.

Vivere a Parigi, senza nient'altro che una Leica, era l'arte di arrangiarsi giorno dopo giorno. Avrebbero trovato più lavoro sotto pseudonimo, si erano convinti André Friedmann e Gerda Pohorylle. Si erano persino inventati la storia di Robert Capa che possedeva quello che mancava a loro: ricchezza, successo, un visto illimitato sul passaporto di un paese riverito in virtù di una potenza non funestata da guerre e dittature. Uniti in una società segreta che come capitale di partenza aveva un alias, erano ancora più vicini nella vita, più temerari nei sogni da inseguire nel futuro.

Poi era finito il tempo delle favole. Da quando la Repubblica spagnola era sotto attacco, la sola bravura era trovarsi al momento giusto nel posto giusto per catturare una realtà che doveva scuotere, tenere viva la protesta, forzare l'intervento del mondo libero.

Ma se una fotografia parla anche di chi l'ha fatta, non possono non riflettere i loro autori le due istantanee di una coppia in cui era talmente facile specchiarsi. Nella foto di Taro, l'uomo e la donna condividono lo spazio alla pari, uniti dalla risata che si libera nell'aria, in una composizione così armonica da esaltare per contrasto quell'energia debordante. La foto di Capa pone la donna al centro, ne decanta la fisicità attraente, ma mentre s'inclina verso il compagno e dalla prospettiva del suo sguardo radioso.

Camminavano l'uno accanto all'altra, adocchiarono i due miliziani così simili, così beati. Ma non era il gusto di un gioco degli specchi che li ha spinti a fotografare l'identico soggetto, purché uno dei due azzeccasse un'immagine da mandare ai giornali. È la promessa che s'invera sui volti e sui corpi trasfigurati da quel riso felicissimo, l'utopia vissuta nel volgere di pochi istanti che rendevano quell'uomo e quella donna liberi di tutto. Liberi sì, e affratellati negli ideali e nei sentimenti, ma non uguali. Robert Capa infatti ha colto il desiderio di abbandonarsi senza ritegno l'uno all'altra, Gerda Taro una gioia spudorata che si lancia fuori a conquistare il mondo.

Erano diversi, erano complementari, in quel giorno d'agosto sottratto per sempre a quanto sarebbe accaduto dopo. Lo raccontano loro stessi, involontariamente, schietti come il riso immortalato, attraverso quegli autoritratti rubati ai loro compagni in armi, e in amore, nella breve estate dell'anarchia, a Barcellona.

PRIMA PARTE

Willy Chardack

Buffalo, N.Y., 1960

Chi è questa che vèn, ch'ogn'om la mira,
che fa tremar di chiaritate l'âre...

GUIDO CAVALCANTI

Può mai una cosa sì bella piacere a uno
soltanto
quando il sole, le stelle son di tutti quanti?
Non so a chi io appartenga.
Credo a me stessa, sì, soltanto a me.

« Ich weiß nicht zu wem ich gehöre » (1930)
di FRIEDRICH HOLLAENDER
e ROBERT LIEBMANN, cantato
da MARLENE DIETRICH

Il dottor Chardack si è svegliato presto. Si è lavato e vestito, si è portato nello studio una tazza di caffè istantaneo e il *New York Times* del fine settimana, ha sfogliato le pagine della politica che vorrebbe seguire meglio ora che si fa tesa la corsa alla Casa Bianca. Poi ripone il giornale a faccia in giù, prepara carta e penna e si mette a lavorare.

Fuori non c'è un rumore, salvo le voci sporadiche di rondini e cornacchie, e il fruscio lontano di qualche automobile che cerca un distributore di benzina o è diretta chissà dove. Più tardi anche i vicini cominceranno a salire sulle loro auto per andare in chiesa, in visita ai parenti o ai ristoranti con «Sunday's Special Breakfast», ma nessuno di questi impegni riguarda per fortuna il dottor Chardack.

Non si stupisce quando suona il telefono dopo che ha steso l'inizio di un articolo, grida «sarà per me!» verso il resto della casa, più per abitudine che per prevenire che sua moglie si precipiti assonnata verso l'apparecchio.

«Dr Chardack» risponde, come sempre, senza l'aggancio di un saluto.

«Hold on, sir, call from Italy for you.»

«Willy» dice una voce ovattata dalle telecomunicazioni intercontinentali, «non ti ho svegliato, vero?»

«Nein: absolut nicht!»

Ha capito subito chi lo sta chiamando. C'erano ancora i

vecchi amici, impressi come il segno di una brutta caduta da un albero del Rosental, e chi era rimasto vivo poteva farsi vivo.

«Georg: è successo qualcosa? Qualche problema?»

All'epoca in cui era Willy, era stato anche l'amico a cui chiedere un aiuto pratico: dei soldi, in sostanza, dato che ne aveva sempre avuti più degli altri. È per questo che l'interlocutore ora sta ridendo, ridendo forte, mentre gli dice che non ha bisogno di alcunché, ma qualcosa, non c'è dubbio, è successo, e quella cosa l'ha combinata lui laggiù in America, talmente grossa che era impossibile resistere all'impulso di telefonare anziché scrivergli una lettera.

«Congratulazioni! È grandioso quello che hai fatto, si potrebbe azzardare: epocale.»

«Grazie» ribatte con un tono e un tempo di risposta che ha troppo dell'automatico. Non è un tipo da complimenti, il dottor Chardack, lo sarebbe piuttosto da battute spiritose, ma non gliene viene in mente neanche una.

Erano campioni della risata, un tempo. No, questo è esagerato, ma erano bravi a ravvivare a colpi d'ironia la serietà mortale dei dibattiti, e Willy Chardack non era mai stato da meno dei suoi compagni. Adesso anche i colleghi ne apprezzavano il secco umorismo, reso più marcato dall'accento germanico (quello degli scienziati pazzi) e a lui stava bene non risultare troppo scorbutico per i parametri americani, un personaggio.

Il dottor Chardack, ascoltando la voce lontana di Georg Kuritzkes, se lo rivede *en plein air* con tutta la compagnia bella, o non per forza all'aria aperta ma in un'aria da film francese, gaia e luminosa, sebbene non fossero ancora a Parigi. Ma il Rosental non temeva paragoni con il Bois de Boulogne e i *passages* di Lipsia erano famosi. C'erano le industrie e il commercio, la musica e l'editoria che vantavano tradizioni centenarie, e quella solidità borghese calamitava nuovi arrivi dalle campagne e dall'Est che rendevano la città sempre più simile a una vera metropoli, anche nei contrasti e nei conflitti. Finché non si incattivirono gli scontri e gli scioperi, la crisi economica mondiale che accelerava la catastrofe tedesca. Le facce tese che Willy trovava a casa, quando suo padre si esasperava per la fila di chi chiedeva un lavoro, qualsiasi lavoro, mentre già faticava a tenersi garzoni e magazzinieri perché stava vacillando anche la borsa di pellicce che sin dal Medioevo, o giù di lì, a Lipsia prosperava.

Lui e i suoi amici, che non dovevano combattere con i clienti insolventi, erano disposti a lottare contro tutto, anche se provenivano da una famiglia benestante. Erano liberi di farlo, liberi di partire in gita e dormire in tenda sotto le stelle, liberi di corteggiare le ragazze, e ce n'erano di carine e persino strepitose (Ruth Cerf che s'era trasformata da stanga secca in biondona maestosa e poi Gerda che era la persona più incantevole, più viva e divertente che avesse mai incontrato nell'universo femminile), liberi di ridere. La voglia di scherzare non s'era spenta neppure quando Hitler stava per vincere e bisognava tenersi pronti a preparare le valigie. Nessuno avrebbe potuto espropriarli di quella risorsa che li rendeva uguali, compagni a partire dal modo di stare al mondo che sfidava i nazisti. Però davvero uguali non lo erano, Georg ne forniva il miglior esempio. Georg era brillante ma come per un'eccedenza di cui far scialo, quasi l'equivalente del corredo di camicie (camicie di cotone egiziano!) che languiva negli armadi di casa Chardack da quando Willy si era adeguato agli ambienti di sinistra. Georg Kuritzkes era intelligente, bello, sportivo. Leale e affidabile. Ottima capacità di aggregare, istruire, organizzare. Ballerino disinvolto. Conoscitore appassionato delle ultime tendenze musicali d'oltreoceano. Coraggioso. Determinato. E anche spiritoso. Come poteva, un Willy Chardack, costituire la prima scelta per le ragazze? Lo chiamavano « Bassotto » da molto prima che gli tornasse antipatico quel soprannome adottato all'istante dal lieve accento di Stoccarda di Gerda Pohorylle. Non poteva, infatti. Però che Georg fosse per giunta divertente alimentava un affetto che circolava fuori dai ranghi di quelle gerarchie da ragazzi, a quanto pare duraturo, come l'emozione di risentirlo dimostrava. Effetto di una risata riscoperta dopo un tempo che pareva un secolo.

Georg l'ha ragguagliato sul fratello in America, sposato, trasferito in una casa con vista sulle Rocky Mountains. È stato proprio Soma a mandargli un ritaglio di giornale: arrivato con tempi biblici, scansando le anse morte delle poste italiane, una sorpresa totale, entusiasmante.

« Mi sa che ti daranno il Nobel. »

« Macché. Siamo soltanto un ingegnere che fa i suoi esperimenti in una rimessa accanto a una casa piena di marmocchi e due dottori di un ospedale per veterani. A Buffalo, non a Harvard. L'industria medica è arrivata in avanscoperta, ci riempiono di pacche sulle spalle e di promesse, però finanziamenti o richieste di licenza per il brevetto non se ne vedono, finora. »

« Capisco. Ma affiancare a un cuore un piccolo motore con cui si può nuotare, giocare a calcio, rincorrere un autobus, è una rivoluzione, diamine. Se ne renderanno conto. »

«Speriamo. Quando hai chiamato, pensavo fosse l'ospedale o un paziente che abbiamo dimesso. 'Qualche problema?' – ormai lo dico come le signorine dei telefoni – 'le passo la chiamata'. Ma sono contento, certo.»

«Vorrei vedere. Alla fine sarai l'unico ad aver cambiato qualcosa. Te l'ho detto: sei tu quello che ha fatto la rivoluzione...»

Questa volta il dottor Chardack avrebbe una risposta pronta. Vorrebbe tirare fuori gli studenti che provano a ribaltare l'America non facendo altro che stare seduti a un banco vietato ai negri, tanto che Woolworths e poi le altre catene commerciali hanno aperto i *lunch-counters* del Sud razzista ai clienti di colore. Vorrebbe raffrontare la loro fede così ferma e pacifica, guidata da un reverendo battezzato nel nome di Martin Lutero, con quella incontrata nel figlio di un falegname inglese diventato ingegnere elettronico grazie al programma di istruzione per i veterani. «La Provvidenza mi ha dettato la svista decisiva, caro Chardack, vedrà che tutto si risolve» ripeteva l'ingegner Greatbatch quando il dottore correva alla rimessa per sottoporgli l'ennesimo problema. Vorrebbe dire a Georg che è proprio lui, il senzadio, a essere rinato con ogni impulso elettrico del cuore di un malato e che lo ha esaudito l'unico nume a cui si è votato, Esculapio.

«A me basta il mio lavoro» dice.

L'altro ride con quel timbro pastoso e forte, una risata complice, ma il dottor Chardack coglie un'incrinatura nella voce di Georg e lo lascia continuare.

«Anch'io vorrei dedicarmi solo alla ricerca medica, non ci si annoia e si fa indubbiamente qualcosa di utile. Purtroppo, nel mio campo, le invenzioni miracolose sono improbabili. Potessimo, dopo un ictus, applicare un aggeggio come il vostro!»

Di nuovo il dottor Chardack ha colto un sassolino levigato, un dispiacere. Però con uno scherzo sa come rimediare: «A me il cuore e a te il cervello! Noi due ci spartiamo gli organi vitali come le superpotenze il mondo e ora anche il cosmo».

«L'importante è avere qualcosa da spartire, no? E adesso che t'inviteranno in tutti i continenti, mi raccomando di farti vivo, se vieni da queste parti.»

Ora che sono arrivati ai convenevoli, il dottor Chardack si è rasserenato. In fondo non è disprezzabile che dei loro scopi e sogni condivisi – la medicina, Gerda, l'antifascismo – il primo sia rimasto a entrambi.

La conversazione si conclude con lo scambio dei recapiti del dottor Chardack e del dottor Kuritzkes, il quale medita di lasciare la FAO e l'ONU in generale, anche se gli dispiace il pensiero che non sarà più il benvenuto dappertutto.

«Allora ti aspetto, Willy, aspetto che il muscolo spompato della vecchia Europa ti accolga in trionfo...»

In piedi, per qualche attimo, davanti all'apparecchio riagganciato, il dottor Chardack sente ancora l'ultima risata dell'amico, così avvolgente malgrado l'implicito sarcasmo. Ma appena si accorge da cosa era sgorgata – questo accennare al telefono senza parlare chiaro – si irrigidisce.

Perché Georg era andato a Roma? Si era veramente illuso che, lì alla FAO, avrebbero sconfitto la fame, nientedimeno? Non era mai stato un ingenuo o un esaltato, anzi. Chissà se sarebbe partito per la Spagna, se non fosse arrivata quella matta a convincerlo, e dire di no a Gerda, figuriamoci. Era matta sul serio, persino più di Capa, a cui era venuto un colpo scoprendo che non si era accontentata di una lunga vacanza italiana dal famoso Georg. No, quell'incosciente si era portata le foto delle milizie repubblicane nella culla del fascismo! Gerda, impassibile, ribatteva che erano sciocchezze, pretesti per farle una piazzata, e chi assisteva a quel battibecco nel chiasso accogliente di un caffè parigino non poteva che reprimere un sorriso ammirato.

Georg Kuritzkes, ad ogni modo, si era unito alle Brigate Internazionali e poi era rimasto a Marsiglia, mentre Willy salpava per gli Stati Uniti, entrando nella *Résistance*. Ma prima di salire in montagna si era laureato e, dopo la Liberazione, si era specializzato con una tesi che gli era valsa un posto di ricercatore all'UNESCO.

Il dottor Chardack ormai si tiene alla larga dalla politica, ma è la politica che mette piede sul suo campo. Come potrebbe digerire che gli USA non vogliano degli scienziati con le capacità di Georg Kuritzkes per via del sacro terrore di tutto ciò che è rosso? Eppure non è detto che Georg se ne rammarichi. Forse è tornato in Italia perché l'ha deciso l'ONU, ma si troverà ancora bene laggiù, se non è troppo cambiato.

Il dottor Chardack è sollevato da quella conclusione. Così, quando si rimette sulle carte, la nuvolaglia di provenienza atlantica è già evaporata.

Non è in quel momento della giornata, soddisfatto di avere finito la prima stesura dell'articolo, mentre al piano terra sbattono le porte (stanno uscendo tutti, meno male), che avverte la lontananza del mondo in cui è capitato. È dopo pranzo, quando decide di anticipare il giro di controllo ai pazienti per poi guidare verso i quartieri meridionali – *Polonia, Kaisertown*, Little Italy – dove vendono dei dolci come quelli d'una volta. Forse quei gesti dovrebbero venirgli in mente un po' più spesso, anche se nessuno in fa-

miglia se lo aspetta. Ma il dottor Chardack ha sempre riget-
tato qualunque sforzo che non sia rivolto a uno scopo rea-
lizzabile. Gli sta bene portare a casa una torta, non la fatica
astratta di diventare un *vero americano* quando ciò che ha
fatto e sta facendo basta e avanza. Si fa chiamare William,
pronuncia il suo cognome all'americana, ha servito due anni in Corea, la pompa per trasfusioni che ha ricavato da una
granata gli è valsa due medaglie. Ne va fiero, certo, perché
va fiero dei ragazzi che è riuscito a salvare, così come delle
molte vite americane che ora saranno salve grazie al suo
pacemaker impiantabile. Perciò non gli si chieda altro: l'A-
merica per lui è una nazione di cui far parte, non una religione in cui rinascere. A volte gli mancano le cose buone
che hanno laggiù in Europa. *So what?*

E allora, appurato che i degenti sono stabili, preferisce
lasciare l'auto al Veterans Hospital e camminare fino a
Hertel Avenue dove caffè e ristoranti italiani o ebraici ne
trova a sufficienza. In più, quando il tempo lo permette,
al dottor Chardack piace passeggiare, abitudine per nulla
americana. Il che non toglie che le vie che prende ad attraversare, lui pressoché l'unico appiedato, il solo in giacca e
cravatta (giacca però leggera infilata sopra la camicia in fi-
bra mista a maniche corte) nel pomeriggio della domenica
di fine estate, siano le strade di North Buffalo: tirate con la
riga, scandite di alberelli che giustificano il nome Avenue,
riempite di case di legno riverniciate o appena scrostate
(poche), rosse, gialline, verdognole, azzurre, crema, bianco
ghiaccio, qualcuna adorna di bandiera americana, più piccole e più grandi, case con davanti un generoso zerbino
d'erba (senza staccionata!), sorprendentemente capaci di
resistere alla neve e di mantenere il caldo (il fresco meno),
come negli anni ha scoperto.

L'unica eventualità seccante è che qualcuno voglia dargli uno strappo. «Thanks, no!» era solito rispondere, a corto di spiegazioni persuasive, finché ebbe il guizzo di giustificare il suo eccentrico «just walking» come un toccasana per la prevenzione dell'infarto. «Oh really, doctor!» rispondevano i vicini, stringendo un po' intimoriti le chiavi della macchina. Ma in strada adesso ci sono soltanto un paio di ragazzine immerse in confidenze e qualche scoiattolo che si affaccia al marciapiede con quella sfrontatezza che lo distingue dai poveri e paurosi parenti in Europa.

Camminare per uno spazio che ti ignora mentre tu lo conosci a sufficienza mette in moto i pensieri o li macina via a ogni passo. Non era a Lipsia che il dottor Chardack si era abituato alle lunghe passeggiate in città, ma seguendo i boulevard del quindicesimo, settimo e sesto, per sconfinare spesso negli arrondissement sontuosi o popolari sulla riva destra. Il metrò costava poco, però era la prima spesa evitata da Ruth e Gerda, che non potevano contare su un aiuto economico dalle famiglie. Soldi buttati, sostenevano, e oltretutto si manteneva la linea andando a piedi. Il Bassotto sogghignava che era l'ultimo dei loro problemi. Le ragazze si lasciavano offrire un caffè, ma i biglietti del metrò solo in casi straordinari. Che gusto c'era a viaggiare sottoterra, pigiati come in gabbia, quando erano a Parigi? Alla parola «gabbia» Willy rinunciava a obiettare che stava per piovere. Gerda era stata in prigione, ne era uscita per miracolo, e pure la sua fuga dalla Germania era capitata sotto una buona stella. «Dove devi andare?» le chiedeva. «Sai come arrivarci?» «Grazie, Bassotto, me la cavo, però se non hai altro da fare magari mi accompagni un pezzet-

31

to.» Magari altro da fare l'avrebbe avuto (rifugiarsi in biblioteca e uscire all'orario di chiusura) e invece si trascinava i tomi di medicina ben al di là del Pont Saint-Michel e tornava indietro con il segno del manico della cartella inciso nelle dita.

Lei era infaticabile, dopo un mese sembrava nata parigina. C'era il giorno in cui poteva andare a ritirare i soldi che aveva guadagnato con i suoi piccoli lavori, ma bisognava scarpinare fino all'Opéra e, al ritorno, comprare dei croissant e un cestino di fragole per Ruth che ormai doveva essere tornata in camera. «Quella mi sviene se non le porto un po' di zuccheri, nemmeno maggiorenne e così alta.» Oppure doveva fare un salto alle poste di Montparnasse per spedire una lettera a Georg, anzi bastava una buca e prima un tabaccaio e allora, tanto che c'erano, non poteva comprarle qualche sigaretta? Qualche volta, mentre lei aveva già inumidito i francobolli per l'Italia e lui stava ancora aspettando il resto, concludeva che i bassotti a pelo ruvido bisognerebbe inventarli se non esistessero...

Poi si era messa d'impegno per prendere il *baccalauréat* da privatista, Georg era stato generoso di incoraggiamenti a Gerda e di raccomandazioni a Willy perché l'aiutasse nelle materie scientifiche che lei non aveva mai studiato. Quasi per sfida, lei preferiva convocarlo all'École normale supérieure, che era pure più bella e tranquilla della Sorbona dove il Bassotto figurava tra gli iscritti. Quando venivano sloggiati, si ritiravano su una panchina del Jardin du Luxembourg con la Tavola periodica degli elementi e il Formulario di fisica semplice estratti dalla sua borsetta, sorreggendo in due il foglio pericolosamente trasparente lungo le linee di piegatura. Rimanevano in quell'intimità chimica e fisica fatta di carta, finché Gerda si spazientiva o aveva freddo. Quanti minuti di contatto sarebbero stati concessi alla coscia flanellata del Bassotto, quanta visione delle calze di seta che sbucavano da sotto le formule, dei piedini che battevano il ritmo dei ripassi? La mattina, aprendo le imposte, Willy scrutava le nuvole sopra il cortile dell'albergo. Quando erano così cupe da annunciare che sarebbe saltata la ripetizione al parco, s'incupiva. A lui bastava una giornata non troppo fredda e coperta, ma la sua meteorologia non riusciva mai a indovinare dopo quanto tempo Gerda si sarebbe alzata da quella panchina. Di colpo si tirava su, camminava lungo la muraglia verde degli alberi allineati, enormi al suo confronto. Avanzava a passo lieve ma lievemente innervosito, o magari era l'effetto del ghiaino che scricchiolava sotto i suoi tacchi, una stilettata dopo l'altra. Il Bassotto restava indietro per correggerla, il foglio in mano. Gerda si fermava e si voltava, voleva trovare la formula, la sequenza di elementi prima che lui la raggiungesse. «Devo rallentare?» si chiedeva Willy, senza avere chiaro se era per darle tempo o per trattenere quello sguardo così intento. Il dubbio stesso probabilmente lo rallentava, visto che Gerda riusciva quasi sempre a lanciargli incontro la risposta, cosa che gratificava il Bassotto di un fugace sorriso trionfante. Ma qualche volta, vedendo le classi appena uscite dal Lycée Montaigne, Gerda tirava dritto, come se i loro sforzi di apprendimento fossero ridicolizzati dai cappottini e dai capelli allisciati che uniformavano le facce puerili rianimate dalla fine della scuola. Basta, lasciamo perdere, comunicava quell'accelerata verso l'ingresso di rue Auguste Comte, da cui si riversavano gli alunni dell'antico liceo parigino. Willy allungava il passo, preparandosi a dirle in modo brusco che quei ragazzini non erano un motivo valido per irritarsi e piantarlo lì. Stranamente anche Gerda smetteva di correre, quasi se ne rendesse conto all'improvviso, ma a Willy, inseguendola, arrivava sempre più forte una voce da soprano: «Lutétium, Hafnium, Tantale, Tungstène, Rhénium, Osmium, Iridium, Platine, Orrr...» declamava Gerda, quasi fosse una poesia surrealista. Gli studenti si stringevano per lasciarla passare, degnandola a malapena di una smorfia. Ma negli occhi di qualche ragazzo dilagava una luce che Willy Chardack conosceva bene.

Il dottor Chardack ricorderà per sempre il blocco D della tavola periodica in quel francese ricalcato e istrionico, una combinazione che, guarda caso, include il mercurio di cui è fatta la batteria del suo pacemaker. Non va bene, in realtà, la batteria al mercurio, e con Greatbatch dovranno risolvere il problema, un compito a cui il dottore non vede l'ora di dedicarsi. Ma il dottor Chardack non si fa intimorire dalle sfide. Greatbatch non gli ha mai chiesto da dove gli vengano il sangue freddo e l'imperterrita fiducia nelle invenzioni; forse perché ritiene parte del disegno provvidenziale l'aver trovato proprio a Buffalo un cardiochirurgo tanto capace e disponibile a far notte nella sua rimessa. In quelle notti è stato naturale parlare dei suoi trascorsi nel vecchio mondo, mentre il dottor Chardack ne ha abbastanza dei pranzi in mensa e dei *dinner parties* dove qualsiasi collega o perfetto sconosciuto tende a porgli le eterne identiche domande.

«So you went to university here or back in Germany?»
«Well, in Europe, but not in Germany. In Paris.»
«Oh... in Paris!»
«Neanche *in Paris* l'obitorio profuma di Chanel numero 5» aveva gelato una volta una tavolata, prima che l'ospite

ne ridesse come di uno scherzo tra colleghi, *not bad*, ma sconveniente di fronte alle signore che consideravano Parigi *so romantic*. Così, appena le signore si erano ritirate in cucina, il padrone di casa era tornato sull'argomento. «Ne abbiamo passate delle belle, vero Bill? Non c'è nulla di più democratico, dopo la morte, del compito di un medico, e vedo che ce lo insegnano ovunque alla stessa spiacevole maniera... Allright, lo verso anche a te un altro goccio?»

«Cheers» aveva risposto il dottor Chardack, portandosi anche la replica alle labbra.

Il problema, infatti, erano stati i vivi. Erano certi professori con la vocazione a bocciare chi agli esami incespicava, non in una nozione appresa male, ma in una parola o in una corretta declinazione. «Siamo invasi!» sentenziavano i manifesti per le strade, e nelle aule si coagulavano chiazze di studenti arrivati a Parigi da ogni luogo in cui il fascismo e lo sciovinismo dilaganti avevano preso il sopravvento: qui gli italiani, lassù gli ungheresi e i polacchi, poi i rumeni e i portoghesi in gruppetti più esigui. Un po' dappertutto loro, i *judéo-boches*, la goccia che aveva fatto traboccare il vaso, perché ormai erano davvero tanti, temuti per questo, e perché spesso erano anche tra i più bravi.

Studiare tutto a memoria, ripetere a macchinetta, parola per parola, manuali di cinquecento pagine. Cavarsi gli occhi sino a tarda notte per via della luce a risparmio degli abat-jour spogliati dei paralumi a fiorellini pallidi (quelli sì, nelle intenzioni, assai romantici), tremando per la stanchezza e il freddo umido, l'acidità dei troppi *cafés crèmes* bevuti durante il giorno per non crollare sul materasso della camera d'albergo.

«Tra un po' un francese non potrà più farsi curare da un medico francese» commentavano gli studenti più o meno associati in gruppi di fede cattolica, comunque devoti alla Francia insidiata più che a Gesù Cristo. Proferivano la frase come gli annunci alla stazione, sbuffavano all'indirizzo di un compagno di banco, arroganti a mezza bocca.

Bisognava essere i migliori per essere certi di passare gli esami. Bisognava rispettare ogni scadenza. Sbrigarsi. Sperare che le *Ligues d'extrême droite* non replicassero i fatti terribili del 6 febbraio '34 con maggiore successo («fanno bene lo champagne, il putsch ancora non lo sanno fare» era stata la sintesi sprezzante, esorcistica, d'un compagno di studi berlinese), che il governo non cedesse troppo alle pressioni più reazionarie, che la sinistra vincesse le prossime elezioni. Altrimenti, tra le restrizioni, c'era d'aspettarsi anche la quota d'accesso per restituire le università francesi ai francesi, e poi che cos'altro sarebbe stato promulgato per rendere la vita impossibile agli immigrati?

Due anni di incertezze. Ma dopo la vittoria del Fronte Popolare, festeggiata fino all'alba di quel 4 maggio del 1936, i docenti nazionalisti o semplici antisemiti si erano fatti ancora più carogne, nella convinzione che ormai la Francia potesse essere difesa solo grazie ai loro sforzi esemplari: fermare gli invasori lungo il corso degli studi, respingerli uno a uno, esame dopo esame.

Ma il vantaggio della lingua materna e ogni privilegio di nascita si azzeravano appena si entrava *dans la morgue*: non quella di defunta fama granguignolesca, ma pur sempre un obitorio con la sua aria fredda come la morte, stagnante, umidiccia. Lì assumevano un incarnato in tinta con il cadavere sia il rampollo destinato allo studio di papà sia il *petit bourgeois* investito di risparmi e ansie di promozione dal proprio parentame, compreso qualche provinciale che si era gloriato d'aver spezzato il collo alle galline. Era una questione di probabilità numerica, in fondo: il rito macabro-scientifico non rivelava nulla delle future qualità di un medico, come Willy stesso diceva ai suoi compagni per rincuorarli.

Eppure era stato un momento di verifica e di rivalsa. Un momento in cui nessun docente poteva negare l'evidenza esposta sul tavolo autoptico. Saper fare oggettivamente. Saper fare e basta. Per Willy e i suoi amici di Lipsia c'era soltanto questo a cui affidarsi: per non tirare avanti aspettando che si allentasse la presa di un destino che rifiutavano. Riconoscerlo avrebbe significato concedere la regia agli squadristi che li avevano cacciati, validare le menzogne sul «destino dei popoli e delle razze», i miti farlocchi di quelli là che si credevano eredi di divinità estinte da un millennio. Il destino era un mito falso, una truffa, un pretesto reazionario. Ma anche a Parigi dovevano prenderlo nelle proprie mani, quel destino, con tutto quello di cui potevano dare prova. Willy non aveva esitato a tenersi stretto il bisturi. E l'unica tra loro arrivata a Parigi con un mestiere in tasca, si era tenuta a galla con la macchina da scrivere. Finché le sue dita ormai lievemente incallite nei polpastrelli (ma forse Gerda esagerava) non avevano abbracciato il corpo compatto di una macchina fotografica.

«La nostra Gerda suona la Remington come Horowitz uno Steinway» era una frase proveniente dai caffè che facevano da salotto, salotto buono, per chi viveva in una camera striminzita o era ancora confinato al posto letto di un dormitorio. Al tempo stesso erano la piazza di scambio, il mercato nero sempre volatile, per chi cercava o aveva da offrire un lavoro. Gerda era favorita dall'ottima conoscenza del francese acquisita in un collegio sul lago di Losanna, ma questo le dava anche un'allure da fanciulla altolocata che non aveva mai mosso il dito mignolo. Insomma, i primi lavori le erano arrivati non perché i committenti si aspettassero che fosse una brava dattilografa, ma per pura simpatia. Tanto maggiore era la sorpresa quando consegnava, rapidissima, dei lavori impeccabili e altrettanto rapidamente cresceva la sua *renommée*. Chiunque avesse dato alla «nostra Gerda» una lettera da battere *vite-vite* poteva essere all'origine della battuta sullo Steinway. Ma no, riflette il dottor Chardack, non accorgendosi di una bici che gli taglia la strada, la frase risaliva a Fred e Lilo Stein, che avevano accolto Gerda e la Remington nel loro appartamento e l'avevano vista all'opera per tutto quel periodo.

Willy non era convinto che stare dagli Stein fosse la sistemazione più adatta per la «nostra Gerda». «Come va lassù nell'esilio di Montmartre?» le chiedeva ogni tanto. «Bene, benissimo» rispondeva lei decantando la sua nuova stanza, divisa con un'amica con cui era perfetto coabitare, visto che pure Lotte, la giornalista, correva perennemente dietro ai lavoretti. E non mancava mai di sperticarsi in elogi dei suoi magnifici padroni di casa. Cosa che gli Stein in realtà non erano, con quel subaffitto che aggirava il contratto di locazione firmato da un fotografo francese da cui erano stati piantati in asso. Ma gli inquilini che lo avevano accettato consegnavano la retta con una puntualità impensabile per Gerda e Lotte. Se però non c'era silenzio entro un certo orario, minacciavano di non pagare un centesimo. Purtroppo le ragazze, se volevano rispettare le consegne, non avevano alternativa: finito il martellio cacofonico di Lotte, il suo *slegato* giornalistico, ripartiva Gerda con le sue marce accelerate, gli inesorabili squilli e rulli degli a capo che rintronavano oltre la porta chiusa. Così, dopo aver rabbonito gli inquilini con un bicchiere della staffa («un petit cognac c'est mieux pour dormir d'une tisane...») e le dovute scuse (Fred voleva offrire uno sconto ma Lilo l'aveva subito fermato), gli Stein avevano collocato la Remington nel punto più lontano dalle camere, sul tavolo da pranzo, dove soltanto loro, i padroni di casa, distesi sul sofà, sorbivano il pieno impatto del sottofondo dattilografico. Dicevano di essersi abituati, dicevano che i ritmi di Gerda evocavano il tamburellare scatenato di Gene Krupa nello swing di Benny Goodman e pure Šostakovič e Chačaturjan, vigorosa arte rivoluzionaria. «La nostra Gerda suona la Remington come uno Steinway» concludevano, e lei rideva, perfettamente intonata a quegli apprezzamenti da solista.

Willy l'aveva un po' persa di vista in quel periodo, anche se Gerda non mancava di fargli festa quando si presentava con una buona bottiglia a Montmartre. Gli Stein, simpatici e alla mano, lo invitavano più spesso, ma non c'era stata occasione per approfondire l'amicizia.

Anni dopo, però, aveva ritrovato Fred e Lilo in quella data fatidica, il 6 maggio 1941, stampata sul biglietto della nave che da Marsiglia li portava negli Stati Uniti. Willy era arrivato all'imbarco teso come le corde che legavano la sua vita a un molo della Francia occupata. Teneva d'occhio tutto, ma in fondo non aveva guardato se non la passerella, l'alzata degli ormeggi e, finalmente, la scomparsa della linea della costa. Lo aveva riconosciuto Fred, mentre stavano per scendere sottocoperta. «Che bello rivederci» si erano salutati, con l'incredulità, il sollievo, il magone compresi in quella frase di circostanza. Durante il viaggio erano entrati in confidenza, gli Stein avevano voglia di parlare e Willy era contento di ascoltarli. Progettavano le loro nuove vite in America, ma raccontavano volentieri di Gerda, dei bei tempi con Gerda, com'era naturale. Era il tramite della loro amicizia e, in fin dei conti, un argomento immune alle inquietudini che occorreva lasciarsi alle spalle almeno per quel mese in mare alto. Sì, saperla morta e sepolta a Parigi consentiva di non chiedersi dove fosse e cosa potesse ancora capitarle...

Il dottor Chardack si guarda intorno e si accorge di quanto appaia mostruoso quel pensiero nella cornice quieta e molto verde di un sobborgo dove il maggior allarme sono i *raccoons* che nottetempo rovistano nell'immondizia. Pare sia successo più di una volta che una signora si sia trovata vis-à-vis con l'intruso infilato nel bidone e quello la guardasse un po' scocciato, appena in tempo per decidersi alla fuga. Cose che stenta a prendere per buone una persona nata in Europa, cose che tuttavia valgono un trafiletto sul *Buffalo News*, e Gerda sicuramente ne sarebbe andata pazza, pur chiedendosi come si poteva vivere in un posto dove non c'era nessuno di più eccitante da incontrare di un, come si diceva, ecco, *Waschbär*, un orsetto lavatore.

In ogni caso, Gerda era stata fondamentale per sopportare la traversata dell'Atlantico. I ricordi di Fred e Lilo gli avevano fatto scoprire alcune cose mai sapute. Per esempio, che Fred fosse così incantato dalla bravura con cui Gerda batteva a macchina da averla fotografata in quella posa: le dita morbide sulla tastiera, il volto cangiante tra sorrisi, smorfie, risolutezza, concentrazione, sfida, soffi di fumo allusivi di un dialogo collaudato tra la macchina da scrivere e la macchina fotografica.

All'epoca dell'esilio a Montmartre, Willy era convinto che l'interesse di Gerda per la fotografia fosse soltanto una febbriciattola, una curiosità accessoria a una nuova fonte d'intrattenimento. Aveva bisogno di divertirsi come dell'aria, questo sì, e André Friedmann, che le girava attorno da parecchio, la faceva ridere, indubbiamente. Non c'era altro motivo per frequentarlo. Quali ambizioni o possibilità poteva avere quel simpatico attaccabottoni di Budapest, con la testa arruffata e un francese ridicolo, uno che cercava di piazzare qualche foto sui giornali come facevano a centinaia? Provava a darsi un tono, a spacciare come una scelta di stile la sua condizione miserabile, ma Gerda non era ricettiva a quel messaggio, e dopo un po' il ragazzo, che stupido non era, aveva smesso di farle il filo accontentandosi di stare nella parte amichevole e prevalentemente buffa che lei gli assegnava. La fotografia e il fotografo erano rimasti un passatempo, e un aggancio per allargare le conoscenze (per esempio Cartier-Bresson, con quel modo di fare così elegante che tradiva la ricchezza di famiglia), finché Gerda non si era trasferita dagli Stein.

Al dottor Chardack sembra ancora inconcepibile che Friedmann, vale a dire Capa, abbia potuto diventare un nome noto persino a una ragazza italoamericana del New Jersey. («Robert Capa? You never told me!» aveva esclamato sua moglie, vedendolo impallidire al volante quando il giornale radio aveva annunciato che era morto in Indocina.) Avrebbe piuttosto scommesso su Fred Stein, che a Parigi si era fatto rispettare e a New York non se la passava male, ma il successo strepitoso di Capa era tutt'altro.

Stein era di Dresda, si era laureato a Lipsia, e a Parigi era apprezzato per l'attività antifascista e come fotografo. Era riuscito a perfezionarsi da solo, a conquistare la stima dei colleghi, addirittura a mandare avanti uno studio a Montmartre. E Gerda questo lo ammirava, ammirava la trasformazione di un giurista privato del diritto a esercitare, prima da Hitler e poi dalla Francia, che il puzzo di reagenti del bagno adibito a camera oscura ribadiva ogni giorno. D'altronde, se la nobile Francia non avesse previsto una toilette a parte finanche nelle abitazioni di uno stabile così così, i bisogni degli inquilini e le esigenze del laboratorio avrebbero potuto convivere a fatica. La vasca era comunque ingombra delle stampe appese ad asciugare sullo stendino, cosa di cui, secondo Willy, l'amica non doveva essere contenta.

Un giorno Gerda, quando viveva ancora in albergo con Ruth Cerf, gli aveva chiesto un aiuto urgentissimo. La questione era ridicola e anche un po' scabrosa e aveva per oggetto delle cimici. Dopo aver scoperto la vera origine dello sfogo scambiato per reazione allergica, le ragazze avevano mosso tutto il possibile per disinfestare la loro camera, a cominciare dalla roccaforte della colonia parassitaria, l'infame materasso. Il problema sembrava essersi risolto. Però, maledizione, ora ci voleva un bagno caldo, un'immersione da cui emergere con la faccia rubizza e le dita raggrinzite dei neonati, mondate della pellicola di schifo che sembrava rimasta appiccicata alla pelle, per quanto si lavassero due volte al giorno nel lavello arrugginito. Ma i soldi per l'acqua calda non li avevano, in più il bagno lì da loro faceva quasi più ribrezzo dell'intero albergo. Willy aveva fatto appena in tempo a rivolgerle uno sguardo frastornato che Gerda si era lanciata a spiegargli la proposta.

«Tu inventi qualcosa per distrarre il tuo concierge e noi saliamo. Dopo sarà facile, faremo attenzione, usciamo una alla volta. Non devi fare altro, solo la chiave del bagno, mi raccomando, non dimenticarla.»

Willy era stato attraversato dal pensiero di spedirle ai bagni municipali, ma l'unico nelle vicinanze, il Bains d'Odessa, aveva una fama pessima. Si era quindi arreso al rischio che il concierge o le cameriere lo scoprissero come uno che si porta le ragazze in camera (ben due in una volta!), ma tutto era andato secondo i piani di Gerda. Però la notte lui aveva ancora i battiti accelerati, sudava, e per venire a capo dell'eccitazione finì per usare il metodo più umiliante e meccanico. La consapevolezza che si fossero spogliate, lì oltre il corridoio, a pochi passi. Poi il colpo di scena (o colpo al cuore) al quale non era preparato: che Gerda fosse tornata non per recuperare la borsetta, ma per estrarne un barattolo di Nivea. Che dopo avergli detto «se vuoi, ti puoi girare» (lui s'era messo subito di fronte all'armadio) si fosse tolta gli abiti e spalmata la crema. «Purtroppo tocca aspettare che si assorba!» «Fa niente, aspetto!» aveva replicato. «D'accordo, però mi secca farti restare lì in castigo troppo a lungo...»

Infatti, quando aveva comunicato che era pronta, Gerda in realtà doveva ancora cospargersi di crema le gambe, attendere altri minuti, rimettersi le calze, tirare giù la gonna. Girarsi, a quel punto, era comico. Non gli restava che sperare di non essere avvampato già prima che Gerda gli desse un bacetto e, con la porta socchiusa, sussurrasse «Danke, Dackel» per svignarsela subito dopo.

Era anche per via di quell'episodio che aveva scommesso contro la vita troppo regolata di Montmartre: e il bagno degli Stein tanto spesso inutilizzabile gli si era presentato come emblema di quella libertà ristretta.

Invece Gerda, rammentavano gli Stein, si era subito entusiasmata al nuovo utilizzo. Aveva chiesto se qualche volta potesse sviluppare lì il suo amico Friedmann, e soprattutto si era offerta come aiuto, così supplice da obbligare la risposta. Sì, la nostra Gerda vedeva emergere una bella possibilità assieme alle strisce di negativi e aveva preso a seguire Fred in ogni momento libero della giornata. «Ti rubo il mestiere, posso?» Imparava a fare sviluppi, ritocchi e ingrandimenti con sveltezza e gioia concentrata, il suo insegnante non faceva in tempo ad assegnarle un nuovo compito che già parlava di progetti. Investiva chiunque la incontrasse dei suoi progressi in campo fotografico, non parlava quasi d'altro. Non sapeva bene come impratichirsi perché la Leica degli Stein era disponibile solo quando erano a casa, mentre quella di André, santa pazienza, finiva ogni due per tre al banco dei pegni. Quel matto di un ungherese aveva le mani bucate e il coraggio di dirle che esagerava lei con quella fissa del risparmio così tipicamente tedesca. «Io, Willy, ti rendi conto?» Comunque la parte tecnica e teorica pensava ormai di dominarla, e poi i suoi maestri sostenevano che l'occhio si allenava anche scattando a vuoto. «Certo, ma è come se un tirocinante in chirurgia, tu per esempio, dovesse sempre accontentarsi di tagliare l'aria! Ti pare possibile?» «No, hai ragione» aveva detto Willy, però di molte cose non era più sicuro. Gerda rinunciava all'idea di laurearsi per tentare la carriera di fotografa? Non lo vedeva quanta concorrenza c'era, quanto era più facile mantenersi con la macchina da scrivere? Un giorno glielo aveva chiesto e lei gli aveva tagliato la parola: «Credi che non lo sappia?» Era contenta di potersela cavare con il suo lavoro di dattilografa, si dava pure della *Tippmammsel* da sola («chez nous, c'est une mademoiselle qui batte sur la machine» spiegava ai francesi), ma si sentiva alienata, si annoiava. E soprattutto non sopportava di dover lavorare in nero, alle grazie di chicchessia potesse presentare lo sfruttamento come un favore e toglierle il lavoro in ogni momento.

E mentre lei continuava a illustrargli la perfetta ragionevolezza dei suoi sogni («non sono cose che si fanno dall'oggi al domani»), a Willy era tornato in mente un dettaglio delle loro ripetizioni all'École normale, a cui, già proiettato sulla panchina del Jardin du Luxembourg, all'epoca aveva fatto poco caso. Capitava che nei paraggi dell'École normale o nei corridoi, per le scale, nel chiostro riparato dove si fermavano a fumare l'ultima sigaretta prima di infilarsi in qualche aula, incrociassero un uomo dall'andatura strabica dei dottori di una certa età, il cappello calato sulla testa tenuta bassa, la pancia ben nutrita che gonfiava i bottoni centrali dell'impermeabile. René Spitz, chiamato in qualità di allievo di Sigmund Freud a occupare la cattedra di psicoanalisi, aveva bisogno di una segretaria personale e quella segretaria era stata Gerda. Così, ogni volta che lo scorgeva, aspettava che si approssimasse e «Guten Tag, Herr Professor!» gli squillava incontro, come se fosse la persona più felice al mondo di vederlo. Il professore non ricambiava, o restituiva farfugliando alla viennese, in ogni caso tirava

45

dritto, l'istinto di fuga prevalente sull'imperativo di serbare il decoro dinnanzi al corpus studentesco. La reazione strappava a Gerda un radioso ghigno da bulletto. «Hai visto? Lo saluti *à la boche...* e pfff!» Era solo un piccoloborghese ipocrita che, purtroppo, di piccole ebree disposte a sgobbare alle sue condizioni ne trovava a caterve. Ma lei non sarebbe rimasta quella che era adesso, e non bisognava essere un discepolo di Freud per averne la certezza...

Chissà cosa avrebbe detto Gerda vedendolo sfilare in mezzo al vuoto pacifico di quelle casette colorate, con la faccia sudata probabilmente un po' rossa, la pancia più pronunciata, ma così poco cambiato per il resto? Proprio lei, che era sicura di vederlo in cattedra alla Sorbona o in un'importante università americana, come avrebbe accolto la fine che quelle aspettative avevano fatto? Dopotutto non si era tanto sbagliata, dopotutto era diventato qualcosa in più di un qualsiasi *Herr Professor*, ma in un posto così qualunque, un posto che entrambi avrebbero dovuto cercare sulla mappa. Invece Gerda che cosa sarebbe diventata se non avesse incontrato André Friedmann in un periodo poco brillante, se lui non l'avesse introdotta in un'agenzia fotografica e, soprattutto, se in Francia assumere una straniera non fosse stato vietato dalla legge? Non avrebbe trovato presto un impiego degno delle sue qualità e della sua bella presenza? E non avrebbe continuato a servirsi delle ripetizioni del Bassotto per approdare finalmente a una facoltà dove erano mosche rare le ragazze in generale, e quelle come lei una sottospecie a cui le porte della scienza si spalancavano in virtù di una mente adatta, un'ostinazione insospettabile, e magari pure della grazia? No, non è detto... Forse sarebbe stata più contenta se avesse conosciuto non necessariamente un Rothschild, ma un facsimile del suo vecchio fidanzato di Stoccarda: un signore di vedute liberali e mani generose al portafoglio... Perdersi dietro quelle congetture mentre cammina sotto il sole si sta rivelando uno svago utilissimo. Il dottor Chardack è abituato a tirare le somme di un esperimento, fosse anche mentale e involontario. D'altra parte, aveva già pensato allora che, con una variabile della configurazione di partenza, un piccolo intervento della casualità, Gerda Pohorylle sarebbe potuta diventare qualsiasi cosa, in una città come Parigi.

Nelle lettere che Gerda condivideva sempre con Willy – vuoi perché si sentiva un po' sperduta i primi tempi, vuoi per tenere uniti i suoi affetti, e nell'ordine che aveva stabilito a Lipsia – Georg le scriveva che in Italia la vita non era una simile corsa a ostacoli. Lo aveva ribadito su un cumulo di neve quando entrambi lo avevano raggiunto a Torino per andare a sciare in una località ben attrezzata delle Alpi. Si erano fermati in cima alla pista, a valle non si vedevano più né la partenza della funivia né i due silos mastodontici, i nuovissimi alberghi che il padrone della Fiat aveva fatto edificare con l'avallo solenne del Padre della Patria. Georg aveva proposto una sosta e ne aveva approfittato per parlare. «Sia chiaro che non ci sono scuse» aveva detto «per quelli che hanno imprigionato, massacrato di botte, mandato al confino o in esilio i nostri compagni italiani, dando l'esempio agli allievi ancora più criminali.» Eppure in

Italia potevi nascere ebreo e diventare ministro, gerarca, alto papavero, artista di corte riverito dai capibanda, persino – guardando verso Gerda – la prima concubina del primo puttaniere: ruolo non invidiabile, considerato che lì la foia maschile era acclamata come una gran dote di comando. Lei non aveva commentato, ma dato una scrollata ai capelli corti schiacciati dal berretto, senza ravviare le ciocche mosse che le erano volate sulla fronte. Quel gesto istintivo magari non c'entrava niente. Comunque Gerda, la faccia rivolta al sole, le guance arrossate, il foularino che spuntava sotto la sciarpa, in pendant con gli occhi verdi socchiusi con la goduria d'un felino, c'entrava ancora meno. Così Georg si era rivolto al Bassotto: «Lo sai che è fascista gran parte dei clienti dei nostri padri, persino gente che fa Cohen di cognome, e non perché con le camicie nere occorre mantenere buoni rapporti. Fascisti i pellicciai ma pure i bottegai da due lire. Rintronati dalla pompa militare, ubriacati dalla paccottiglia di romanità con cui sentirsi italiani sino al midollo». Poi c'erano quelli che Georg incontrava ai corsi: più erano cresciuti in case piene di libri spolverati dalla serva («si dice così da queste parti» puntualizzò schifato), più diventare pagliacci vestiti da guerrieri li esaltava. «Sono al colmo dell'esaltazione adesso che la guerra imperialista si avvicina!»

Willy avrebbe voluto solo gustarsi la giornata sugli sci e non addentrarsi in quei discorsi. «In Francia si dice che il bellicismo esasperato di Mussolini vuole intimorire le altre nazioni» aveva provato a cavarsela, lo sguardo alle tracce fresche di slalom lungo la discesa, «e compattare il consenso in patria.»

Georg aveva scosso la testa, secco.

«Il nostro Führer è quello che ben sappiamo, ma non dobbiamo illuderci che questo sia un cane che abbaia ma non morde. Però i fascisti non hanno molta simpatia per Hitler, e per ora ne possiamo approfittare. Rimanere a Parigi, sfinirsi nella guerra tra poveri di tutti gli emigrati, a che cosa serve? Non dobbiamo rinunciare a batterci, ma neppure coltivare degli scrupoli morali perché scegliamo di vivere dove, al momento, quasi tutto è più semplice e alla portata delle nostre tasche.»

«A chi fai questi discorsi, alle montagne?» aveva ribattuto Gerda con una piccola risata.

Georg aveva preso la tavoletta di cioccolato che lei gli aveva allungato, conciliante, già stesa sugli sci piantati di sbieco nella neve fresca, e aveva addentato la sua porzione quasi ostentando di gustare il dolceamaro.

Willy aveva esitato a fare altrettanto, imbarazzato. Non c'era dubbio che quella punzecchiatura significava un rifiuto di cui non poteva che essere contento, ma gli era altrettanto chiaro che l'amico, ancora una volta, aveva sfoderato le sue armi dialettiche per attrarre Gerda: portarsela vicino, saperla al proprio fianco. Comizi politici come comizi d'amore. Succedeva da quando era entrata nel loro gruppo. Willy non era tagliato né per gli uni né per gli altri; anche se poi la vita aveva dimostrato che riusciva a cavarsela con qualche basilare complimento («stai bene con questa camicetta azzurra, questa pettinatura, quest'aria riposata»), persino ad articolare un «sono contento di vederti», caparra e molto più sovente surrogato di un «ti amo». Ma erano altre donne quelle che aveva corteggiato, donne che cercavano le intenzioni serie. Con Gerda, adoperando quel linguaggio, si rischiavano un lampo ironico o un'arruffata di capelli, fisica o figurata.

«*Ach*, Willy.»

Georg Kuritzkes aveva tutt'altro repertorio: battute complici, complimenti travestiti da canzonature, grandi discorsi in cui citava Lenin, Marx e Rosa Luxemburg, e infilava a memoria versi di Heine. Da quando Gerda era arrivata a Lipsia, si era lanciato nella contesa con il fidanzato di Stoccarda senza scoprirsi con una singola parola, eppure corteggiandola con tutte. Era per questo che, alla fine, lei si era decisa per lo studente di medicina che non poteva offrirle le sciccherie a cui l'aveva abituata il suo caro Pieter, importatore di generi coloniali e discendente di una dinastia mercantile anseatica? Probabilmente no. Georg però viveva a un chilometro. Voleva la sua passione nel fare la corte mescolata alla passione politica che Gerda riusciva, quella sì, a prendere sul serio. Voleva adattarsi velocemente a Lipsia e ai tempi nuovi. Doveva solo abbracciare la fortuna di avere trovato il suo istruttore: suonare quando voleva il campanello in Friedrich-Karl-Strasse, scordarsi un libro o un paio di guanti, disseminare qualche forcina per capelli nella mansarda di Georg, dove nessuno faceva una piega se l'ultima a rimanere era una ragazza.

Poi Georg Kuritzkes si era iscritto a Berlino e Gerda andava spesso a trovarlo. Il lunedì tornava a Lipsia illuminata – gli occhi, la pelle del viso, i movimenti ammorbiditi, mentre decantava al Bassotto le esaltanti giornate berlinesi. È così che diventa una donna quando può stare liberamente con un uomo, concludeva Willy, scombussolato. Come una regina nella capitale, tutto è suo e lei lo attraversa, regale e bendisposta. Le passeggiate al Tiergarten quando Georg era all'università, le orchestre jazz americane, la razionalità monumentale dei nuovi cinematografi e il rigore commovente dei mattoni con cui il grande architetto Mies van der Rohe, già ammirato alla Weissenhofsiedlung di Stoccarda, aveva eretto un muro spigoloso alla memoria di Karl Liebknecht e Rosa Luxemburg. «Dovevi portarmi al cimitero?» gli aveva chiesto, ma aveva comprato una rosa da un povero diavolo posandola su quelle già appassite, come era giusto. Poi, nell'assenza fisica di Georg, quella luminosità intensa scemava, l'elettricità si scaricava. Ma Gerda continuava a stare benissimo lo stesso, a Lipsia, qui e ora.

L'aria di North Buffalo, in quella domenica piena di sole, ha un odore di erba tagliata, ottimo, con qualche striatura di gasolio che il dottor Chardack aspira assieme alla seconda o terza sigaretta dopo il pranzo. La gusta come una prova del lusso di non avere altro da fare. Intorno alle case ora c'è un gran movimento, gente indaffarata a dare una mano di pittura, inchiodare assi, riparare la grondaia. Pare che si divertano (i bambini di sicuro) e lui non può che ammirare questo modo semplice di rinnovare lo spirito di frontiera, estraendolo dalla cassetta degli attrezzi. Nel suo caso, c'erano voluti anni prima che si decidesse a traslocare in pianta stabile, odissee in macchina con l'aeroporto chiuso per maltempo (lassù l'inverno poteva calare all'improvviso), lunghe ricerche per trovare l'abitazione adatta. Eppure lì sta bene, New York ha smesso di mancargli.

Da quanto tempo non sentiva gli Stein? L'ultima volta Fred gli aveva parlato dei suoi problemi di salute, peggiorati, ma non tanto da impedirgli grandi incontri: una seduta con la Dietrich, carismatica anche da vecchia, un'istantanea di Chruščëv, fantastica, o di Willy Brandt, che era sempre un amico e aveva sempre la stessa faccia, o del senatore Kennedy, che non lo esaltava, né lui né il ritratto che gli aveva fatto, ma sperava venisse eletto. C'era persino in vista un viaggio in Germania, rapido e indolore, il posto già prenotato sull'aereo...

«Sono contento per te che hai voglia di tornarci» aveva bofonchiato il dottor Chardack.

Era inevitabile che, durante la traversata dell'Atlantico, gli Stein volessero togliersi qualche curiosità a proposito di Gerda. Lilo gli aveva chiesto quando l'aveva conosciuta e Willy aveva risposto che era la tarda estate del '29, quando il signor Pohorylle aveva ricevuto l'offerta di avviare un'attività a Lipsia e aveva trasferito la famiglia da Stoccarda.

Stava tornando a casa con il tram, quando a una fermata aveva notato una donna davanti alla vetrina di una modista. Indossava calze di pizzo e scarpe di una gradazione poco più scura, l'abito color avorio finiva in pieghe morbide sopra il ginocchio, i capelli castani lasciavano scoperta, tra la linea delle orecchie e le spalle, una distesa di epidermide appena ambrata. Willy aveva sperato che il tram non ripartisse prima che lui potesse vedere in viso quella donna di un'eleganza irreale, cinematografica. Ma lei si era messa in moto con un passo che sembrava irriderlo. Gli sfuggiva, voltandogli la schiena dritta, l'incavo delle ginocchia seminude. Quando il tram aveva ripreso la sua corsa divenuta inseguimento, Willy aveva creduto di scorgere il profilo di Elisabeth Bergner, tanto assomigliava alla sua attrice prediletta. Ma in un tratto in parallelo si era reso conto che la simil-diva era giovane, molto più giovane di quanto avesse fantasticato. Una ragazza, che magari avrebbe potuto conoscere, anzi avrebbe voluto conoscere a tutti i costi.

La conobbe qualche settimana dopo. Era già in grande

familiarità con molti della loro cerchia, con Ruth Cerf e, soprattutto, con Georg Kuritzkes. Il Bassotto pensava che nessuno di loro avrebbe avuto qualche chance con lei, perché erano troppo giovani, e Georg, in particolare, troppo votato all'esproprio della borghesia per i gusti e le esigenze dell'elegante signorina Pohorylle. Ma, come tante altre volte, si era sbagliato.

Il dottor Chardack non avrebbe ricordato per il resto della vita quella donna vista dal tram, se quella donna non fosse stata Gerda. E se non avesse intuito, magari non a sedici anni ma a diciotto, che erano correlati il suo fascino e la capacità frustrante di sfuggirgli, e non a lui soltanto. Non più adesso. Il ricordo di Gerda ora è solo un lusso da tempo perso, un ricordo come gli altri. Sempre che continui a camminare dritto per Hertel Avenue, con la giacca sul braccio perché qui manca anche l'ombra che persino gli alberi più smilzi riescono a riversare sull'asfalto, e imbocchi, al contempo, un pensiero laterale: per esempio chi avesse dato a Georg il suo numero di telefono. Non il fratello in Colorado, con il quale non aveva più contatti. La madre, forse, ma chi avrebbe potuto darlo a lei? Ruth? La madre di Kuritzkes e il secondo marito, il dottor Gelbke, avevano aiutato la vedova Cerf durante gli anni del nazismo? Poteva darsi, e Ruth sarebbe il tipo da ricordarsene. Però ormai conduceva una vita borghese (sposata con bambini: quanti?) in Svizzera. Faceva ugualmente qualche telefonata di buona creanza a Dina Gelbke? Per parlare di che cosa? Della salute, del tempo a Lipsia e a Zurigo, di figli e nipoti e antichi frequentatori di Friedrich-Karl-Strasse, ma andando cauta, prediligendo i morti, a cominciare dall'adorata Gerda, rispetto a tutti coloro che si erano sparpagliati, non proprio a caso, ai quattro angoli dell'emisfero occidentale... Mah. Chissà se la via ha cambiato nome, se i Gelbke stanno sempre allo stesso indirizzo, si chiede il dottor Chardack con la testa imperlata di sudore tra i capelli diradati. Comunque si è persuaso che Georg abbia avuto il suo numero da Ruth Cerf. Era tanto più facile preservare le vecchie amicizie in Europa.

Perché non aveva mai considerato Ruth? Solo perché era troppo alta e di una bellezza che metteva quasi in soggezione? Si era barcamenata a Parigi come modella finché il suo tipo non era stato considerato démodé e troppo germanico, beffa dei tempi. Ma a Lipsia erano ancora liceali, e una ragazza come Ruth non passava di certo inosservata. Una ventenne come Gerda, però, era una novità sensazionale, e poi era così sofisticata, così *glamorous*: inevitabile che i ragazzi avessero preso a ronzarle intorno, un po' meno che proprio lui fosse rimasto invischiato più degli altri. Non lo chiamavano «Bassotto» anche perché, statura a parte, puntava sempre a obiettivi raggiungibili?

Ma Gerda non dispensava i suoi favori solo in base alle apparenze, e non era mai stata semplicemente una ragazza per cui cavarsi gli occhi da un finestrino. Lei era una cosa fin troppo seria per chi l'amava, a giudicare dalle reazioni alle sbandate epiche di André Friedmann, quando il suo compagno era a Parigi e Gerda in mezzo all'esercito repubblicano con la sua Leica. L'ormai un pizzico famoso Robert Capa appariva sui boulevard della Rive Gauche, tutta esuberanza, tutto agio sessuale, cingendo in vita la ragazza che aveva rimorchiato per la serata. Quanto sarebbe durata Gerda con uno così, un uomo che andava a ritirare il loro cachet e lo spendeva in sbornie e in sciacquette? si chiedeva

Willy allibito. Ma poi gli capitava di incrociarlo la mattina sul tardi, i postumi della baldoria riassunti in un sorriso strapazzato. Con un'espressione così estenuata da risultare supplichevole, Capa invitava il Bassotto al caffè per parlare di partenze e di programmi. Mandava giù una tazzina dopo l'altra e seguitava a usare la prima persona plurale. Si riferiva a Gerda come un povero *melamed* all'Unico e Supremo, anche se lui la nominava eccome, ironizzava Willy con un pensiero al maestrino galiziano che l'aveva preparato al *bar-mitzvah*. Non era un motivo valido per scusare le sue consolazioni della sera precedente, ma un punto bisognava riconoscerlo: Capa non era il solo a lasciarsi avvolgere da ogni genere di ebbrezza quando entrava in gioco Gerda. Disintossicarsi di una sorgente così fresca era quasi impossibile.

Willy ci aveva provato con buoni risultati, all'apparenza, però a volte si scopriva recidivo. Le occasioni più umilianti erano quelle in là nel tempo, quando era stato prescelto ufficialmente Georg Kuritzkes. Il vecchio fidanzato di Stoccarda si era ritirato con la classe di chi è abituato a perdere in grande stile, come dopo il *crash* del '29. Rimanere «buoni amici», come lei sosteneva, a Willy non sembrava naturale, anzi puzzava di ritirata tattica: il fidanzato aspettava che le risorse del rivale si consumassero pian piano, cosa che non avvenne.

D'altronde, era palese che Gerda fosse parecchio innamorata di Georg e del suo mondo. E proprio la realtà incontestabile esponeva il realistico Bassotto ai contraccolpi.

Gli capitava, per esempio, di osservarla nell'affumicato soggiorno di Friedrich-Karl-Strasse quando Dina Gelbke, la madre di Georg, tirava fuori qualche episodio del suo passato, un romanzo d'avventura bolscevico di cui Gerda non perdeva un dettaglio. Dina raccontava come, giovanissima e ignorantissima, svegliata dai venti furibondi del 1905 che giunsero a incendiare anche la proletaria Łódź, fosse scappata di casa per sfuggire alla repressione e unirsi ai compagni a Mosca. Diceva di carceri, false identità, fuga finale dalla polizia zarista, e poi dell'impresa più memorabile da quando viveva a Lipsia: l'evasione da una clinica di Merano, dove era stata seguita la sua prima gravidanza, per rendersi in visita all'uomo a cui doveva la direzione della sua vita, Lenin. «Stavo bene e nessuno avrebbe potuto impedirmi di mettermi in viaggio: non mio marito e tanto meno i dottori.»

Chi le aveva fornito l'occasione per ripetere l'aneddoto quella volta che gli era rimasta così impressa? No, non erano stati Bertolt Brecht né Kurt Tucholsky, ma qualche celebrità minore che, di passaggio in città, frequentava la casa. Dina, però, mentre raccontava guardava verso la compagnia dei ragazzi, e con un certo compiacimento aveva sottolineato che, nel giro di pochissimo dal suo arrivo a Zurigo, anche Georg aveva manifestato un'impazienza rivoluzionaria e poi una rabbia incontenibile – non nei confronti delle banche svizzere, ma dell'ostetrica e del medico, ossia del mondo circostante al completo.

«Sarà meglio che tu sappia tirarla fuori ancora, quella rabbia, visto che ami un po' troppo perderti in discorsi» aveva concluso soffermando lo sguardo sui ragazzi seduti ai suoi piedi sul tappeto. Gerda non aveva rivolto a Georg un sorriso tenero e neppure uno raggiante. Gli aveva riso in faccia a bocca aperta, la testa arrovesciata che oscillava per riprendere il contatto visivo con Dina e le sue labbra carnose e Georg aveva ritirato la mano appoggiata sul ginocchio di Gerda che vibrava della pienezza di quel riso.

Willy soffriva. Era geloso dell'incuria proprietaria con cui Georg la toccava, e ancora di più della disinvoltura con cui se ne staccava. Era invidioso di tanta innata sicurezza (cosa poteva aspettarsi da uno che aveva avuto Lenin come padrino?), e lo incarogniva che l'altro non prendesse Gerda come un dono ma come un merito. Era geloso anche della corte che Dina faceva a Gerda sin dal giorno in cui il figlio l'aveva introdotta in casa. Così riconvocava la donna vista dal tram, quel fotogramma sceso dallo schermo. «State attenti» diceva tra sé e sé. «Se qui le cose vanno meglio o lei si stufa di frequentare la vostra *crème* rivoluzionaria, in un soffio Gerda torna quella di prima.»

Non aveva molta fiducia che le cose potessero andare meglio nella Germania del '31 o '32. Perciò si concentrava sulla candida figura che ammirava *bérets* e cappellini nella vetrina del negozio di modista a quella fermata del tram. Un trucco da tre soldi. Comunque era certo che Gerda non avesse dimenticato Pieter. Il suo antico fidanzato si era ripreso alla grande con l'import di caffè, che lei aveva contribuito ad avviare. E magari, chissà, nel ricordo dei vecchi tempi, lei avrebbe potuto accettare di accompagnarlo in un viaggio d'affari e poi farsi aprire un ufficio in Sudamerica.

Chissà cosa avrebbe fatto se Pieter glielo avesse offerto? Avrebbe preferito Georg che ripartiva per Berlino o colto l'occasione per allontanarsi da ogni miseria e minaccia incombente?

Willy temeva di saperlo. Abbozzolato nella sua gelosia e nei tentativi di liberarsene, aveva sbattuto – goffamente, inutilmente – contro un aspetto che, anni dopo, molti di loro avevano sputato in faccia a Gerda. Opportunista! Lei si accendeva una sigaretta con nonchalance molto parigina e, alzando il mento, espirava: «Se è questo che pensi...» Il broncio si rifletteva negli specchi, il fumo avvolgeva la persona vis-à-vis al tavolino. Di solito si scusava poco dopo, come sbrigando una formalità: meglio presto e bene, ossia già sorridendo. Insistere, spiegare, sarebbe stato controproducente.

Sì, «opportunista» l'avevano pensato in molti, e non pareva eccessivo a posteriori. Ma le arrabbiature passavano, le delusioni si stemperavano, e Gerda restava. Era fatta così, era volubile e volitiva, un metro e mezzo di orgoglio e ambizione, senza i tacchi. Bisognava prenderla com'era: sincera sino a far male, affezionata a modo suo, sulla lunga durata.

Era sincera quando lo esigeva l'amicizia, non quando poteva dare un tocco hollywoodiano alle sue vicissitudini. Per esempio, amava rendere coprotagonista della sua fuga oltre confine la «Ranocchia Rossa», la Opel decappottabile di Pieter affidata a un amico che l'aveva depositata alla stazione di Strasburgo ed era tornato a Stoccarda in mattinata. Quando rievocava quel tragitto, Gerda saltava a piè pari i controlli di frontiera e un momento di paura non lo avrebbe confessato neanche agli amici intimi. Voleva solo fare la splendida, tenere banco, allargare la claque di ammiratori capitati al tavolino. Chissà se quel breve viaggio era davvero stato così simile a una gita da gran turismo.

Però non c'era dubbio che l'ex fidanzato l'avesse molto aiutata dopo la fuga a Parigi – SOLDI ARRIVATI STOP SEI UN TESORO STOP – perché a ritirare i vaglia alle poste di

Montparnasse il Bassotto l'aveva accompagnata parecchie volte.

Il dottor Chardack afferra solo adesso, dalla distanza lineare di Hertel Avenue, di aver compreso troppo tardi le cose più importanti. L'osservatore modifica i dati persino nelle scienze esatte, e lui, all'epoca, non stava certo osservando un corpo che si muoveva in campo neutro. I suoi rilevatori avevano captato che non c'era da contare sulla fedeltà di Gerda in senso stretto (il che induceva a sfarfallii di speranza), però si erano mostrati insensibili al dato empirico più rilevante. Era impossibile calcolare quello che lei avrebbe scelto se si fosse presentata la perfetta occasione, ad esempio il commercio del caffè in Sudamerica, o l'estrema urgenza. Gerda avrebbe agito secondo la propria convenienza, sì, è probabile, ma non sarebbe tornata indietro, sicuramente.

Sarà stato verso l'inizio del '34, Friedmann non era ancora apparso, e Gerda era ripiombata suo malgrado al punto di partenza. Poteva esibire i vaglia di Stoccarda come prova d'autosufficienza necessaria al rinnovo del permesso di soggiorno, e poi pagare la camera d'albergo, ma il benservito del dottor Spitz la consegnava all'impresa di tirare avanti giorno dopo giorno. Usciva all'alba, batteva i boulevard con un pacco di giornali che in braccio a una *colporteuse* talmente graziosa tendeva a esaurirsi presto. Si concedeva un caffè parecchio zuccherato, sbrigava le commesse da dattilografa che scarseggiavano, e poi andava a prendere il sole al parco. Era Gerda: aveva un aspetto magnifico, da bella sfaccendata. Neanche Ruth, con le sue entrate da mannequin o da ginnasta che in estate si esibiva in esercizi

59

a corpo libero davanti ai frequentatori di uno stabilimento balneare sul Lungosenna, tradiva esteriormente la difficoltà a mantenersi, lei che al *Gymnasium* aveva studiato le lingue morte e quindi trovava per lo più lavori muti.

Il Bassotto era al corrente che non era un buon periodo per le ragazze, eppure non capiva come mai, soprattutto nel fine settimana, Ruth e Gerda scomparissero. « Un ricco ammiratore vi ha portate fuori porta? » aveva azzardato finalmente un giorno, incrociandole per strada, con una punta d'ansia rivolta a quella delle due che avrebbe accettato l'invito senza scrupoli.

« Magari! Siamo rimaste a casa tutto il tempo, si risparmiano molte calorie sotto le coperte. »

« E cosa fate? » aveva chiesto, sbigottito.

Ma che domanda! Chiacchieravano, leggevano, si sistemavano le unghie e le sopracciglia, rammendavano le calze con lo smalto e, quando lo stomaco tuonava (chi l'avrebbe detto, rideva Ruth, che Gerda producesse certi borborigmi), lo azzittivano intonando non qualche leggera canzonetta, no, un canto di rivolta, perché la pancia vuota lo reclamava...

Kuhle Wampe erano corsi a vederlo nell'inverno del '32, attratti dalla « panza vuota » del titolo e dalle battaglie contro la censura che avevano strappato l'uscita del film in qualche sala.

Il dottor Chardack ricorda bene solo l'inizio che, come uno schiaffo alla coscienza intorpidita dal tempo passato, gli riporta la Germania ormai verso la fine. Quella fiumana di biciclette che correvano per Berlino come per vincere una medaglia, ma che in realtà gareggiavano per un giorno di lavoro. Il giovane ciclista che tornava a casa sconfitto, mandava giù un piatto di minestra assieme ai rimbrotti dei genitori («chi s'impegna ottiene sempre») e non diceva una parola. Appena solo, si toglieva l'unica cosa di valore che avesse, l'orologio, e si lanciava nel cortile. Un grido acuto, un disoccupato in meno. La morte di un loro coetaneo in pochi minuti di pellicola.

Il successo di *Kuhle Wampe* era stato superiore al previsto. Il pubblico usciva emozionato dagli attori che parlavano in berlinese stretto e non sembravano attori. «Tutto vero!» Nel salotto di Dina Gelbke si era acceso un dibattito per certi versi imprevedibile. Willy non si era chiesto chi fossero di preciso quei compagni immusoniti, ma gli era chiaro che appartenevano a una sorta di aristocrazia operaia. Inaspettatamente, la padrona di casa e i suoi accoliti, che coprivano di elogi il *Proletkino* teorizzato e sceneggiato dall'amico Brecht, si trovarono contraddetti dai veri proletari.

«Dov'erano il vostro Brecht e i compagni del collettivo artistico quando noi organizzavamo scioperi e picchetti?» protestavano. «A spasso con la Fräulein? A imparare poesie di Goethe?»

La veemenza della reazione aveva lasciato interdetti anche gli amici dei fratelli Kuritzkes. Erano così svezzati a cinema che non avrebbero mai preso la più realistica delle pellicole per uno specchio del reale. Davano ragione a chi ribatteva che un film deve generalizzare il suo messaggio.

Tra i presenti c'era un uomo che girava voce fosse stato il grande amore di Dina Gelbke. Non capitava spesso che una donna divorziasse da un marito come Kuritzkes, che non le faceva mancare niente, per buttarsi in una tresca con un *goi* nullatenente e bohémien, senza neanche la premura di celarlo ai bambini. Le seconde nozze con il dottor Gelbke avevano almeno assicurato a quei tre poveri ragazzi un tetto solido, era stato il commento della madre di Willy. Lui aveva ignorato quei pettegolezzi. E quando, già al liceo, alcune amiche presero a incuriosirsi di quella storia e di quell'uomo affascinante, aveva risposto con un brusco « non so nulla ». Willy peraltro sapeva solo che i fratelli Kuritzkes nominavano da sempre un certo Sas, che poi si era materializzato in casa loro. Era un amico di famiglia. Un ex operaio che si era impegnato a diventare un maestro di scuola e di musica. Gli piaceva stare in compagnia dei giovani e i giovani ricambiavano il piacere. Ecco tutto.

Non era quindi inconsueto che Sas li seguisse nella mansarda e neppure che volesse proseguire a discutere con loro. Ma nella diatriba su *Kuhle Wampe* era esploso. Giustissimo credere nella gioventù, gridava, voi siete i più colpiti da questa guerra contro la classe operaia! Ma è da pazzi puntare il dito e dare per perduti tutti i lavoratori che non riescono a capacitarsi della miseria attuale. Il dissenso con il Partito comunista, e che non facesse nulla per nasconderlo se non per un riguardo ora del tutto evidente verso Dina, era stato un ulteriore motivo d'ammirazione. Ma proprio perché coglievano un attrito duplice, vuoi politico, vuoi abrasivo di un legame privatissimo, una volta esauriti i risolini non sapevano più che cosa dire. La più svelta era stata colei che non avrebbe mai perso la prontezza di spirito per qualche imbarazzo dei sentimenti. Gerda si era messa a raccontare dell'ultima volta che era stata a trovare Georg. *Kuhle Wampe* era appena uscito e bisognava attraversare mezza Berlino con largo anticipo, perché all'Atrium-Palast di Wilmersdorf, l'unico cinema in cui lo davano, c'era una coda infinita. Il pellegrinaggio di un pubblico talmente vario – operai e notabili della cultura, gente di spettacolo e commesse, qualche entraîneuse o giù di lì – l'aveva impressionata e poi la musica, le battute, il montaggio strepitoso! La scena nella U-Bahn che introduce il *Solidaritätslied*, il refrain impossibile da farsi uscire dalle orecchie! Ma poi c'è quella gara femminile di canottaggio, come se remare – *eins zwei hop hop* – fosse la cosa più utile e dilettevole per cambiare il mondo. L'ho detto a Georg e non mi vergogno di ripeterlo: vuoi mettere quando ballano e trillano il valzer in *Il congresso si diverte*?

«Ferma! Quella melassa reazionaria non devi neanche nominarla accanto al genio musicale di Hanns Eisler» s'era inalberato Sas, abboccando alla provocazione.

«Che cosa vuoi» aveva ritorto Gerda, soddisfatta, «se il comunismo al cinema è un po' noioso, i reazionari vinceranno sempre, come s'è visto con le rielezioni di Hindenburg...»

Con un brillio dai sottili occhiali, Sas aveva ammesso che non poteva darle torto. «Ma allora dimmi: alla mia scuola di musica, tu lo terresti un corso di ballo, come quelli a cui mandano le debuttanti?»

«Per te questo e altro! O per l'educazione delle masse, se preferisci...»

E il riso cristallino in cui si dissolveva la replica di Gerda, contagiandoli e trascinandoli, aveva definitivamente spazzato l'aria della mansarda.

Meglio ridere: allora come dopo, a Lipsia come a Parigi. Meglio togliere gravità alla sventura che trovarsi intrappolati ancora in discussioni rese assurde dalla soppressione hitleriana di tutta la sinistra, che tuttavia si riaccendevano ovunque: nelle associazioni e redazioni in esilio, nelle ex caserme adibite a dormitori per l'accoglienza dei profughi, in fila alla *préfecture* o nelle mense solidali dove socialdemocratici e comunisti stringevano la stessa scodella sbeccata dei primi smarriti esponenti della borghesia ebraica. Ma soprattutto nei caffè, dove il tempo abbondava e l'accanirsi delle voci investiva chiunque si fosse seduto a un tavolo vicino. Certi ex deputati, appollaiati a lungo davanti alle tazze vuote, rivendicavano le loro vecchie posizioni quasi fossero l'ultimo bene su cui fondare il proprio orgoglio. Meglio non starli a sentire, meglio scherzarci sopra. Meglio onorare il privilegio di poter fare una vita da studente, come il Bassotto, o ringraziare l'intimità di una scadente camera d'albergo riempiendola di una canzone di lotta proletaria e, canticchiando, assimilare la nozione assai recente della propria appartenenza al *Weltproletariat* disoccupato. Meglio ancora uscire allo scoperto, replicare il duetto per un pubblico più grato delle cimici da letto, farne un inno per i compagni arenati sulle terrazze della Rive Gauche, con il gusto supplementare che i parigini capissero soltanto che si cantava in tedesco, e per giunta una marcia.

«*Vorwärts und nicht vergessen, worin unsere Stärke besteht. Beim Hungern und beim Essen, vorwärts, und nie vergessen – die Solidarität!*»*

Circa due anni dopo il periodo delle peggiori difficoltà per Ruth e Gerda, si erano ritrovati a una serata di sostegno alla lotta antifascista in Germania. Nessuno di loro aveva più problemi di stretta sussistenza, Gerda e Ruth non spar-

---

* «Avanti, non dimentichiamo ciò in cui consiste la nostra forza. Affamati o sazi, avanti, non dimentichiamo – la solidarietà.» (*N.d.A.*)

tivano più un letto infestato dalle cimici, e la canzone sulla solidarietà da far valere vuoi patendo la fame vuoi mangiando l'aveva interpretata la moglie di Brecht, Helene Weigel. Piccola, magra, lo sguardo acceso sul volto da tragedia greca (e un po' scimmiesco, a dirla tutta), cantava con un'intensità da attrice, non con la voce piena, impudente, che avevano tirato fuori le sue amiche. Tutto questo aveva suggerito a Willy l'abissale differenza tra la vita e il teatro. Arrivato tardi dal tirocinio, era rimasto in fondo al Café Mephisto sul boulevard Saint-Germain, ma aveva localizzato subito le teste degli amici e conoscenti: Ruth e Melchior Britschgi, il tipografo che aveva sposato da poco, Gerda tra gli Stein e un gruppetto schiamazzante in varie lingue che André Friedmann, ormai habitué del bagno-laboratorio di Montmartre, s'era portato a rimorchio. Ma era una *soirée* frequentata soprattutto da *emigrés* tedeschi, e tutta quella *Heimat* altre volte gli aveva suscitato un'insofferenza lievemente claustrofobica, mentre quella volta conoscere tante persone gli aveva trasmesso piacere, un piacere semplice, qualcosa di simile a ciò che aveva colto sui volti dei suoi genitori quando gli era toccato accompagnarli a un concerto o una prima teatrale: ci siamo anche noi qui in mezzo alla società che conta!

Nessuno di loro contava granché lì dentro, tra i grandi nomi della cultura tedesca in esilio, figurarsi fuori, nella vera Parigi. Però si riconoscevano con un colpo d'occhio, un cenno della testa, un gesto abbozzato della mano. La vicinanza dei primi anni aveva ridestato quel primario senso d'orientamento. Avevano acquisito la solidarietà che non si dimentica, perché era sorta dai bisogni materiali. Willy Chardack non aveva mai tanto creduto in una nuova umanità generata dal socialismo, ma quel modo di restare uniti li aveva spinti ad andare avanti, *vorwärts*, come diceva il *Solidaritätslied*, e con una forza che chissà se altrimenti avrebbero trovato.

Era questo che riconosceva soprattutto a Gerda e all'ampio agglomerato raccolto intorno alla sua irresistibile, cara persona. E d'un tratto gli torna in mente che, incontrandola per strada o vedendola alzarsi dopo aver spento il mozzicone con ostentata energia – «basta, non posso più fermarmi, devo raccogliere certe informazioni, presentarmi nel tal posto» –, l'aveva soprannominata *Fräulein Vorwärts*. Era solo uno scherzo tra sé e sé, un tentativo di convincersi che era uscito dalla cappa delle gelosie di Lipsia, opprimenti come il cielo coperto di nuvole basse e fumi industriali. Ma neppure quella sera in piedi a teatro, quando Gerda gli sembrava così vicina, aveva idea di quanto fosse inarrestabile la forza propulsiva della sua *Signorina Avanti*...

Il dottor Chardack sta costeggiando le serrande chiuse di un supermercato, un parrucchiere per signora, un emporio di articoli per la casa e il giardino, una lavanderia, un benzinaio aperto. Incrocia ragazzi in abiti leggeri, troppo sgargianti per i suoi gusti, famiglie che sembrano uscite da una foto sbiadita dei nonni nel loro *shtetl*, salvo per le scarpe con la suola di gomma delle mogli imparruccate. Sarà per pensare ad altro che si domanda se questa sia l'America? Tutti comodi, tutti pratici, tutti a camminare nelle stesse *saddle shoes*. Il capitalismo invita all'acquisto dell'uguaglianza, riflette, il socialismo reale assegna il meglio ai fedelissimi. Chi è andato ad abitare nella casa paterna di Gohliser Strasse: prima un funzionario del partito nazista e ora, ci scommette, un funzionario del partito socialista unitario. Forse sarebbe stato meglio che fosse stata colpita dalle bombe che avevano abbattuto il palazzo di Springerstrasse dove abitava Gerda Pohorylle.

«Guerra fredda», si dice spesso il dottor Chardack, è uno slogan buono per un paese che non è stato distrutto dalla guerra vera, anche se è stato il gelo della pace a rovinare definitivamente certi legami.

Tenere il visto infilato nel passaporto, vedere stampato sopra ENEMY ALIEN, non era stato bello, però la guerra era la guerra e lo capiva. Ma poi William M. Chardack, da poco naturalizzato americano, aveva dovuto rispondere alla domanda se era mai stato iscritto al partito comunista o al SAP, il partito operaio socialista tedesco.

«No» aveva risposto correttamente.

Però aveva frequentato diversi membri di quella formazione marxista rivoluzionaria.

«Sì» aveva ammesso, «ma per ragioni di simpatia personale.»

Risultava tuttavia che avesse partecipato a svariate attività promosse da quel partito, sia in Germania che a Parigi.

«Erano iniziative antifasciste» aveva dichiarato.

D'accordo, ma il promotore era trotzkista.

Cosa doveva dire: che erano stati gli unici a spendersi per un fronte unitario della sinistra? Che era critico di Stalin, il SAP?

«Studiavo medicina» aveva risposto, «passavo il tempo tra lezioni, tirocinio e preparazione degli esami. Ma se venivo a sapere che c'era una manifestazione contro i nazisti, non mi facevo troppi scrupoli su chi l'avesse organizzata.»

E a quel punto aveva pensato: speditemi pure in Palestina o rimandatemi in Germania. Però non avevano più fatto altre domande.

Diversi anni dopo, quando era già tornato dalla Corea, lo avevano riconvocato un'altra volta.

«Siamo sicuri, dottor Chardack, che lei sia leale con gli Stati Uniti. Però magari può fare qualcosa in più per il suo paese.»

Gli avevano chiesto se conosceva alcune delle persone frequentate da una fotografa, della cui vicinanza al partito comunista, e alla sua persona, erano al corrente. Tra i nomi che gli erano stati sottoposti, riconobbe solo quello di Robert Capa, con il quale negli Usa non aveva più avuto contatti.

«Nessun altro?» lo avevano incalzato. «Ci pensi un attimo.»

In quell'attimo il dottor Chardack si era domandato se credevano davvero che uno come lui potesse rivelarsi un informatore.

«Willy Brandt» aveva risposto, «che ora è presidente della camera dei deputati di Berlino, s'intende Ovest.»

Non che ci fosse mai stata confidenza tra Willy Chardack e il suo omonimo, ma si erano incontrati qualche volta alle cene improvvisate dagli Stein, durante le quali Willy Brandt si lasciava trascinare dal fascino di Gerda, come tutti.

Quando era arrivata la tragica notizia, e poi la salma di Gerda, era stato lui a dare voce al timore che non fosse finita per un incidente sotto i cingoli di un carro armato. Quella voce, forse diffusa proprio da Fred e Lilo, aveva preso a risalire la Rive Gauche e a diramarsi da un caffè all'altro. Il sospetto era orribile. Willy Brandt era l'astro nascente di cui i militanti del SAP si fidavano. Gerda però era stata travolta alle porte di Madrid nel luglio del '37, e Willy Brandt non aveva più messo piede in Spagna da circa un mese prima, quando era scampato per un soffio alle retate contro i «trotzkisti» a Barcellona. In base a quali fonti aveva formulato quell'ipotesi tremenda? Per contro, c'era quel giornalista canadese ferito in modo serio nella collisione che aveva travolto Gerda. Era venuto a Parigi e Ruth l'aveva visto. S'era piazzato nell'albergo di Capa. Gli andava dietro sulle stampelle, a fatica, un condannato alla catena. Ma i compagni del SAP non si erano rassicurati. Una ferita alle gambe non garantiva che dalla bocca di quel testimone uscisse la verità inalterata. Si era scoperto che Ted Allan era stato un commissario politico, un compagno tenuto a rapporto su ogni devianza dalla linea di Mosca. E tanto era bastato perché le illazioni sulla morte di Gerda, le ipotesi più nere, continuassero a circolare a lungo.

Le ultime volte che Gerda era tornata a Parigi, la faccia abbronzata e le gambe pallide, gli amici più attivi nel SAP le avevano raccomandato di stare in guardia.

«Non mi succede nulla!» aveva tagliato corto lei. «Lavoro per i giornali giusti, conosco le persone...»

Nessuno aveva avuto il coraggio di replicare che quelle «persone giuste» erano tra coloro che cominciavano a temere. E così lei non si era accorta del loro forte disagio o aveva scelto di ignorarlo, capacità in cui eccelleva. Con un gesto agile aveva sollevato la macchina fotografica poggiata davanti a sé sul tavolino: d'ora in avanti non avrebbe lavorato solo con la Leica, ma anche con una cinepresa che

Capa aveva ricevuto da *Time-Life*, «sapete, i famosi cinegiornali americani...» La notizia li aveva spinti a congratularsi e, in parte, li aveva tranquillizzati. Gerda reggeva la fotocamera nel palmo, la guardava con la gioia delicata rivolta a un gattino ancora strabico. «Capite anche voi quanto la mia Leica sia utile alla causa, vero?» aveva concluso con un sorriso disarmato.

No, non se la sentivano di chiedere se si fosse completamente allineata ai comunisti, dal momento che loro erano a Parigi e lei sarebbe tornata a cuocersi sui campi di battaglia. Eppure quanti di loro avrebbero voluto partire volontari, persino una ragazza prudente come Ruth sarebbe stata pronta a farlo. Per mesi si era ritagliata il tempo per seguire un corso da infermiera, ma quando aveva terminato la formazione le era stato detto che era troppo tardi. «Chi vuole andare in Spagna, lo faccia a nome proprio. Il nostro partito non garantisce per nessuno.» Neanche una crocerossina? No, neanche.

Willy aveva incontrato Ruth inferocita con i vertici del SAP e tutta l'assurda logica dei partiti e partitelli, esasperata che si ripetesse sempre identica, persino adesso che il popolo spagnolo crepava tutti i giorni sotto le bombe. «Guarda» gli aveva detto tirando fuori l'ultimo numero di *Regards*, che in copertina mostrava una foto di Gerda sotto il titolo accusatorio «Guernica! Almería! Et démain?» Inquadrava donne e uomini davanti ai cancelli dell'ospedale di Valencia, dove erano state portate le vittime del bombardamento di metà maggio. Il reportage parlava di una «prova generale per la guerra totale», gli scatti di Gerda riprendevano cadaveri sbattuti sulle mattonelle a scacchi: un ragazzino in braghe corte, un uomo nudo mal coperto dal lenzuolo insanguinato, una vecchia in nero, forse viva forse morta, su una lettiga affastellata accanto alle altre. «Laggiù non c'è bisogno solo di fotografi» aveva detto Ruth con una smorfia, incapace di lasciar uscire una stilla di rabbia e di dispiacere. «Ach Scheisse!» Willy non le aveva chiesto se i capi del SAP l'avessero convinta a non partire o se fosse stata lei stessa ad arrendersi a malincuore alla rinuncia.

Capita che i pensieri, all'improvviso, facciano un salto che li catapulta fuori dal circuito sul quale giravano da anni. William Chardack si era detto spesso, e aveva ripetuto a sua moglie, di avere avuto una fortuna immeritata. «Devi ringraziare il compagno Stalin, cara, se l'FBI non può crearmi più di tante grane!» A sua moglie bastava scuotere la testa per fargli capire che non era bello prendere in giro la sua apprensione con quello humour nero esagerato. Ma era stato un caso che a Lipsia lui fosse capitato nell'orbita di un partitello operaio incluso nella lista nera staliniana, fatto che era tenuto in conto anche dagli USA. Tutti i suoi amici si erano avvicinati al SAP, e quindi anche Willy. Tutti i suoi amici (no: quasi tutti), persino gli ex capi che aveva evitato di nominare all'ufficio inquirente, erano ancora vivi e se la stavano cavando. Quindi il SAP era stata la loro salvezza. Il ragionamento aveva la compiutezza di una dimostrazione logica. La falla si apre solo adesso, ripensando a Ruth che avrebbe voluto salvare qualche vita e invece aveva temuto per la propria. Tutti i suoi amici (sì, tutti: lui compreso) avevano pensato che in Spagna bisognava vincere, vincere a tutti i costi, vincere e basta. Però soltanto Gerda, l'unica che se n'era infischiata dei pericoli, delle considerazioni e di ogni cosa, tranne che di arrivare nel posto giusto al momento giusto, alla fine laggiù c'era andata e ci era rimasta.

Il dottor Chardack sta sudando troppo, si sta troppo perdendo in ricordi che cominciano a non essere più il piacevole accompagnamento di uno *Spaziergang*, e quindi accelera deciso verso la sua meta.

Mastman's Delicatessen è un'istituzione frequentata principalmente da famiglie che vogliono far contenti i bambini, e godere del beneficio di poterli mettere a letto già sfamati. Vanno forte i *delicious kosher hot dog*, i *crispy potato latkes* e i rotoli innevati di zucchero a velo del *home-made Apfelstrudel*. Per comprare alcuni tranci di quel famoso dolce lui dovrebbe attraversare i pochi tavoli sul marciapiede, dove alcune madri forzano i figli a finire il pasto, imboccano i più piccoli o i più magri, ripuliscono loro stesse i piatti degli avanzi già tagliati. E lì si ferma. Vede le grandi teglie di strudel in vetrina, ma si ferma. Sente l'onda di profumi familiari ogni volta che si apre la porta, la confusione delle voci tra cui distingue intonazioni, parole, frasi singole. Guarda i bambini con le *kippot* in testa, quelli che stavano in un gruppo a parte sin dal *Kindergarten*.

«Sto tornando indietro» pensa. «Sto andando *rückwärts* come un granchio.»

Se adesso entrasse nel locale e chiedesse *srree pieces of Apfelstrudel*, gli risponderebbero felicemente in quella che presumono la loro comune lingua madre.

«Sorry, my Yiddish is very poor» direbbe lui.

«No problem, ma con quell'accento non si sarebbe detto» ribatterebbero.

«I'm from Germany» anticiperebbe la domanda.

«But you are Jewish, right?»

Biondo non è biondo, alto non è alto, e ha un naso a patata di una certa imponenza. Potrebbe addirittura calarsi le mutande il dottor Chardack (non era forse stata la prova maestra nel Reich Millenario?), ma gli altri non capirebbero perché non abbia mai preso un giorno di ferie per le alte festività ebraiche e non si sia mai presentato in sinagoga.

Il dottor Chardack ha ripetuto tante volte di essere un uomo di scienza, dunque lontano da ogni pratica e credenza religiosa, finché ha capito che, lì in America, non faceva presa la sua formula di importazione convalidata da secoli d'illuminismo. La scienza è la scienza, gli concedevano, però la comunità in cui si cresce non potrà mai essere quella di un convegno in California. Cosa doveva rispondere: che invece sì, una comunità poteva esistere senza sentirsi membri di una congrega o di una razza originaria? Non c'era verso di intendersi, pazienza. Ma se ti invitavano per il tacchino di Thanksgiving e poi ti invitavano per pesach, che cosa diamine dovevi fare?

In Corea aveva rappezzato un giovane soldato, il quale, ristabilito quel tanto da poter parlare, gli aveva spiegato con gli occhi febbrili che il popolo eletto era stato punito per alto tradimento e, data l'importanza della missione, il resto del mondo purtroppo aveva dovuto andarci di mezzo. Senza Hitler, gli ebrei avrebbero abbandonato le leggi del Signore, sarebbero diventati rossi o perlomeno atei, e i comunisti avrebbero stravinto, tanto che ora toccava cacciarli a pedate da questo paese in culo al mondo.

Il tenente medico William M. Chardack si era stupito di

73

trovare quelle idee in testa a un ragazzo di qualche località del Corn belt che, prima di finire nell'esercito, non aveva mai incontrato un ebreo. Ma gli era già capitato di scoprire che qualche rabbino predicava simili assurdità, quando – sarà stato il '47 o il '48 – un compagno di viaggio lasciato a Ellis Island lo aveva riconosciuto nel trambusto del Garment District a Manhattan.

Dopo avergli chiesto come stava, Sussmann lo aveva investito dei suoi patemi. Gli acchiacchi, la solitudine: non era mai stato osservante, ma aveva provato a riaffacciarsi al tempio con l'età e le premure dei vicini ortodossi. Li aveva seguiti a Yom Kippur ed era rimasto annichilito dal discorso del rabbino: la cancellazione di Israele era fallita, *baruch Ha-shem*, ma quale giorno era più adatto per riconoscere un monito dall'alto in quel terribile martirio?

Sussmann tremava agitatissimo sul marciapiede pieno di gente e appendiabiti a rotelle spinti verso i camion parcheggiati lungo la Settima.

«Tirano acqua al loro mulino, come tutti i preti, Herr Sussmann, lasci perdere...» lo aveva interrotto il dottor Chardack.

«La prego, mi lasci finire!» aveva implorato Sussmann.

Quel rabbino aveva premesso che l'intelligenza umana non sarebbe mai stata all'altezza dei disegni del Signore, *but some facts are facts*. Le conversioni e i matrimoni misti erano dilagati, in Germania. E non finivano lì i fatti incontestabili. Marx era un ebreo tedesco, Freud un ebreo di Vienna, e Einstein aveva addirittura vinto il Nobel per la scoperta che tutto è relativo. «Considerate quanti figli della nostra gente sono diventati loro seguaci o discepoli!» si affannava il rabbino. «Tutto è cominciato nel luogo in cui l'abbandono della Torah era più grave; e poco c'è mancato che la catastrofe assumesse le dimensioni del Diluvio.»

Sussmann aveva combattuto in Belgio sino al '18, era tornato vivo per miracolo, aveva aperto una bottega di artigiano a Colonia e, dopo l'entrata in vigore delle leggi razziali, aveva divorziato di comune accordo dalla moglie, poi morta laggiù sotto i bombardamenti, quando lui si era appena ambientato in America.

Quel lacrimare davanti a un fugace conoscente (quanti anni poteva avere: circa quelli che avrebbe avuto suo padre?) aveva imbarazzato il dottor Chardack. Così aveva congedato Sussmann ripetendo che gli idioti esistono ovunque, e si era infilato in un negozio, dove si era specchiato nel nuovo abito a tre bottoni, un uomo coerente, un uomo libero. La religione era *not my problem*. E i problemi che i suoi nuovi connazionali si facevano circa le sue origini, i suoi stili di vita e di pensiero, erano risibili rispetto a quello che aveva sperimentato in Europa. Bastava, al momento, rinunciare a quello strudel e camminare per un altro tratto di strada sulla Hertel Avenue. Non valeva la pena perderci altro tempo.

Il dottor Chardack sta cominciando ad accorgersi che la sua vita a Buffalo somiglia a quella strada piana, fornita di tutto, che lo lascia proseguire dritto. Lì nessuno può riconoscerlo, come era successo con Sussmann a Manhattan, per ricordargli cose di cui gli ebrei dell'Est riuniti ai tavoli del Mastman's nemmeno si sognano di parlare. D'altronde, la sua storia non è riducibile all'elenco di chi si è estinto oppure stinto nelle nozioni di deportazione, internamento, fine. Di molti non sa neanche se sono scomparsi attraverso il camino o soltanto dal suo orizzonte. Non c'erano molte speranze per i dipendenti ebrei di suo padre, né per il commercio delle pellicce in generale, quell'universo a ridosso dei cortili dell'ampia via centrale, il rinomato Brühl di Lipsia. Non si poteva nemmeno assimilare la sua vicenda a quella dei tanti compagni di viaggio che erano stati registrati come *Hebrew* alla voce RACE or PEOPLE dall'ispettorato per l'immigrazione del porto di New York, correzione a mano che non lo avrebbe tanto sgomentato se uscito dalla fila degli *alien passengers* non avesse avuto, colossale, la Statua della Libertà davanti agli occhi.

Chissà quanti compagni di scuola, zii e cugini di diverso grado erano finiti nei campi, chissà com'era andata ai genitori e ai parenti di Gerda Pohorylle. Ma lei si era scelta il lavoro e il nome, ed era morta in un incidente stupido e crudele, però in una guerra che, con le sue immagini, voleva vincere per tutti. Era caduta tra i compagni andati a lottare contro il fascismo, non importa a quale RACE or PEOPLE appartenessero.

Quanti erano andati in Spagna tra gli amici e i conoscenti di Lipsia? Tra i frequentatori di Friedrich-Karl-Strasse, tra gli studenti e i giovani operai che bazzicavano Georg Kuritzkes? Quanti non avevano evitato il lager e le sue estreme conseguenze? Il dottor Chardack non ne ha idea. Ma c'è un nome che gli sfugge lì sulla Hertel Avenue, dove sembra una parola americana storpiata: Sas.

Volontario pentito della Grande Guerra, fisico temprato dal lavoro (acciaierie in Sassonia, cantieri navali ad Amburgo), mani capaci di rinnegare l'anatomia e l'epopea proletaria per posarsi su un pianoforte e avviare una scuola di musica. Il Bassotto gli aveva invidiato solo la moto Zündapp sulla quale Gerda a un certo punto aveva cominciato ad arrampicarsi per fare opera illecita di volantinaggio. Si era meravigliato che la gelosia non si facesse viva quando la vedeva stringersi alla schiena di Sas con un «a dopo!» e poi svanire sulla Pfaffendorfer Strasse in pendenza come per una scampagnata. Ma era tutto così pressante in quel periodo, e poi andavano talmente d'accordo, Sas e Gerda, pur essendo tanto diversi per aspetto e trascorsi. Nessuno avrebbe mai immaginato che quell'affinità li avrebbe fatti arrivare al medesimo traguardo.

Sas era stato arrestato a Lipsia nel '33 (come Gerda un po' più tardi), era finito per un anno a Sachsenhausen, poi rilasciato dal campo di concentramento e riarrestato a Berlino. L'avevano ghigliottinato a Berlin-Plötzensee insieme a una manciata di ragazzi ai quali aveva insegnato armonia, solfeggio e l'uso illegale del ciclostile. Ruth l'aveva comunicato a Willy in una lettera datata maggio 1943. Era stato anarchico, socialista radicale, membro del KPD (anche per amore di Dina, pareva), espulso dal KPD per dissidenza. Come spiegarlo agli americani? Se parlavi di resistenza tedesca, ti associavano, bene che andasse, al gruppetto di aristocratici ufficiali che avevano tentato di far saltare in aria il Führer per patriottismo, e non prima del 20 luglio 1944. Come facevi a dire che quel poco di resistenza che c'era stata si doveva ai comunisti, o a gente che per gli americani era uguale?

Uno come Gelbke, per esempio. Chiamato il «dottore rosso» ma apprezzato in tutta Lipsia, aveva usato il via vai del suo ambulatorio per farne uno snodo per chi doveva nascondersi o fuggire all'estero. Ci era riuscito, e l'aveva fatta franca insieme a Dina. La sola scelta di tenersi accanto, chissà come, una moglie ebrea richiedeva un fegato che a gran parte dei tedeschi era svanito ai primi raggi di sole uncinato.

No, non potevano capirlo, gli americani, che tutto era partito molto prima, quando non era ancora questione di vita e di morte e le idee opposte alla menzogna nazista non erano mera reazione di difesa.

Per Georg Kuritzkes, con quell'educazione rivoluzionaria, era stato facile. Ma Willy e gli amici ebrei di famiglia borghese avevano opposto le stesse idee ai genitori. Giudicare spregevole la loro condiscendenza al quieto vivere («Chi manda avanti gli affari, chi paga i fornitori e gli stipendi?»), patetico l'amore non ricambiato per la Germania, miope e consolatoria la convinzione che l'essere esclusi da certi ambienti non fosse che un odioso inconveniente. Sentirsi superiori ai vecchi era naturale, come lo era fare gruppo tra coetanei con le stesse vedute. E poi c'era lei, la giovane donna che aveva avuto per la testa soltanto un berretto all'ultimo grido, e che si era trasformata in combattente in un arco di tempo ristrettissimo. Come aveva fatto? Il tempo, è vero, procedeva dritto verso il capolinea da quando era arrivata a Lipsia. Ma lei gli camminava accanto con quel passo aereo, libera di svoltare l'angolo e sparire come un sogno, una chimera di gran classe. Era quella la ragazza che lo incantava. E quando veniva in superficie qualche scintilla di una sostanza più infiammabile, Willy Chardack, dopo un attimo di turbamento, preferiva non vederla.

Uno di quei momenti inutilmente rivelatori risaliva proprio ai primi tempi, sì, era il '30 e faceva ancora freddo. La fantastica ragazza di Stoccarda non era ancora abituata a sistemarsi a gambe accavallate sul parquet della mansarda di

Georg Kuritzkes (con la luce che cadeva dall'abbaino risaltavano ancora meglio che sui polverosi tappeti di Dina Gelbke) e Willy la sbirciava. Il collo sottile le si allungava sotto il caschetto alla *garçonne* perfettamente addomesticato, le labbra ridefinite in rosso si stringevano in una linea da scolaretta attenta, gli occhi mandavano lampi di sdegno, baluginii intermittenti che rimestavano il verde dei fondali.

Mentre discutevano della difficoltà di organizzare la Giornata nazionale della gioventù a Lipsia, della necessità di coinvolgere gli studenti progressisti al di là delle divisioni dei partiti, Georg si era innervosito e alzato in piedi. Non era possibile che restassero così ciechi e bloccati, diceva irritato, quando gran parte degli operai della terza città industriale era ancora disposta a non dividersi tra chi il lavoro l'aveva conservato e chi l'aveva perso, ancora unita dalla coscienza che la loro miseria si dovesse al capitale e ai suoi servi che si davano ovunque un gran daffare. In Germania i capitalisti avevano guadagnato dalla guerra, profittato dell'iperinflazione, prosperato negli anni d'oro. Ma non era ai baroni dell'acciaio che il cancelliere Brüning faceva pagare i danni della crisi che ne era seguita, tanto meno a Hindenburg e agli altri generali, che invece avrebbero dovuto essere espropriati dei loro beni e poi spediti nell'ultima tenuta disponibile a sparare esclusivamente ai cinghiali. Macché! I parassiti in uniforme e i fabbricanti di cannoni erano concordi nel far ricadere sull'intero popolo tedesco il debito della guerra che loro stessi avevano fomentato. E dato che Brüning ne era il docile strumento, la morsa dei suoi tagli draconiani stritolava la classe lavoratrice, anche i reduci mandati al fronte come carne da cannone e usciti vivi.

Georg guardava verso Gerda, Gerda guardava verso Georg e, nell'alzargli incontro gli occhi, lo sguardo le si era addolcito, come chi aspetta il seguito di una favola che un grande narratore sa raccontare senza allentare la presa su chi ascolta, senza fargli pesare la paura atavica che conduce all'epilogo.

Così erano arrivati i lupi. Si erano moltiplicati grazie all'errore di sottovalutarli, crederli bestie feroci ma primitive, confonderli con i pastori tedeschi, animali domabili, sfruttabili a propria convenienza. Non si sarebbero avvicinati alle case se il paese non fosse stato così affamato. Adesso non erano più soltanto i piccoli borghesi, gli invalidi, i *lumpen* e il sottobosco criminale a farsi irretire dalle camicie brune. A ogni fabbrica, magazzino, cantiere, altoforno che chiudeva o riduceva produzione e organico, la massa del proletariato si sfaldava. La fame era una cattiva consigliera, e la disperazione anche peggiore. La fame e la disperazione lavoravano per i fascisti e i loro sostenitori neanche più tanto occulti. Le signore dell'alta società già gareggiavano su chi riusciva a rimpinzare Hitler, alla faccia degli operai mandati sul lastrico dai loro consorti.

«Che si strozzi! Gli si conficchi una lisca in gola!» aveva gridato Gerda.

«È noto che il delicato macellaio non digerisce né pesce né carne...» aveva ritorto un compagno del liceo, aprendo a una ridda di commenti.

«Ma basta!» Kuritzkes era esasperato. «Se non fossimo bravi soprattutto a chiacchiere, l'aria non sarebbe così appestata dalle sue flatulenze.»

Così, ottenuta l'attesa fervida sul volto di Gerda (ma anche le ginocchia si erano drizzate spostando in su l'orlo della gonna), non sapeva più come proseguire.

«Mio padre sta lavorando con l'Italia, gli capita di andarci spesso. E ogni volta che torna, dice a mia madre: 'Dina, ma non v'insegna nulla quel che vi ha fatto Mussolini che è stato socialista? Pensate di cavarvela meglio con questo velenoso gnomo austriaco, in un paese di revanscisti antisemiti?' Lei urla che non può rimproverarla dal momento che s'è tirata su da sola i suoi tre figli...»

Willy sospettava che ci fosse ancora un pizzico di smarrimento dietro a quella confidenza insolita, ma Georg, lì in piedi, aveva addosso gli occhi di tutti.

«Ha ragione, mio padre. Dobbiamo fermarli presto e farlo uniti» aveva continuato secco, un monito raccolto subito da Gerda che spingeva le unghie affilate nei polpastrelli, corrugava la fronte irrigidendo anche mento e bocca, lasciava venire a galla nelle iridi l'energia temibile di una rabbia infantile, ostinata.

Chissà da dove veniva quella rabbia? si chiedeva Willy, intimorito e affascinato.

Georg s'era acceso una sigaretta, lasciando agli altri la parola. E non si accorgeva che i suoi occhi (i famosi occhi di Kuritzkes!) divagavano su Gerda, con quel luccichio che li illanguidiva, e il Bassotto non riusciva a crederci.

«Questo s'immagina che conquistando alla lotta la signorina Pohorylle abbiamo in tasca mezza rivoluzione» si era detto, «e lui sfila la mano al fidanzato capitalista.»

Inconfondibile, lo aveva investito la vergogna. Che amico sono se mi incattivisco così per una donna?

Concentrarsi di nuovo sull'oratore, cancellare tutto.

Kuritzkes aveva ritrovato la solita disinvoltura, ma Willy s'era perso l'amico da ammirare e invidiare. Georg era come gli altri, un insetto calamitato verso Gerda, la prima fiamma che era riuscito a eclissarlo.

Da ognuno secondo le sue capacità, a ognuno secondo i suoi bisogni.

Georg avrebbe fatto di tutto per avere la ragazza di Stoccarda. Non ne aveva soltanto più capacità, ma anche più bisogno, aveva intuito Willy. Georg Kuritzkes aveva un bisogno così grande di Gerda Pohorylle perché erano più grandi i suoi scopi e obiettivi. E quando Gerda era nei paraggi qualsiasi cosa appariva alla portata, all'improvviso.

L'uomo che gli automobilisti vedono procedendo lenti lungo Hertel Avenue ha l'aspetto di uno che non è nato da quelle parti, ma sembra una persona rispettabile. Potrebbe essere un cameriere per via della camicia bianca e della giacca al braccio, ma se sta andando al lavoro, perché si è fermato sul marciapiede? Ha dimenticato qualcosa a casa? Non trova più le chiavi della macchina?

L'ipotesi non è tanto lontana dal vero. Il dottor Chardack si è inchiodato sul marciapiede perché non trova una parola. Non trovare le parole gli capita più spesso che non trovare le chiavi della macchina. Di solito succede con gli altri, più raramente quando è solo. Finché il ricordo di Lipsia è filato dritto come la Hertel Avenue, il dottor Chardack è andato avanti senza intoppi nella sua dimensione parallela. Le risate indimenticabili di Gerda lo hanno invogliato a camminare svelto, una boccata fresca nell'aria appesantita dagli scarichi. Ma adesso il dottor Chardack è inciampato in quella parola che non si trova nella sua nuova lingua. Si concentra, si ostina, ma *Freiraum* in inglese non esiste. Esistono soltanto *free* e *room*, parole buone per chiedere una camera d'albergo in un MOTEL fluorescente nel buio di una highway. Di colpo si rivede mentre guida tra New York e Buffalo combattendo i colpi di sonno e il sensatissimo timore che se perdesse il controllo del volante nessuno verrebbe a soccorrerlo per ore. Ma anche questa Hertel Avenue più lunga e larga degli Champs-Élysées rafforza il pensiero che prende forma nella sua testa sudata. Dove c'è spazio a perdere, spazio da sprecare come il cibo nei ristoranti, lo spazio non riesce a caricarsi di un valore astratto. Invece, nella Germania che stava per sopprimere la libertà, *Freiraum* non era solo la libera mansarda di Georg o il grande prato del Rosental, quell'intatta lingua boschiva di cui, abitando tutti nello stesso quartiere, conoscevano ogni sentiero sin dall'infanzia. Significava qualcosa di più esteso e più complicato, ma naturale, perché c'era una parola per nominarlo.

Quando il suo professore di storia e filosofia lo coglieva distratto, strillava: «Chardack, sta sognando?! Farà a meno di uscire per la ricreazione». E non cambiava nulla se Willy si stava lambiccando su come rivedere una certa signorina (faceva sempre la stessa strada?) o, al contrario, sulla portata del concetto kantiano di «uscita dallo stato di minorità di cui l'uomo stesso è responsabile». Ecco, era questo il punto: se provavi a uscire dallo stato di minorità per occupare *Freiraum*, rischiavi di non approdare da nessuna parte. Se invece te lo prendevi insieme agli altri, quello spazio di libertà prendeva corpo: le parole pensate o scritte diventavano parole pronunciate a voce alta. Il corpo inutile, ripiegato sul banco di scuola in una postura traditrice, faceva tutt'uno con tanti corpi differenti (taluni di aspetto notevolissimo). Corpi che si incontravano, si muovevano, si dilatavano in uno spazio comune e più grande, sia interiore che geografico. E tutti assieme non somigliavano più ai bulloni inchiavardati per tenere in piedi una costruzione statica, bensì alle parti di un fine meccanismo a cui occorreva, per funzionare, avere gioco. *Spielraum*: questo ci guadagnavano, un concetto ancora più intraducibile di *Freiraum*.

Il dottor Chardack si è asciugato il sudore e ha ripreso a camminare macinando perifrasi, mentre la resa testuale di quell'ultima parola affiorata da lontano, *room to play*, l'ha subito scartata. Erano giovani, d'accordo, ma non si muovevano in quegli spazi come nel recinto allargato di un parco giochi.

I «Cresci, Wilhelm, smettila di giocare al rivoluzionario!» Lo mandava su tutte le furie quel rimprovero paterno, alquanto fuori luogo. Il Bassotto non aveva esitato a partire per Parigi appena quel «gioco» si era fatto tremendamente serio. Forse giocavano i fratelli minori di Gerda che si erano dati alla macchia? Giocava Soma, il fratello di Georg, massacrato dalle SA a pugni e calci quando aveva solo tredici o quattordici anni? Giocava Georg, che aveva dovuto nascondersi per mesi, o Ruth, attiva nel sindacato studentesco, o Gerda, in motocicletta di notte a fari spenti per attaccare volantini nelle periferie di Lipsia?

No, non era un gioco quello, per nessuno di loro. Però con Gerda le cose erano, al solito, più complesse.

Gerda non sembrava mai preoccupata. Quando a Lipsia raccontava delle sue trasferte a Berlino, dove gli scontri erano all'ordine del giorno, o quando a Parigi annunciava che sarebbe partita da sola per la Spagna, gli altri – persino Capa – si profondevano in raccomandazioni. «Tranquilli!» ridacchiava, benevola. E se scappava detto «Gerda, non è un gioco», si arrabbiava terribilmente. La piantassero di trattarla da bambina, proprio lei che sapeva tenere i libri contabili, calcolava in un attimo i tassi di cambio, ricordava fino all'ultimo *Pfennig* o *centime* i prezzi di bottega, se la cavava sempre.

«Ho la testa sulle spalle più di voi» soffiava. Testa per giunta dura.

Eppure non poteva farci nulla: Gerda era e restava leggera, in tutti i sensi, anche in quelli traslati meno lusinghieri. L'inganno della leggerezza nasceva dall'incanto che emanava, dal paradosso di una grazia inflessibile, dall'apparenza che fosse un dono, a volte un limite, e non l'esito di uno sforzo di volontà o di un costante lavoro interiore.

«Ach Willy, la vita è troppo seria per prenderla sul serio.»

Non era stato l'unico destinatario di quella frase di cui, in America, ritrovandola su un quadretto a punto croce, aveva scoperto l'origine. *Life is far too important to be taken seriously. Oscar Wilde.* O era un cuscino poggiato su una poltrona?

Quella boutade le calzava come una scarpetta magica, Gerda faceva sul serio anche quando non pareva. Forse cadeva nel suo tranello lei medesima.

L'ungherese con la Leica lo aveva inquadrato subito («Friedmann? Simpatico gradasso»), per scherzo aveva cominciato a punzecchiarlo («Fatti la barba, con i tempi che corrono il genere *maudit* è svalutato»), ritrovandosi presto nella parte dell'amica con esperienza di mondo e testa sulle spalle. Che André Friedmann fosse stato svezzato dall'unica metropoli in grado di rivaleggiare con Parigi, fosse nato in un atelier di moda nel cuore chic di Budapest, fosse stato educato nelle sue bische e vie malfamate e avesse quindi navigato in ogni acqua limpida e torbida del *savoir vivre*, non faceva colpo su una signorina come Gerda educata in Svizzera e rifinita nei salotti rivoluzionari di Lipsia. Ma avere su di lui quell'autorità da Pigmalione (la chiamava *arbitra elegantiae* e talvolta maestra di cerimonie) la inorgogliva. Insomma, Gerda giocava, per così dire, a «ripulisci lo zingaro balcanico», André si prestava a quel gioco, e i *copains* e *camarades* assistevano a uno spettacolo d'impianto surrealista mascherato da costumi borghesi. I caffè di Saint-Michel e Montparnasse diventavano teatri per la recita. *Spielraum* fatto materia.

Lì potevi avere sogni di gloria quanti ne volevi, non contingentati come le zollette di zucchero, quelle che, quando nessun *garçon* teneva d'occhio l'ampolla d'argento sui tavolini, finivano nelle maniche di Friedmann. Ormai lo faceva più per esercizio che per mantenersi in piedi, ma i camerieri a La Coupole, al Capoulade e al Dôme lo conoscevano, e per loro non faceva differenza se le tasche dove far scomparire la refurtiva energetica appartenevano a un giubbotto di pelle unta o a un impermeabile beige impiegatizio comprato secondo i diktat di Gerda Pohorylle. Era gioco, era teatro, e se lo godevano insieme agli altri. Spesso i soldi che Gerda e André avevano in tasca non bastavano neppure per il cinema, e così si inventavano lo spettacolo da soli. Gli amici che fungevano da pubblico si aspettavano di veder finire la commedia, un giorno o l'altro, perché la strepitosa Gerda Pohorylle prima o poi si sarebbe stufata di andare in scena con André Friedmann. Invece se ne era innamorata.

Nell'estate del '35 erano partiti in autostop per accamparsi su un'isoletta quasi deserta e molto profumata del Sud della Francia. Certe cose capitavano più facilmente lontano da Parigi con le sue troppe costrizioni e tentazioni plurime, ma Gerda si era innamorata in modo così evidente di André Friedmann che Willy, all'improvviso, si era sentito liberato.

Una mattina era andato a cercarli per proporre una gita a Cannes, il traghetto partiva dopo poco più di un'ora. Li aveva visti seduti su uno scoglio a piedi nudi (sciupato lo smalto di quelli di Gerda, scurissimi quelli di André), mentre cercavano di arricchire la razione giornaliera di sardine in scatola con qualche pesce fresco. Stavano in silenzio uno vicino all'altra a tenere d'occhio l'amo con il galleggiante. Era inusuale che Friedmann stesse così zitto e fermo, limitandosi al solo movimento delle dita nella rossiccia zazzera di Gerda, a cui lei si abbandonava con gli ondeggiamenti minimi di un gatto.

Willy si era fermato sul sentiero ed era rimasto a seguire quell'abbandono con un senso di indiscrezione molto più forte di quando li guardava abbracciarsi in acqua, o emergere dalla tenda con la pelle lucida e gli occhi velati.

«*Merde*, mi ha rubato l'esca ed è scappato!»

Gerda aveva alzato la canna per mostrare l'amo vuoto ad André, che aveva allungato le mani per aiutarla.

«Visto che dovevo tirar su prima?»

«Ma no, Schatzi, capita. Anche i pesci sono furbi, preferiscono vivere nel mare blu profondo e fare figli a milioni. Come non capirli.»

«Uova, stupidotto.»

«Uova o pesciolini, come il mio principale preferisce.»

«Preferirei prenderne uno. Possibilmente più grande di un'acciuga e commestibile.»

«Con la pesca ci vogliono tanta pazienza o tanta fame. Dammi retta, so di cosa parlo.»

«Sì, certo. Avevi soltanto tredici anni e hai preso un luccio di venti chili che quasi quasi ti tirava nel Danubio con la sua forza feroce.»

«Che dici? Non poteva essere un luccio, mio pesciolino

d'oro, sarà stata al massimo una carpa. Lo capisci anche tu che a quell'età è impossibile.»

«Va bene, era più tardi e si trattava di un pesce siluro estratto dal Landwehrkanal dopo aver rotto il ghiaccio con un sampietrino conservato in memoria degli scontri di dicembre del '32. Sono passata da Berlino in quel periodo, ah, me li ricordo...»

«Mi prendi in giro? Guarda che ti faccio il solletico fino a costringerti a lasciar cadere la canna in mare. E allora, aguzzando le tue belle orecchie, sentirai ridere tutti i pesci della Costa Azzurra.»

«Smettila! Ti do la canna e anche questo. Contento?»

«Ne voglio un altro. Poi ti racconto com'è andata veramente la storia...»

Willy aveva osservato Gerda sfilare la canna dalle mani di André (piano, per seguire i volteggi della lenza ed evitare che l'amo si conficcasse nella carne di qualcuno), appoggiarla con attenzione vicino al suo amante e infine, lenta e solenne, cingergli il collo e baciarlo. Friedmann l'aveva stretta forte, aveva liberato la mano esperta per salire lungo la spina dorsale e ridiscendere sulla schiena nuda fino al sedere nel costume a righe, e poi premere sulla vita e sulle natiche, allentare la presa in un abbraccio morbido e alla fine staccare la bocca da quella di Gerda facendo cadere la testa sulla sua spalla. Forse André aveva chiuso gli occhi, ma Willy dal punto in cui era, non riusciva a vederlo. Vedeva invece Gerda che gli passava i polpastrelli sulla fronte e, dopo avergli sistemato un ciuffo scivolato sugli occhi, gli accarezzava i capelli.

Inchiodato sulla terra rossa dell'Île Sainte-Marguerite, Willy era sbalordito. Neanche per compatimento Gerda gli aveva mai concesso un gesto simile. A Georg sì, ma non ricordava dove e quando. Forse era colpa del sole sulla testa nuda, anche se c'era un po' di vento che, per fortuna, non gli portava solo le voci ma anche il rincuorante profumo della macchia mediterranea. Aveva fissato le scarpe e i calzini, ma era svanita la memoria delle effusioni che si erano ripresentate così spesso per tormentarlo. Ora i baci e gli abbracci di Gerda e Georg erano reperti di un archivio, di cui doveva avere la chiave, ma chissà dove.

Intanto André si era messo a raccontare di sé, prendendola alla larga, e Willy era rimasto di nuovo lì fermo ad ascoltare. La sua iniziazione ittica a Budapest, dove scogli così caldi e comodi te li sognavi e dove la nebbia, quando c'era, ti entrava nelle ossa e si inghiottiva pure le mani davanti al naso. Però le storie dei vecchi pescatori ripagavano di tutto, della noia e dei bottini magri, del puzzo di acqua oleosa e pesce marcio. Le leggende dicevano che dopo il calar del sole, quando si pescava meglio, nel Danubio comparissero creature gigantesche, che risvegliavano nella sua testa di ragazzino in braghe certe fantastiche paure.

«Sai, era questo il bello. E mentre cominciavo a farmela sotto, ecco che abbocca la carpa. Un chilo e mezzo, per un pischello niente male. La porto a mia madre e non ti dico! Come potevo pretendere che quella cosa pescata sotto il ponte Elisabetta finisse sulla nostra tavola in forma di *gefilte fish* o zuppa di pesce alla paprika? Fine della carpa e della storia.»

«Vuoi dire che tua madre l'ha buttata via sotto gli occhi del figlio prediletto? Non ci credo...»

«Peggio. L'ha data a una delle sue sartine particolarmente bisognosa. Sotto i miei occhi, naturalmente.»

«E in quel momento hai deciso che se non potevi diventare un grande pescatore, saresti diventato un fotografo in lotta contro le ingiustizie e le diseguaglianze. È così?»

«Non avevo idea di cosa volessi diventare. Ma sapevo che la vita da buon borghese non faceva per me. Purtroppo non sono nato principessa come te, tesoro.»

Quei racconti avevano messo Willy più a suo agio. Non gli era mai capitato di assistere a un momento altrettanto intimo tra Gerda e Georg, anche se le oscillazioni del *Witz* di Gerda le conosceva bene. Certo, era corsa incontro a Georg quando lui tornava da Berlino, gli era volata tra le braccia scendendo dal treno a Torino, mentre Willy tirava giù i bagagli e faceva la guardia sul binario. Infischiandosene della sua presenza, aveva baciato Georg in cima alla funivia del Sestriere, lo aveva baciato sui prati del Rosental e in riva ai laghi sassoni al cospetto di Sas e di tutta la banda, lo aveva sbaciucchiato mentre ballavano alle loro festicciole in mansarda. Forse valeva il principio ippocratico *contraria contrariis curantur*: Willy era uscito dal campo malsano del desiderio, da quando Gerda gli aveva applicato una cura radicale, non sempre indolore, e dopo un mese terapeutico aveva detto «basta!» «Basta» aveva ripetuto il Bassotto, talmente sollevato, alla fine, da essere rimasto in attesa di portarle la valigia giù all'ingresso dell'hotel e farle chiamare un taxi.

Adesso riusciva ad assistere quasi impassibile a una scena come quella. Aveva lasciato vagare lo sguardo tra lo strapiombo e il profilo collinare verde scuro, e si era sentito libero, guarito.

A giugno, Gerda lo aveva visto sulla terrazza di un caffè universitario, il semestre era finito e stavano parlando di partenze. Era stato Raymond, il suo compagno di tirocinio, a proporre l'isoletta celebre per *La Maschera di Ferro* e i *Tre Moschettieri*, tanto legata a quella fama romanzesca che ai giovani francesi non veniva in mente come luogo di vacanza. Il Bassotto non s'era meravigliato che Gerda ne fosse entusiasta («L'ho letto da ragazza: quindi esiste davvero la fortezza?») e così le aveva proposto di aggregarsi. Voleva dimostrare che erano rimasti buoni amici, ma non credeva che lei si sarebbe unita a due semplici studenti di medicina. Sarebbe partita con gli amici fotografi o persino con Georg che in una lettera magari la invitava a considerare l'episodio una svista, una parentesi da lavare via con un tuffo nel mare della Riviera ligure.

Per Willy, il momento di stupore era stato vedere Gerda con zaino e berretto davanti al suo hotel, nell'ora e nel giorno stabilito. Era rimasto convinto che lei si fosse aggregata *faute de mieux* al loro duo, finché sul ciglio della *Nationale N° 7* era saltato fuori che André Friedmann si trovava a Marsiglia per lavoro e li avrebbe poi raggiunti in Costa Azzurra. Gerda l'aveva buttata lì, mentre spilluzzicavano dell'uva rubata nei filari di Borgogna, per rimettersi subito in piedi, il braccio con il dito alzato teso verso gli automobilisti. E allora Willy, tornato ad accucciarsi con Raymond nel fosso stradale, aveva capito tutto: incluso il fatto che ricevere quella notizia solo all'altezza di Lione faceva sospettare una tresca cominciata quando lei stava ancora nel suo albergo, e io, cretino, non me n'ero neanche accorto.

A Cannes, dove occorreva aspettarlo, la risalita della Croisette aveva fatto apparire un Friedmann sudato e così sgualcito che, non fosse stato per la Leica, si sarebbe confuso con uno sguattero spagnolo dei grandi alberghi. Si era messo ad accelerare, con quei «Hallo, hallo!» che facevano voltare la testa a qualche passante *en promenade*, mentre

Gerda, uscita dall'ombra di una palma, sorrideva del suo sorriso più sfacciato. Willy, defilandosi, aveva pensato « *Gut, jetzt ist er dran* » e si era incamminato fino alla spiaggia dove Raymond era rimasto a vegliare sui loro averi. Si era tolto i vestiti e si era buttato in acqua. Era restato un po' a galleggiare meravigliato di quel « bene, adesso tocca a lui » sereno come il cielo sopra la sua testa.

Sì, soltanto lui, il Bassotto, era diventato sordo al richiamo di Gerda. Gliene dava prova il distacco con cui, adesso, ascoltava la voce garrula di André mentre raccontava che a Berlino nemmeno nei tempi più duri gli era saltato in mente di cercare rimedio con la canna da pesca (« E se un vigile mi chiedeva la licenza? Farsi espellere dalla Germania per un pesce che magari neanche abbocca! Ecco, lì da voi tutto *verboten...* »), invece a Parigi lui e il suo amico Csiki Weisz erano talmente disperati da lanciarsi nell'esperimento.

« Meglio che rubare, ci siamo detti. Ormai ci conoscevano i flic di mezza città, per non parlare dei negozianti. Ci spingiamo oltre place de la Rébubblique e, una volta scarpinato fin lassù, la fame ci fa girare la testa. A quel punto, notiamo quelli che pescano nel Canal Saint-Martin o nella Senna. Il Danubio, al confronto, ci pareva un'acqua limpida. « Lasciamo perdere » fa Csiki e snocciola una serie di obiezioni, a partire dall'attrezzatura che ci manca. Bene, trovata la canna in prestito, ci sediamo sul Quai de Tournelle e, intirizziti fino al midollo, prendiamo due tozzi pescetti. Piccoli, ma non così piccoli da darci la forza per continuare. Bastava che fossero di una misura più decente e per cena ne avremmo avuto uno a testa. Così siamo tornati alla strategia collaudata nei negozi. Io attacco bottone con il pescatore più fornito e, mentre è preso dai suoi consigli, Csiki scambia i nostri pesci. Torniamo in albergo soddisfatti, però lì scopriamo che non ci è rimasto un filo d'olio. Infine c'è questo signore con l'aria da gagà che puoi immaginare cosa ci era venuto fare in un brutto hotel del sesto arrondissement. Ci passa il suo barattolo di brillantina, magnanimo. Abbiamo fritto i pesci e li abbiamo mangiati. Sapevano di profumo e di melma: impossibile distinguere quale dei due fosse più nauseabondo. Morale della favola? Mai più!»

«Eccoti invece recidivo... solo che qui non possiamo fare scambio.»

«Però, qualsiasi pesciolino avrà la bontà di abboccare, sarà una prelibatezza.»

Gerda risponde con uno schiocco sulle labbra che André trattiene più a lungo che può, a proprio rischio. La canna è tornata tra le sue mani, tremula, s'inclina verso lo strapiombo. Ma quando si stacca dalla bocca di Gerda per riprenderne il controllo, continua a guardare lei, e non il mare.

«Mi credi? Credi che ho mangiato quel pesce in brillantina, e non «*ja ja*, l'ungherese matto le spara grosse»?»

Gerda ridendo gli arruffa la testa: «Cosa vuoi dalla mia vita, André?»

«Non so. Giura che ci credi.»

C'è un momento di silenzio fluido: colpi e risacca di onde sugli scogli, piccoli crepitii, forse lucertole e insetti che smuovono friabili sterpaglie, forse soltanto il vento benché non sia più forte di una brezza.

«Giuro» sussurra Gerda e chiude gli occhi.

Il Bassotto è attonito. Friedmann raggelato come in un fotogramma, lo sguardo troppo sgranato per liquefarsi in commozione.

Vedrai che ora li riapre e scoppia a ridere, pensa Willy, deglutendo. Invece no.

La piccola Gerda nel costume alla marinaretta, il piccolo seno che svanisce tra le righe, le palpebre serrate, la bocca aggricciata, sembra un bambino che non si può toccare. André farfuglia qualcosa in ungherese, pianissimo.

«Cosa?»

«Niente.»

«Lo sai, non vale.»

«Életem. Si usa come 'mein Schatz'... più o meno.» Gerda lo scruta mentre gli ripete la parola con una serenità traslucida.

«Andava bene?»

«Perfetto.»

«Facile per essere magiaro. Che cosa ho detto?»

«Vita mia» risponde Friedmann e prende fiato.

Qualche minuto dopo, sentendoli ancora ridere come matti, Willy si era fatto avanti. Rimandata la gita a Cannes, era tornato all'accampamento stendendosi all'ombra di un alberello storto, mentre i turisti se ne andavano con l'ultimo traghetto. C'era solo il rumore delle barche in lontananza e un forte profumo di lavanda. André e Gerda erano arrivati con un numero di pesci sufficiente a ridurre ad antipasto la razione di compagni in scatola. «Vado a sciacquarmi» aveva detto Gerda tirandosi dietro Friedmann, e mentre imboccavano il sentiero per il mare Raymond s'era messo a raccogliere gli avanzi, bofonchiando che *ils s'enfichent de tout*, gli innamorati.

Il dottor Chardack è incerto se meravigliarsi di quel ricordo così intatto. Non gli pare di averlo mai richiamato, tantomeno condiviso con qualcuno. Sono trascorsi venticinque anni da allora, ma non è quel numero che conta.

Conta che il passato andrebbe lasciato stare, con i morti al loro posto, ma ormai s'è presentato quel ricordo così intatto da richiamare persino l'odore di lavanda. Le cose che non usi, che non sciupi, che metti via per bene, saltano fuori quando capita, inalterate.

Robert Capa, aveva rivelato a sua moglie quella volta che ascoltavano l'infausto notiziario radiofonico fermi nel traffico di Broadway, non era italiano, bensì la creazione parigina di una ragazza che conosceva *back from Germany*. Si chiamava Friedmann, in realtà, di nome André, doveva essere un adattamento, hanno dei nomi strani, gli ungheresi. Dalle succinte spiegazioni che aveva aggiunto, dopo aver spento in modo brusco l'autoradio, sua moglie doveva aver capito che c'entravano gli ebrei e Hitler, e un amico d'infanzia perso di vista che aveva davvero vissuto in Italia. Però dinnanzi al suo sguardo fisso al parabrezza e dispiaciuto, si era accontentata.

Quella notte sull'isola era stata come tutte le altre. Quando Raymond smetteva di russare, cominciava la solita zanzara, e quando finiva l'ora delle zanzare, cessava anche il baccano nella tenda accanto. Tutto questo aveva disturbato il sonno di Willy solo nei primi giorni, quando si era preso una solenne scottatura. Non erano stati Gerda e André la ragione principale per cui non aveva chiuso occhio. Che toccasse a Gerda, stavolta! Se l'era detto e ridetto con un'eccitazione quasi euforica. Ma con chi avrebbe potuto condividerlo? Con Ruth, che da un giorno all'altro si era ritrovata sola in albergo, perché Gerda era andata a stare con lui, e cambiava marciapiede quando la vedeva? Oppure con Georg, a cui si riconoscevano i diritti e le attenzioni di chi era stato lasciato? Perché invece a tutti appariva trascurabile che fosse stato lui, il Bassotto, la prima relazione di Gerda Pohorylle dopo Georg Kuritzkes.

Ma su quell'isola si era verificato qualcosa di incredibile e lui ne era stato il testimone: l'unico e allo stesso tempo il più indegno.

Sotto la tenda montata all'ombra di una fortezza dove era stato imprigionato un uomo che la leggenda voleva innocente, Willy si sentiva solo con il respiro sibilante di Raymond, con le zanzare e gli acuti formidabili di Gerda (le appannate risatine dopo), con la colpa di aver ceduto alla ragazza del suo migliore amico. «Tocca a lei, stavolta!» non poteva dirlo a nessuno.

Ma il dottor Kuritzkes, all'improvviso, è uscito da quel passato che credeva di avere sepolto.

E adesso sta quasi correndo sulla Hertel Avenue, deciso a non perdere più tempo: né a comprare finalmente un dolce, né a ripetersi, come davanti a una giuria che non l'ha convocato, che Gerda aveva chiuso con Georg prima di avergli dato un vero bacio. E questo Georg doveva saperlo, altrimenti non avrebbe assecondato l'impulso di telefonargli con la spontaneità che attingeva a un affetto inalterato, quello che lega, anche a distanza di anni e continenti, gli amici di vecchia data.

La colpa resta lì, anch'essa inalterata. Per coerenza ideologica o per orgoglio, Georg non gli aveva chiesto conto di nulla, e lui non aveva mai potuto dirgli che era stato un vigliacco, oltre che un illuso. Così era morta l'amicizia e la telefonata odierna non bastava a resuscitarla.

Ora il dottor Chardack si dirige con fretta meccanica verso il ristorante italiano che appare a pochi passi, un locale aperto di recente dove non è mai stato. Ne esce con un vassoio di cannoli e una busta in carta grezza che, secondo la legge americana, ricopre una bottiglia di non ricorda più quale vitigno. Non importa, lo scoprirà a casa. È scomodo premere la carta marroncina alla base del collo avendo l'altra mano occupata, un motivo in più per accelerare.

Venticinque anni per accettare una colpa che non sussiste e perdonarsi.

Però aveva avuto ragione, quella notte sull'Île Sainte-Marguerite, quando fissava il buio imperfetto della tenda con quell'euforia tinta di *Schadenfreude* (no, non si sogna di perifrasare il significato di questa parola), sinché erano giunte le prime grida dei gabbiani e una calma un po' triste. Stavolta, avrebbe voluto dire a Georg, era inutile sperare, attendere, tormentarsi senza darlo mai a vedere, come aveva fatto lui.

Aveva avuto ragione anche due anni dopo (era di nuovo estate ma non sarebbero andati in vacanza), quando nel delirio e nel disagio montante dei funerali che il partito comunista aveva organizzato per la figlia di Parigi caduta nella lotta contro il fascismo, aveva afferrato qualcosa che li sbalzava tutti oltre l'onda d'urto di quella perdita inconcepibile.

Sapevano da giorni che Gerda era morta, per tre giorni l'avevano attesa a Parigi e per altri tre giorni le erano rimasti accanto, prima di deporre il feretro al cimitero.

Sfiniti, sparpagliati in formazioni minime rispetto ai blocchi delle fabbriche o delle sezioni di partito, si tenevano a lieve distanza dalla testa del corteo – lui con Raymond, gli amici del SAP in due compatte file, Csiki Weisz con il giro degli ungheresi, Cartier-Bresson che svettava su Chim sino a farlo scomparire (o Chim non c'era, non era rientrato dalla Spagna?). Si cercavano con gli occhi, ma non troppo, cercavano in cima la nuca di Capa, o Ruth che trascinava il padre di Gerda per le strade sempre più in salita, affiancata dal figlio (Karl o Oskar? L'aveva dimenticato...) che lo aveva accompagnato dalla cittadina serba dove la famiglia di Gerda si era rifugiata dopo avere lasciato la Germania. Procedevano con la lentezza inesorabile delle sfilate mastodontiche, schiacciati dagli ottoni che ripetevano la marcia funebre, attraversando place de l'Opéra, imboccando scorci di Grands Boulevards, passando sopra il canale dove André Friedmann spesso aveva invidiato i pensionati pescatori, arrancando verso Ménilmontant, ristagnando all'ingresso del Père Lachaise e nei vialetti interni che portano ai Caduti della Comune.

Intorno alla tomba si espandeva una calca ingombrata di striscioni e bandiere rosse che rendeva invisibile chi prendeva la parola. Le masse operaie puzzavano di sudore, ma ancora più puzzavano le corone e i mazzi già appassiti da ore di cammino sotto il sole. Orazioni solenni e battagliere, telegrammi, versi (o erano frasi poetiche?) dedicati a un'allodola scomparsa a Brunete che non cesserà mai di far udire il proprio canto. Qualcuno ricordava che quel giorno, 1° agosto 1937, avrebbe compiuto ventisette anni «la nostra Gerda», la coraggiosissima compagna che aveva dato la sua giovane vita per una lotta a cui sapeva appartenere il futuro di tutti. Ascoltare equivaleva ad aspettare che terminassero di parlare, di rintronare l'uditorio al punto giusto perché i fiori o la manciata di terra fossero calati nella fossa da mani ormai insensibili, quanto il resto delle persone in fila per il turno dell'addio. Almeno il funerale era finito.

Ma la mattina di due giorni prima, quando si erano trovati alla Gare d'Austerlitz, non erano che un centinaio dei centomila che la domenica avrebbero sfilato per Parigi: metà personalità di spicco, metà volti amici, pressappoco gli stessi che erano confluiti alla redazione di *Ce Soir* dopo aver visto il giornale con la foto di Mademoiselle Taro bordato a lutto.

A Willy era venuto in mente di passare dal giornale soltanto dopo essere corso nell'albergo di rue Vavin a cercare Capa, trovando invece Soma Kuritzkes appena giunto da Napoli, così sconvolto da essere spaesato. Se l'era portato da Ruth, sperando che lei lo aiutasse a farlo rientrare in sé. Ma la concierge gli aveva detto che la signora era andata via con quel fotografo presentatosi in stato confusionale quando tutto il palazzo, e si può dire tutta la città, dormiva ancora. Andata dove, madame? A prendere la vostra povera amica, secondo il signor Melchior...

Vista l'ora, Willy aveva portato Soma a pranzo. Aveva pensato bene di evitare il boulevard de Montparnasse, scegliendo un posticino poco frequentato. «Offro io» aveva detto vedendo il fratello di Georg cercare il portafoglio. Ma Soma ne aveva estratto un foglietto per Gerda. «Monsieur Capa a rappelé a 9 heures.» All'hotel dovevano averlo scambiato per un parente e gli avevano consegnato quel biglietto. Poteva Willy lasciarlo ritornare da solo in quell'albergo? Così avevano preso la metropolitana fino a rue du Quatre-Septembre e si erano diretti insieme verso la redazione di *Ce Soir*.

La prima persona che videro fu uno dei grandi *copain* di Capa. Stava fumando accovacciato sui talloni, la testa poggiata contro il muro, l'amico che in quell'estate felice li aveva spesso invitati a Cannes (Gerda sul traghetto si infilava le scarpe e si metteva il rossetto) a fingersi turisti facoltosi, come lui era.

Immobile, aveva raccontato che Capa appena il giorno

prima era in tripudio («ha ordinato lo champagne in camera») perché *Life* lo avrebbe inviato in Cina assieme a Gerda. Poi si era messo a piangere, piangeva con una straziante inerzia orientale, la cenere della sigaretta si avvicinava alle dita e non cadeva a terra. All'improvviso si era alzato. «Inoue Seiichi, Mainichi Press, Tokyo» aveva detto a Soma con un inchino. E aveva preso a salire rue du Quatre-Septembre, per riapparire due mattine dopo alla Gare d'Austerlitz con il vestito e il volto impeccabili, come sempre puntualissimo.

Gare d'Austerlitz a un'ora strana per la bohème dei rifugiati e per l'intellighenzia parigina abituata a fare notte. Ma tutti erano lì in anticipo quella mattina. E quando i compagni ferrovieri avevano estratto la bara coperta da una bandiera della Repubblica spagnola, c'era stato solo da stringere il pugno sinistro e le labbra.

Poi il padre di Gerda era avanzato verso il feretro e aveva cominciato a recitare il *kaddish*. Qualcuno gli era andato dietro, *yitgadal v'yit-kadash sh'mei rabba'*, una sequenza di parole ritrovate in un bisbiglio. Ma la schiena che si agitava davanti a quel centinaio di persone, quel dondolarsi liturgico verso la bara allineata ai binari, ricordava i movimenti di un ossesso. Il signor Pohorylle si era arrestato di colpo, era barcollato in avanti, si era accasciato. Aveva terminato il *kaddish* riverso sulla bandiera rossa di seta morbida che avvolgeva le spoglie di sua figlia.

Sarebbe crollato anche Capa, in quel momento, se l'amico al suo fianco non se ne fosse accorto. Willy li aveva visti l'uno abbrancato all'altro, e gli era parso di rivedere André quando litigava con Gerda, lei lo metteva alla porta e Seiichi doveva trascinarselo a casa ubriaco fradicio. C'erano per giunta le fotocamere, i cronisti di *Ce Soir*. Il quadro finale era stato questo: Capa, scarmigliato, la barba sfatta (ah, quanto lei avrebbe detestato vederlo così!) e l'incarnato terreo, appeso tra una musa moscovita e un giapponese elegantissimo.

Capa era stato portato via, la cerimonia era andata avanti. «È finita» aveva pensato Willy, «c'est fini.» In testa gli girava continuamente quella frase, girava a vuoto e dal vuoto ripescava altre frasi, «c'est fini, fini, rien ne va plus, le jeux sont faits». Soma gli aveva chiesto se non avrebbero dovuto raggiungere i Pohorylle, dopo, in albergo. «Schluss» si era detto Willy. Da domani avrebbe ripreso a fare le sue cose: andare in università, aiutare Soma con l'iscrizione e la carta di soggiorno. E poi non era finito proprio nulla: Madrid restava sotto assedio, Hitler si preparava alla guerra, la Cina era stata invasa dal Giappone, il Front Populaire si sgretolava, il partito comunista stava ricavando un'eroina e martire da una disgrazia.

Ma André Friedmann, lui sì, era finito, qualsiasi cosa avesse fatto da quel momento in poi Robert Capa. Erano finiti gli spazi che André e Gerda avevano rubato nei caffè e sui giornali con il loro talento istrionico, finiti sotto la realtà di un cingolato che pesava più di un macigno.

Si salvi chi può.

Willy non era più sottosopra, ma infinitamente vuoto, lucido e calmo. Qualunque siano le scelte che compiamo, si era detto, qualsiasi ragione di lotta perseguiamo o finiremo per abbandonare, d'ora in avanti non saranno che modalità diverse per salvarsi, ognuno secondo le sue possibilità e secondo i suoi bisogni.

«Penso che abbiano quasi finito» aveva detto a Soma.

Si salverà questo ragazzo che vuole studiare chimica alla

Sorbona, e forse anche suo fratello laggiù in Spagna. E comunque né lui né Georg aspettavano con una bottiglia di champagne in camera che tornasse Gerda.

Il dottor Chardack sta attraversando le vie alberate che riconducono verso casa, l'ombra della sua bassa figura si è allargata su tutto il marciapiede. Si ferma per rimettersi la giacca, operazione scomoda con le mani occupate. Trova ridicola la sua concentrazione nel compiere quei gesti, vede se stesso come tipico, maldestro «Herr Professor». Però non gli dispiace quel che è diventato.

Ha avuto ragione. Anche Georg si è salvato ed è approdato a una vita simile alla sua, una vita dedicata alla ricerca scientifica. Il passato va tenuto accuratamente fuori dalla porta. Ma se bussa o squilla, com'è capitato quella mattina, non resta che lasciarlo entrare. Così ha fatto. Appena torna a casa vuole soltanto dedicarsi al *New York Times*.

C'è un dolore che lo riempie, adesso, quasi straborda come la farcitura dei cannoli, e forse ha persino una consistenza altrettanto pastosa e morbida.

Quella morte ottusa strideva così ferocemente con l'ingegno di Gerda per la vita. Oltre allo shock e al lutto grave, quella disgrazia era stata per tutti loro un allarme violentissimo. E si erano salvati. Georg era a Roma, Soma in Colorado, Ruth in Svizzera... Anche gli Stein e Csiki Weisz e gli altri, tranne Capa e Chim, ucciso da un cecchino in Egitto, erano vivi, erano salvi.

E Seiichi?

Proprio lui che per tutta la mostruosa durata delle esequie si era tenuto come un'ombra dietro a Capa, e per un indimenticabile attimo aveva gioito della sua gioia di poter fotografare assieme a Gerda la guerra giapponese in Cina, proprio Seiichi era probabilmente stato l'unico degli amici parigini a dover vestire l'uniforme del suo paese, il più temuto e odiato del Pacifico. Non era improbabile che proprio Seiichi Inoue fosse morto.

Ma se quella è la giornata dei ricordi, si dice il dottor Chardack mentre allunga il passo verso casa, la bottiglia in una mano e il vassoio dei cannoli nell'altra, allora meglio dirigerli verso qualcosa di esilarante sino all'assurdo, sino a provare una distaccata meraviglia nei confronti di ciò che è rimasto per sempre dall'altra parte dell'oceano. Assurdo come la serata a Cannes in cui Willy aveva conosciuto Seiichi, ed erano stati rifocillati a spese del Sol Levante con *plateau de coquillages* e champagne di primo prezzo e poi, sfilando sulla Croisette fino al Palm Beach Casino illuminato a giorno, si erano messi a berciare un'aria d'operetta ungaro-tedesca, con Seiichi appeso dimostrativamente in mezzo ad André e Gerda.

La mia mamma era di Yokohama,
Di Parigi era il papà.
La mia mamma portava solo pigiama
*Perché lui ne amava la beltà.**

La sola cosa da fare in questo momento è cercare il modo per evitare di estrarre dalla tasca dei pantaloni le chiavi di

---

* Meine Mama war aus Yokohama/Aus Paris war der Papa./Meine Mama ging nur im Pyjama/Weil Papa das gerne sah, dall'operetta *Viktoria und ihr Husar* di Georg (Pál) Abraham (musica) e Arthur Grünwald e Willy Löhner-Beda (libretto), prima rappresentazione: Budapest, 21 febbraio 1930. (*N.d.A.*)

casa. La finestra della cucina è aperta, può raggiungerla calpestando l'erba dell'aiuola, si accosta il più possibile al davanzale e grida il nome di sua moglie. Dopo qualche istante si arresta il rumore di stoviglie. Il dottor Chardack si avvia verso la porta e aspetta che lei arrivi e la apra.

Aveva avuto ragione, ma non doveva andare così.

SECONDA PARTE

Ruth Cerf

Parigi, 1938

Quando la migliore amica
con la migliore amica
va a fare un po' di spese
e quattro passi
e quattro chiacchiere
a zonzo per le strade.

«Wenn die beste Freundin» (1928),
di SPOLIANSKY/SCHIFFER,
interpretato da MARLENE DIETRICH

Io sono il Tenebroso, – il Vedovo,
– lo Sconsolato,
Il Principe d'Aquitania dalla torre abolita:
La mia unica Stella è morta, – e il mio liuto
costellato
Porta il Sole nero della Malinconia.

GÉRARD DE NERVAL, *El Desdichado*

Il cielo si è chiuso in un grigio immutabile e Ruth, zuppa di pioggia, stufa di correre, si porta in giro per Parigi una cosa che non sa come dire a Capa.

È tornato a fine novembre, esausto, ammalato per le fatiche e il freddo patiti in Spagna, e anche se la febbre è calata, finalmente, non esce ancora dalla camera d'albergo, la sua tana. Però gli amici, vecchi e recenti, si presentano da lui in gran numero: Seiichi con le nuvole di *macarons* negli scrigni proibitivi di place de la Madeleine (uno aperto, due intonsi sul comodino, quando Ruth l'altro ieri è passata dall'albergo); Chim, tutti i giorni, se non è via per un servizio fotografico.

Ruth lo incrocia spesso lungo la strada dell'Atelier Robert Capa, che anche Chim frequenta dall'inizio. Le parole («Come sta Capa?» «Meglio.» «Buona giornata.») escono nel tono confidenziale di un bisbiglio su quel sentiero che attraversa il cimitero di Montparnasse, dove i visitatori sono pochi se non vengono in gruppo a rendere omaggio a qualche tomba celebre.

Cartier-Bresson l'ha visto solo una volta, a gambe incrociate sul letto del malato, con quelle dita infantili fuori misura che reggevano il giornale per leggergli un articolo curioso.

Ma è Ruth che in questo periodo non ha tempo per le visite, e ha diradato la presenza pure in rue Froidevaux, giustificata dall'immobilità di Capa che ha ridotto il lavoro nello studio.

Invece Csiki Weisz passa mattina e sera dall'hotel, in genere verso l'ora di cena, «così lo faccio mangiare e bere, sennò quando guarisce», e gli porta le novità. In primo luogo le copie dei giornali che danno spazio sempre più ampio (e ben pagato) agli ultimi reportage di Capa sulla Guerra di Spagna: la serie sull'addio alle Brigate Internazionali e quella sulla battaglia del Río Segre sono state acquistate da tutta la stampa che conta, *Life* incluso. Csiki però ripete a Ruth che nemmeno questo ha il potere di ridare energia all'amico, anzi lo fa sentire un beccamorto, uno che lucra sull'altrui sventura. «Gli passerà» dice Ruth. «Speriamo presto» dice Csiki.

Ruth non è in studio quando Capa si riaffaccia all'Atelier per un saluto, facendo il mattacchione come sempre: baciando la segretaria, attaccandosi al telefono, armeggiando con l'amico assistente nella camera oscura, diffondendo buonumore malgrado gli occhi ancora incorniciati da ombre peste.

Csiki non ha bisogno di esplicitare a Ruth che non si fida delle apparenze, anche se le apparenze vanno rispettate. Risponde al suo «bonjour, c'est moi» con un «j'arrive tout de suite», da buon garzone di bottega che non può lasciare un lavoro già iniziato, e non aggiunge altro.

Oggi però, quando compare, non ha le mani umidicce come al solito. Appena la vede le porge una rivista illustrata.

«Regards-ici.»

«Mi tolgo questo cappotto fradicio, aspetta.»

«Dodici pagine sul *Picture Post* di Londra.»

«Fantastico.»

Avevano inaugurato quel dialogo euforico, fatto di superlativi, quando Capa si era deciso a sbarcare in Cina. Ruth e

Csiki passavano molto tempo insieme a lavorare sul materiale che Capa inviava. Le immagini parlavano chiaro della violenza indiscriminata con la quale i giapponesi devastavano città popolosissime e massacravano gli abitanti. Ma loro si sentivano rassicurati che Capa fosse così lontano: con Joris Ivens, il regista conosciuto in Spagna, e John Fernhout, il marito di Eva Besnyö, cresciuta nella stessa casa a Budapest, vale a dire quasi una sorella. Il Pilvax era un *passage* nuovissimo, con la sartoria dei Friedmann nella scala interna e l'appartamento dei Besnyö ai piani alti, così ricchi da regalare a Eva sedicenne la sua prima fotocamera. Per Csiki quelle antiche gerarchie erano una garanzia che la troupe avrebbe tenuto a bada il loro amico. Forse non era giusto che si preoccupassero quasi soltanto dell'incolumità di Capa, di fronte a quegli avvenimenti, ma non potevano farne a meno, dopo quello che era successo a Gerda. Non riuscivano nemmeno a evitare il pensiero superstizioso che, se Gerda fosse tornata da Madrid, laggiù in Oriente sarebbe stata salva. Ma era inutile rimuginare. Lo studio di rue Froidevaux era «il mio quartier generale parigino» – Capa lo aveva scritto dal fronte asiatico – e loro aderivano con gratitudine ai propri ruoli e compiti, che includevano commentare con «fantastico» ogni pubblicazione importante.

Poi tutto era cambiato un'altra volta. Capa era tornato da Hankou («scusate, non mi passava più la sciolta») e nel giro di un notiziario i batteri del ceppo *shigella* avevano rischiato di trasmettersi ai suoi assistenti. Francia e Germania avevano consegnato i Sudeti a Hitler, dopo che Vienna era caduta perché il popolo aveva deciso a maggioranza di consegnarsi ai nazisti. «Scheissaustriaker!» era scappato a Ruth. Csiki parlava sempre meno, giusto qualche laconica freddura («*Anschluss-Schluss*») o una parola di comprensibilità universale («*katasztrófa*») che gli sfuggiva di colpo dalle labbra. Budapest, seconda capitale dell'ormai disfatto regno austroungarico, si avvicinava alla gola del nuovo Reich, e i parenti di Weisz e Friedmann erano intrappolati là dentro.

«Vedrai, non sarete i prossimi sul menù» diceva Ruth per sollevarlo. «Troppo magiari, troppa paprika. E poi l'avete già il fascismo!»

Csiki ridacchiava, riconoscente.

Per Ruth si era rivelato semplice lavorare con Csiki Weisz, e anche capirlo. Erano stati incaricati di assumere i compiti che prima svolgevano André e Gerda – l'amico di Capa il laboratorio, l'amica di Taro le didascalie – quasi fossero controfigure, forze ausiliarie al riparo dalle prime linee.

Ruth, del resto, era sempre stata complice di Gerda, solo la storia di Willy aveva fatto traboccare il vaso dell'amicizia. Non era questione dell'hotel che non sapeva bene come pagare (per le questioni pratiche si trovava sempre rimedio), ma della fiducia di cui si era creduta depositaria. «Con gli uomini fa' come ti pare» le aveva detto, «non ti ho mai chiesto niente, ti ho sempre coperta e aiutata, fin da quando ti piaceva Georg, e parecchio, e non sapevi come fare con il tuo fidanzato di Stoccarda. Ti trasferisci dal Bassotto senza dirmi nulla, poi vieni qui a prendere le tue cose e mi lasci dei soldi per l'albergo, non si fa così con un'amica!»

Quando avevano ripreso a vedersi, di tanto in tanto, e il posacenere del caffè di turno traboccava delle loro sigarette, Ruth si era arresa all'evidenza che Gerda non riusciva proprio a capire cosa l'avesse tanto ferita. In fondo, aveva concluso, erano solo i piccoli riti della convivenza con le sue inevitabili incrinature, gli stessi che ora si ripetevano tra lei e Melchior. E questo pensiero le rendeva facile godersi per un'oretta quella presenza sempre così piacevole. Bastava prendersi il sincero entusiasmo di Gerda verso i suoi nuovi lavoretti per il cinema («Max Ophüls? Magnifico! Vedi di farti dare una particina!») e limitarsi ad ascoltarla mentre parlava degli ospiti di casa Stein, o delle idee di Willy Brandt e degli altri compagni importanti che la frequentavano, o dei suoi grandi progressi con la fotocamera.

«Incrocia le dita, Ruth, ho trovato un impiego, anzi, ti parrà incredibile, è proprio Friedmann che me l'ha trovato.»

«Davvero? Allora auguri.»

«Alliance Photo rappresenta i migliori fotografi tedeschi e io mi faccio benvolere, io imparo. Me ne infischio se non vado troppo a genio alla mia capa che stravede per André, naturalmente. Maria Eisner cercava un'assistente che sappia le lingue e anche tenere i conti? Be', l'ha trovata. Non è colpa mia se sono più brava di quel che pensava.»

Ruth non doveva fare altro che rilassarsi, raccogliere con il cucchiaino lo zucchero rimasto sul fondo della tazzina, osservare con un occhio i passanti e con l'altro Gerda. I cerchi di fumo espirati con graziosa enfasi, la bocca che sorseggiava il caffè senza sbavature. E quel racconto intercalato da qualche risolino che dava l'impressione di assistere al cinguettio di una ragazza infatuata. Forse lo era: anche se l'oggetto dell'infatuazione in quel momento era un'agenzia fotografica. Lei l'aveva detto subito alla Eisner che possedeva esperienza e talento per gli affari. A Lipsia gestiva i bilanci di suo padre, e a Stoccarda aveva aiutato il fidanzato a lanciarsi nel commercio del caffè dopo il tracollo del cotone americano. Vendere fotografie era di certo più appassionante che vendere uova all'ingrosso o le quattro miscele di cui i clienti ordinavano solitamente la più andante.

«Ho capito come va il mercato.»

«Ah sì?» rispondeva Ruth distratta, perché la pausa teatrale lo richiedeva.

┌«Non basta essere tempestivi eccetera. Bisogna avere i nomi giusti, sennò crearli. Credi che un caporedattore sappia distinguere la semplice bontà di un'immagine? Raramente. La fotografia è fatta di nulla, inflazionata, merce che scade in un giorno. Si tratta di saperla vendere» concludeva Gerda, e alzava gli occhi trionfanti e birichini verso la strada.

Così, osservandola, Ruth aveva avuto un'intuizione: guardala, aveva pensato, questa piccola donna che attrae tutti gli sguardi, questa incarnazione di eleganza, femminilità, coquetterie, di cui nessuno sospetterebbe mai che ragiona, sente e agisce come un uomo. Una scusa troppo comoda per perdonarla, ma forse una buona spiegazione per comprendere come mai la rabbia non si era portata via tutto l'affetto. E quando Gerda si era alzata, baciandola al lato delle guance per non sciupare il rossetto, Ruth non aveva più avvertito quella scia di dispiacere profumata di una goccia di Mitsouko che avrebbe riconosciuto a occhi chiusi.

Era spiazzante, Gerda. Non somigliava a nessuna delle ragazze che Ruth aveva conosciuto a Lipsia: né a quelle come lei, che quando si innamoravano smettevano di notare gli altri uomini, né alle ragazze il cui unico scopo era di far girare la testa all'universo maschile. Non c'era dubbio che Gerda fosse conscia di suscitare quell'effetto, ci sguazzava come un pesciolino ornamentale nell'acquario, ma in un modo insolito. Palese, senza malizia, quasi candido. Le piaceva essere attraente e corteggiata in linea di principio, le piacevano in particolare certi ragazzi: ma non ne faceva mistero né tante storie. («Georg non lo trovi eccezionale? Mai capitato che m'intrigasse uno così giovane. Ci hai fatto un pensiero anche tu?» «Se non mi considera nemmeno...» «Puoi dirmelo, dai, non me la prendo.» «Che cosa? Che non c'è paragone tra Kuritzkes e gli altri?» «Ti piace, eh! Però ti cedo volentieri Willy Chardack.» «Il Bassotto? Ah, tante grazie!»)

Non sarebbero diventate amiche, se quel parlarsi liberamente non si fosse instaurato tra loro molto presto, facendo vacillare le prime impressioni che Ruth si era fatta. La bambolina arrivata da Stoccarda non era solo più divertente di qualsiasi oca infiocchettata, come certe compagne del liceo interessate giusto alla moda e a personaggi celebri o spasimanti (di bell'aspetto o buona famiglia se c'era da vantarsene, da irridere in ogni altro caso). Era qualcosa di diverso. Che cosa, di preciso, Ruth non lo aveva ben capito («priva di pregiudizi» combaciava con «spregiudicata»? Non del tutto), ma l'ostinazione di Gerda a frequentarla le era bastato come prova che non era una smorfiosa arrogante. E così si era lasciata invadere da tanta sorgiva simpatia e brillantezza.

Si erano conosciute tramite Georg Kuritzkes nella piscina dello *Sportverein* Bar Kochba e poi riviste con la stessa compagnia dopo la stagione balneare. Avevano già scambiato le prime blande confidenze, quando scoprirono di frequentare la stessa scuola. Ruth era allieva del *Gymnasium*, mentre Gerda seguiva corsi di stenografia e di economia domestica: non perché tenesse a quel diplo-

113

ma, ma perché andava a una scuola commerciale anche a Stoccarda.

«Sai, sono una che non riesce proprio a stare senza fare niente» aveva buttato lì un giorno davanti a un'aula, un libro in mano, in attesa di una lezione

«Arrivo sempre in anticipo» aveva riso ondeggiando sui tacchi, «si vede che mi piace venire a scuola.»

«La Gaudig-Schule è famosa per la sua impostazione pedagogica all'avanguardia» aveva detto Ruth, un'osservazione piatta che contrastava con l'entusiasmo di Gerda. «Vorrebbero educarci a sviluppare la nostra personalità autonoma, coltivando un accrescimento spirituale che trascende le materie, come ti avranno spiegato quando...»

«Io noto soltanto che le insegnanti sono migliori che a Stoccarda» l'aveva interrotta Gerda, «e più alla mano che nel collegio svizzero dove sono stata. D'altronde, c'è poco da accrescere con i corsi che seguo, roba per aspiranti a un buon partito o per segretarie d'amministrazione.»

Ruth allora le aveva raccontato di avere diversi professori in gamba, attenti, apertissimi e preparati. Alcuni permettevano addirittura che le allieve organizzassero incontri politici, mettendo a disposizione l'aula magna. Qualche anno prima era venuto da Berlino un ragazzo imponente («un vichingo, non l'avresti mai detto una matricola») che aveva parlato della lotta di classe in ambito scolastico. Poco dopo, con un gruppo di ragazze, avevano messo in piedi una sezione del sindacato studentesco socialista, nel quale lei era tuttora impegnata.

«In una scuola femminile! Da noi era già tanto se organizzavano il mercatino di Natale con i nostri lavoretti. O il concerto di musica classica, terribile. Però, naturalmente, tutte volevamo essere le più brave.»

«Se è per questo, nemmeno tra noi compagne del *Gymnasium* siamo tutte grandi amiche.»

Forse la loro intesa era stata suggellata in quel momento, con Gerda che si sbellicava in una risata così forte che avrebbe urtato anche la concezione pedagogica più avanzata, se a coprirla non fosse suonata la campanella.

Ma Ruth non avrebbe mai immaginato che, a partire da quel giorno, ogni volta che una lezione di cucina o metodo Gabelsberger coincideva con gli orari del liceo, Gerda l'aspettasse davanti al cancello che affacciava sulla Döllnitzer Straße. Stava lì, la schiena appoggiata contro le grate di ferro battuto, talvolta con l'ombrello aperto, più spesso appeso al braccio, quasi sempre fumando: come una sorella grande o una donna che si è data appuntamento con un uomo che arriverà senz'altro. L'edificio le gettava addosso la sua ombra scura e asimmetrica, allungata dal contorno dei timpani a gradoni, neogotici orpelli che aggraziavano a un'altezza inutile la mole grigia dell'istituto. Era irrequieta nel suo modo naturale, sola e minuscola rispetto al flusso delle liceali, era l'autonomia fatta persona.

Ruth raggiungeva Gerda, chiacchieravano un pochino davanti al cancello e poi si avviavano in direzione delle rispettive aule o, sempre chiacchierando, verso casa. Con le sue scarpe più spericolate (quelle che metteva per andare a scuola) l'amica le arrivava circa all'altezza delle spalle. Ma erano due ragazze belle e spensierate insieme, illuminate l'una dall'altra.

Ruth non si era mai vista così nella sua vita di studentessa. La prima cosa che vedeva nei suoi percorsi verso la

Döllnitzer Straße adesso erano i propri passi, ossia i piedoni nelle francesine risuolate due volte all'anno, tirate a lucido con Erdal nella scatoletta originale con la rana rossa. E poi i vestiti che sua madre le aggiustava o, quando le passava i suoi capi migliori, faceva rimettere a modello dalla sarta. Il trenchcoat di suo padre (anche le sue cravatte da quando andavano di moda) riesumato dalla custodia che puzzava di naftalina. «Ai miei fratelli non va bene e poi oggi si usa» aveva respinto le proteste di sua madre e, riaggiustando la cintura in vita, stringendola a più non posso, aveva concluso: «Vedi, è perfetto», prima di infilare la porta di casa a testa bassa. Intabarrata lì dentro, aveva cominciato a sentirsi più protetta e speciale. Con un po' di fantasia benevola o interessata, lei e Gerda assomigliavano a una Garbo e una Dietrich di provincia. Ma in fondo contava solo che si fossero trovate.

Csiki Weisz ribadisce che è un sollievo vedere di nuovo Capa nell'Atelier, almeno ogni tanto, e dopo averle allungato il *Picture Post* scompare nel cucinino sacrificato a laboratorio. «Ein Moment!» Ruth sa bene quanto può durare quel momento, così gli grida: «Intanto preparo un caffè, che dici?», e si mette subito a trafficare con il pentolino e il bollitore a immersione Eltron, investimento berlinese di Weisz e Friedmann, protetto tra i loro quattro stracci quando erano partiti per Parigi. Ormai era incrostato come un fossile sottomarino, bisognava starci attenti, per esempio allontanando dal raggio degli schizzi la rivista posata sulla scrivania. Non appena l'acqua prende a sgocciolare attraverso il filtro, Ruth va a controllare le provviste nell'armadietto. C'è il latte perché lo portano ogni mattina, ma delle *biscottes* Heudebert è rimasta solo la scatola di latta. Trova due mele, una pera ammaccata, l'estremità indurita di una baguette, la zuccheriera.

«Hai fatto colazione?»

Ripete la domanda finché Csiki non replica: «Merci, pas de problème», così comincia a infierire sul tozzo di pane sino a ricavarne dei bocconi accettabili.

Si dimentica di mangiare, Csiki, non ha mai tempo di fare la spesa («I negozi chiudono presto.» «Ma la *boulangerie* qui dietro è aperta anche la domenica mattina!» «Ah sì? Non lo sapevo...»), e Madame Garai, la segretaria dell'Atelier, non ritiene che la questione faccia parte del suo mansionario. Perciò, da quando Ruth ha smesso di venire in rue Froidevaux con ritmo quotidiano, la base dell'alimentazione di Csiki Weisz sono le cene con il suo amico «Bandi» Capa («Mi basta mangiare una volta al giorno, guarda, ho i denti da cavallo.»), che stanno arrivando agli sgoccioli. Finiranno non appena il malato si rimetterà in piedi a sufficienza per compiere il salto definitivo dai bistrot nei paraggi dell'hotel al rancio dei reparti repubblicani in Spagna, dove ha tutte le intenzioni di tornare. E dopo, si chiede Ruth preoccupata? Dopo Csiki si arrangerà, o ci penseranno quelli di Budapest che a Parigi sono un bel gruppo. È assurdo che sia ancora lei a occuparsi di Csiki. Ridicolo che vada in cerca di piatti da lavare o di bricioline sotto il tavolo, come se nei mesi precedenti non si fosse resa conto che il pavimento era sempre pulito, le stoviglie in ordine, persino il letto nel soppalco sempre rifatto con una perfezione da caserma.

«Fortunata la donna che ti si piglia» usava scherzarci

117

sopra, cosa che a Csiki provocava un leggero arrossamento del lungo naso, per quanto la battuta fosse vecchia quanto l'avanzo di una baguette. Fortunata anche lei, visto che appena si è versata la sua tazza di caffè e accesa una sigaretta, Csiki apre la porta di uno spiraglio, «pardon, ancora due minuti e arrivo». Altrimenti, tra un tiro e l'altro, le rimonterebbe il nervosismo per quella cosa da dire a Capa, una cosa non troppo urgente, però un pensiero da levarsi.

Che deve fare? Cercarlo nei caffè di Montparnasse? Fargli la posta in albergo? Meglio parlargliene subito, senza tenere conto della convalescenza e degli amici stipati nella sua camera d'albergo. Quando si riprenderà del tutto, sarà sempre più concentrato a impressionare i nuovi *copains* che lo chiamano Bob («Bàab»), quasi sia uno di loro, un americano a Parigi, come lo aveva concepito Gerda, che a darle ascolto...

«C'est l'Atelier Robert Capa» aveva ripetuto nella cornetta la prima volta che aveva sentito quel diminutivo.

«Oui» insisteva l'accento strascicato, «j'ais un message pour Bob... Bob Capa.»

«Ah... sorry Monsieur, dites-moi, j'annote...»

Da allora si è abituata, ma non riesce a levarsi la sensazione di estraneità e di fastidio. Se André è un nome da *coiffeur* o da cameriere, Bob che cos'è? Uno zio spiritoso, il compagno di banco spilungone, un brav'uomo qualsiasi che fa un qualsiasi mestiere? Non riesce a capacitarsi che uno pseudonimo possa avere vita propria. «Robert Capa» le è entrato nelle orecchie, come a tutti, alla francese. E quella pronuncia ha facilitato l'adozione: un nome di origine incerta, un nome d'arte. I creatori, Gerda e André, non avevano previsto che dei veri americani avrebbero potuto

118

masticarlo come fosse vero, anche se erano così esaltati per il loro parto che ogni momento era buono per annunciarlo a chiunque.

Il 1° maggio del glorioso 1936 un fotografo zigzagava contro il senso di marcia della sfilata quasi immobile, e Ruth, insofferente di quell'epica lentezza, si era alzata sulle punte e sbracciata per chiamarlo. Avevano preso Parigi, erano una tale massa che il risultato reso noto due giorni dopo, ossia la vittoria del Fronte Popolare, non pareva che il conteggio definitivo di una realtà già misurata in corpi, pacifici, festosi, profumati di mughetti e garofani: fiori unitari per la manifestazione unitaria, la processione rossa convocata in place de la Bastille con il motto «*pour le pain, la paix et la liberté*» e la richiesta sindacale, concreta e rivoluzionaria, della settimana lavorativa di quaranta ore.

«Vieni, cerchiamo Gerda» aveva detto André, «abbiamo delle novità!»

Ruth si era fatta trascinare dalla curiosità e dalla mano che la tirava per il cappotto.

«Torno presto» aveva gridato a Melchior.

Nel tratto risalito faticosamente infilandosi di lato tra i manifestanti, aveva immaginato varie ipotesi. La prima, che si fossero sposati, l'aveva scartata subito: Gerda che si sposa e per giunta con Friedmann, no, non era credibile. Vanno in America, le era saltato in testa, e si era convinta che doveva essere così. L'aria era satura di primavera socialista, ma negli imbottigliamenti era inevitabile pensare che sarebbero bastati un paio di provocatori perché finisse come nel febbraio del '34 con dieci morti. Fosse capitato qualche scontro, Ruth doveva essere pronta a scappare, a rigore non avrebbe neanche dovuto metterci piede in quella calca.

Il primo che avevano visto era stato il giapponese, fermo sui bordi insieme a Gerda.

«Eccola» aveva detto André, e poi a Gerda: «Spiegaglielo tu, intanto fammi fumare una sigaretta».

Seiichi aveva acceso a tutti e Gerda si era tenuta l'accendino, come se sfregando la rotella potesse risvegliare un genio che le suggerisse un buon inizio.

«No. Sei tu che devi presentarti.»

André aveva fatto un tiro dal filtro stretto tra le labbra fissando Ruth con un'espressione istrionica, ravviandosi persino il ciuffo.

«Come diceva il poeta maledetto: *Je est un autre*. Dovete chiamarmi Robert Capa.»

Tutto qui?

Seiichi aveva accennato un applauso. Friedmann era raggiante. Gerda ripeteva «Robert Capa» con l'accento francese, inglese e tedesco, tenendo a rimarcare che non si storpiava in nessuna lingua ed era molto orecchiabile. Nessuno faceva caso a Ruth e al suo sorriso imbarazzato. Mezzo passo alla volta, sfilava il gruppo dei metalmeccanici.

Tutto qui, André si era scelto uno pseudonimo. Gerda credeva di avere strappato i trucchi del mestiere a Maria Eisner, ma se pensava sul serio che bastasse un nome per cominciare a farsi un nome, rimaneva un'apprendista.

«Siete dei piccoloborghesi, in fondo» aveva concluso Ruth, ma i sogni erano gratis.

«Suona *marsigliese* o giù di lì» aveva commentato, «comunque suona bene.»

«Capa vuol dire squalo in ungherese» aveva ribattuto André, sordo all'ironia di Ruth.

«Ma no, è americano come Frank Capra» aveva detto Gerda, «americano di origine italiana o quel che volete, ma compatibile con quella faccia... basta che ci caschino i francesi.» Ruth era confusa. Il nome era più attraente del dozzinale André Friedmann. Ma quali altri vantaggi poteva avere? I francesi preferivano un finto marsigliese o, metti pure, americano, a un *petit juif* di Budapest? Sicuramente. Ma conoscendo già il fotografo, come facevano a cascarci? Gerda, André e Seiichi la guardavano con gli occhi lucidi dei bambini in combutta.

«È meglio di Frank Capra» aveva ammesso Ruth. «Ha come un tocco nobile, alla Don Diego de la Vega nella famosa interpretazione...»

«Come ti viene in mente!» aveva replicato André. «Noi abbiamo pensato a Robert Taylor, e per lei a Greta Garbo. Niente più Pohorylle. *Voilà*, da oggi sarà Gerda Taro.»

«Anche lei americana, immagino.»

«Non importa, internazionale» aveva ribattuto Gerda. «Solo Robert Capa deve essere americano.»

Era apparso uno striscione di protesta CONTRO IL CARO VITA, un altro CONTRO IL RIARMO TEDESCO, e intanto Gerda diceva cose non meno assurde del commento con cui Ruth aveva cercato di stanarli. Robert Capa viveva al Ritz, aveva una limousine e una macchina da corsa, era un tipo prestante, sportivo, amante della bella vita.

«Scapolo?» aveva chiesto Ruth. «Allora sta' attenta che te lo rubano...»

«Per forza scapolo!» si era infiammato André, che sembrava avere perso il senso dell'umorismo. «Sennò come farebbe a essere un giorno a Montecarlo, l'altro a Deauville, poi a Ginevra a controllare gli investimenti in banca. Per non parlare di quei noiosi ritorni in America, quando è impossibile raggiungerlo, perché viaggia con l'aereo privato. Un tipo che ha sempre avuto tutto, mi capisci? Il nonno è arrivato a San Francisco durante la febbre dell'oro, ha difeso le sue pepite contro i peggiori manigoldi, ma è morto ucciso da un creditore ubriaco. La vedova si è ritirata a coltivare fiori e leggere romanzi. Tre figlie appassionate di letteratura, un figlio appassionato di botanica. Il ragazzo, diventato un bravo agronomo, ha sposato la figlia del più grande produttore di frutta sciroppata della California.»

«Sei tu quello che voleva scrivere romanzi» lo ferma Gerda. «Vieni al punto!»

«Le storie, *Schatzi*, vanno inventate come si deve, altrimenti fanno acqua.»

«L'erede delle conserve» aveva ripreso Friedmann, «cioè Robert Capa, è stufo di California e pesche in scatola. Vende tutto, viene a Parigi, spende e sciala, ma non gli basta. Il fotoreportage appaga la vena avventuriera che corre in famiglia, il bisogno di sconfiggere la noia. Non lavora per i soldi, certo, però da buon capitalista non si sogna di regalare niente a nessuno. Perciò prende Gerda come agente personale. E lei, con il suo charme, fa assumere il sottoscritto come factotum. Ed eccoci qua.»

«Il lavoro di Robert Capa» aveva puntualizzato Gerda «devo per forza offrirlo a un prezzo esorbitante...»

Ruth era scoppiata a ridere a un volume così alto da attirarsi gli sguardi allibiti dei compagni lavoratori a destra e a manca. «Voi siete completamente matti!»

No, non troppo matti. A quanto pareva, Gerda e André erano intenzionati a gettare l'esca con discrezione.

«Ah, i parigini che si credono tanto smaliziati! I direttori dei giornali, e pure quelli della nostra parte, che morire se ti alzano il cachet di due centesimi, a te povero rifugiato antifascista. Ma quando racconti di un americano che gira il *beau monde* di tutta Europa, non vedono l'ora di incontrarlo. *Très désolés*, ha portato la sua ultima conquista a Venezia, non abbiamo idea di quando torni. E chi sarebbe la ragazza, una famosa? Questo non possiamo certo dirlo.»

All'improvviso Gerda aveva estratto dall'accendino una fiammella, l'aveva trattenuta al massimo, poi aveva chiuso di scatto e restituito a Seiichi il parallelepipedo d'argento. Gracchiavano gli altoparlanti, stava per cominciare il comizio. «Pane, pace e libertà» scandiva qualche dimostrante.

«Che marca è: americana?» si era informata Gerda.

«L'ho comprato da Cartier a place Vendôme.»

«Stupendo. Capisco che il nostro bluff sembra uno scherzo da ragazzi. Però la gente crede a ciò che vuole credere. Almeno per un po'. E un po' ci basta. Perché dopo, ne sono certa, noi non torniamo più al punto di partenza.»

Csiki Weisz faceva spallucce ogni volta che Ruth si sfogava a proposito del nuovo diminutivo di Robert Capa («Bob, una parola di tre lettere, e riescono a storpiarla!») dopo averlo sentito pronunciare da qualche americano. Così, un giorno in cui sistemava i suoi materiali fotografici proprio al tavolo dove ora è pronto il *café au lait* per Csiki, aveva sottoposto la questione a Chim. Con che criterio si era scelto uno pseudonimo? E non gli spiaceva un po' non sentirsi più chiamare con il suo vero nome?

«Ma no. 'Chim' è simpatico, non trovi? Per uno con la faccia da barbagianni...»

Ruth aveva annuito e atteso la spiegazione che Chim non aveva tardato a offrirle, con quella flemma che smentiva il cliché del fotoreporter alla rincorsa forsennata degli eventi. Le aveva detto di avere solo adattato la prima sillaba del cognome «Szymin», improponibile. Del resto anche a Varsavia lo chiamavano da sempre con un diminutivo, così come Capa era Bandi e per alcuni lo sarebbe rimasto per la vita.

«E quel 'Bob' che non mi esce dalla bocca, tu riesci a digerirlo?»

Chim aveva sorriso con vaghezza, alzando gli occhi dai suoi negativi.

«Gli americani di certo, ma non soltanto loro. *Llegó Roberto Capa, el fotógrafo, mira, tenemos suerte!* si dice tra i reparti. Lo chiamano così dall'Andalusia ai Paesi Baschi.»

Che in Spagna vedessero Capa come portafortuna l'aveva sbigottita. Però, decisa a contrastare la luce soavemente ironica che era comparsa tra le lenti dell'interpellato, si era lanciata a rifare la scenetta della nascita del nostro eroe. A proposito, il milionario americano che fine aveva fatto?

«Quello piaceva soprattutto a Gerda» aveva detto Chim, con un timbro di voce che scendeva al di sotto della consueta pacatezza. «È stato smascherato quasi subito.»

Di nuovo preso a riordinare provini e negativi, le aveva parlato dello scoop alla Società delle Nazioni un paio di mesi dopo la sfilata del Primo Maggio. Gli altri reporter fotografavano Hailé Selassié che invocava le sanzioni, ma il malcapitato spagnolo arrestato assieme ai giornalisti italiani che urlavano come squadristi, l'aveva catturato soltanto la Leica di Capa. Tutti volevano quella foto, a qualsiasi prezzo, anche se sapevano perfettamente che a scattarla era stato André Friedmann. Così lui si era convinto che lavorare come Robert Capa gli conveniva.

«Ma allora perché non si fa chiamare sempre Robert, invece di quell'insulso Bob?»

La frase le era uscita puntigliosa, ma Chim non si era scomodato ad alzare la testa.

«Un nome è un nome» aveva detto, «alla fine appartiene agli altri.»

Ruth non era d'accordo: in francese non si diceva *donner un nom*? E un dono non diventava di chi l'aveva ricevuto, tant'è che poteva sceglersene un altro?

Chim aveva assentito, continuando a riordinare.

«D'accordo, scusa: ti lascio lavorare.»

Chim l'aveva trattenuta puntando il dito verso i suoi provini.

«Se prendessimo una foto... non queste, una dove ci sei tu. In che modo indicheresti te stessa?»

Dopo aver riflettuto, sbalordita, gli aveva raccontato che Gerda, sempre pronta a cogliere il meglio da ogni esperienza, una volta le aveva riassunto un articolo di René Spitz: quando un bambino comincia a sorridere, poi a riconoscersi nello specchio, a pestare i piedi strillando no!, fase cruciale, come quella in cui successivamente acquista la capacità di dire «io». Nella prassi però il professore non tollerava che la sua segretaria fosse una ragazza indipendente. «Un difetto, purtroppo, assai diffuso.»

Possedeva una qualità, Chim, che non avresti detto: una modulazione galante della sua gentilezza, un garbo timido che metteva a proprio agio qualunque donna.

Così Ruth gli aveva confessato che però nelle sue foto da modella si riconosceva poco, e non era falsa modestia o peggio, ipocrisia.

«Mi vedo bella, sì, ma è réclame, mercificazione... Nella

mia famiglia ci sono troppi teatranti, forse per questo preferisco fare a meno del trucco e delle pose.»

«Nel tuo caso non ce n'è bisogno.»

Come per accompagnare il complimento, Chim le aveva offerto una sigaretta.

«Comunque» aveva ripreso Ruth, «a quella storia del gran viveur americano Capa ci aveva un po' creduto, no? E se ora accetta quell'insulso diminutivo di tre lettere, magari è anche perché gli conferma che è riuscito a rendersi credibile in quella parte.»

«Perché *ci* sono riusciti» l'aveva corretta Chim e Ruth era ammutolita all'istante.

E mentre Chim la consolava con il tempo che appiana tutto (però toccandosi gli occhiali), si era detta che quel Bob non sarebbe mai esistito, senza Gerda. All'inizio della favola lei giocava con André come cambiando gli abiti a una bambola di carta, e lui non pestava i piedi, anzi, la lasciava fare – *ein braves Kind*. In fin dei conti, con Gerda, non aveva messo al mondo che se stesso: Robert Capa.

C'è parecchia luce ora nell'Atelier di rue Froidevaux, lattiginosa e piatta, ma non può che essere così con quel cielo grigio: luce perfetta per un artista, non per uno studio fotografico. Csiki non si lamenta di trovarsi confinato nel cucinino, e nemmeno di dover «stendere la biancheria» nella toilette andando su e giù per la scala a chiocciola con la vaschetta delle stampe, per poi sbaraccare entro mattina. Non sta bene costringere Madame Garai a fare la pipì sotto gli occhi di eserciti spagnoli o cinesi, e se un cliente chiede del bagno, non è il caso di offrirgli tutta quella intimità con fotografie ancora fresche, sostiene Csiki.

Non ha tutti i torti, né era campato in aria che Capa avesse scelto quell'Atelier perché gli ricordava gli anni d'oro del Pilvax *passage* di Budapest, che ovviamente era un'altra cosa: giusto a due passi da Váci utca dove le belle signore andavano a far compere e, in più, sede di un caffè celebre per aver fatto da covo ai patrioti rivoluzionari del Quarantotto. Il Pilvax aveva riaccolto lo storico *Kaffeehaus* nella indaffarata eleganza anni Venti, ma non aveva le grandi finestre su rue Froidevaux, messe ancora più in risalto dai mobili procurati da Gerda: niente bric-à-brac, pochi ma buoni. La poltroncina nera, lineare e leggerissima, le due sedie squadrate, comode, che inglobano nell'armonia razionalista la tavola sottile sui cavalletti da tappezziere.

Ruth dovrebbe sedersi lì a sfogliare il *Picture Post*, ma, in attesa di Csiki, si perde a guardare fuori dalle finestre, un po' nervosa per quella cosa da dire a Capa, stufa di aspettare l'uno e l'altro, finché non si apre la porta del cucinino.

«Allora, hai visto il servizio sulla rivista?» le dice Csiki, e comincia a inzuppare il pane nel caffellatte.

Ruth lo guarda appoggiata al bordo del tavolo, sorseggiando il caffè e fumando, più rilassata.

«Va bene il pane? Non mi pare che ci siano tracce di muffa.»

«Va benissimo, a Budapest capitava anche quella...»

Ruth sta per afferrare la rivista quando si blocca osservando il lento masticare di Csiki, il gomito sul tavolo, la testa china. Forse lei avrebbe dovuto essere per Gerda quello che Weisz era per Friedmann: il compagno sempre riconoscente di essere stato scelto, il compagno-ombra.

Non è la prima volta che lo pensa, tornando indietro ai primi tempi, quando André si sedeva al loro tavolino al Dôme, scroccava una sigaretta o, nel caso avesse un pacchetto, ne offriva una a entrambe, ma prima a Gerda. A un certo punto, dopo il caffè di solito, cominciava a tirare fuori le avventure della sua adolescenza, «una banda di scalmanati tipo quella della via Pál, questo eravamo: ma noi si ammetteva più che volentieri anche le ragazze...» Ruth intuiva che quelle storie erano cucite su misura dell'amica, infatti Gerda le trovava divertenti, sensibile ai tocchi da epopea magiara e a quel *feuilleton* tramato in suo onore. «Che me ne importa!» ribatteva quando Ruth, la sera, prima di spegnere la luce, diceva che quelle storie erano ricami da romanzo, per non dire mezze frottole. Ora deve ammettere di avergli fatto torto.

Non è tanto Capa a darne prova, quanto il suo braccio destro, quel braccio magro che ora sta proteggendo la scodella della colazione. Csiki Weisz, che della propria infanzia non dice nulla, salvo raccontarla con i gesti di ogni giorno, quelli dell'orfano di guerra adottato da un coetaneo fantasioso.

Ruth aveva sentito la storia di Csiki quando c'era ancora Gerda. Sarebbe stata troppo lacrimevole per i gusti di André, se non l'avesse corretta con una manciata di burlesco: Weisz-padre caduto per l'imperatore Ferenc József, ma da cavallo, vale a dire colpito a morte da uno zoccolo asburgico; il primogenito spedito in orfanotrofio, riaccolto a casa negli anni del *Gymnasium*, casa materna presto usufruita come un ostello, perché un certo Bandi Friedmann, portandosi dietro Csiki come un rimorchio, allargava il perimetro delle loro scorribande ben oltre il tratto compreso tra il ponte Elisabetta e la scuola appena fuori dal quartiere ebraico. E poi c'erano le amiche, così carine e in gamba – Eva, la figlia dell'avvocato, e Kati, la figlia del banchiere – che ai ragazzi avevano insegnato le prime armi del mestiere, «e non vi spiego che cos'altro...» A Berlino, come fotografe già introdotte nei giri giusti, erano state d'aiuto e d'esempio a Csiki e Bandi. Sulle persone con cui si sono fatte certe scemenze in certi anni, puoi sempre contare, cascasse il mondo.

Sì, gli amici si vedono nella disgrazia. La lettera di condoglianze arrivata in rue Froidevaux che Kati Horna aveva spedito dalla Spagna dove fotografava per la stampa anarchica. Il telegramma di Eva Besnyö da Amsterdam (BANDI È QUI STOP NON PREOCCUPARTI STOP) quando Capa era sparito nel nulla dopo il funerale, e che aveva rassicurato Csiki e poi Ruth, che era corsa ad avvisare tutti gli amici preoccupati.

Nella disgrazia gli amici veri si riconoscono l'un l'altro. Grazie a Csiki Weisz, Ruth aveva scoperto Bandi, quando l'aveva coinvolta nello studio poco tempo dopo il funerale.

Aveva impiegato molto a prenderlo sul serio, quel tanto, almeno, che si meritava. D'altronde Gerda, sulle prime, che cosa aveva fatto?

«Ma se ha vent'anni!» sbuffava.

«E Georg Kuritzkes? Non raccontarmi che fai la schizzinosa per un anno di differenza...»

«Questo però ha ancora i brufoletti in faccia.»

Poi, verso la fine del '34, Gerda si era messa con il Bassotto, a conferma che André Friedmann era collocato davvero in basso nella scala dei suoi pretendenti. Come avrebbe potuto capire, Ruth, che dietro quelle tardive efflorescenze d'acne c'era un ragazzo tanto legato alla banda dell'adolescenza? Quei ragazzi di Budapest erano rimasti amici veri: qualcuno pensava a Csiki, Csiki pensava a Bandi, e neanche adesso che era Robert Capa, Bandi si sarebbe dimenticato del compagno d'infanzia. E Gerda?

Gerda l'aveva piantata in asso da un giorno all'altro, ma basta rivangare. Come puoi avercela ancora con una morta, Ruth, con tutto quel che hai da fare e pensare! Guarda avanti e ritieniti fortunata. Hai messo da parte dei risparmi (non abbastanza), hai un proposito, due fratelli grandi pronti ad aiutarti, un marito e un passaporto svizzero, e solo una madre ancora intrappolata in Germania. Sua madre che, morto il marito di spagnola quando Ruth aveva cinque anni, sarebbe andata davanti al Neues Theater a esibirsi per due marchi d'elemosina con un boa di piume riesumato assieme al repertorio teatrale, piuttosto che mandare un figlio in orfanotrofio, e non era stata troppo signora per andare a servizio in casa d'altri.

E tanto per elencarle tutte, le sue fortune, lo è anche il non doversi preoccupare per quell'ottimo ragazzo. È in grado di cavarsela, Csiki, e lei può toglierselo dai pensieri. Può addirittura riferirgli la cosa da dire a Capa, giusto per stare sul sicuro. Del resto, non è lui che manda avanti la baracca?

«Guarda la rivista con calma, Ruth, tanto l'ho già sfogliata. Sistemo io.»

Ed è già lì con spugna e strofinaccio per pulire il tavolo e appoggiare il *Picture Post* sul piano ordinato, secondo il loro modo rituale di aprire la prima copia arrivata in studio. Le buste degli illustrati indirizzate a Mr. Capa basta trattarle con cautela, mentre per i quotidiani il suo assistente ha messo a punto una tecnica di precisione per nascondere

130

che li avesse già aperti: premura tipica di Csiki verso Bandi, che invece strappa la fascetta della posta senza accorgersi di nulla. L'ansia di vedere le foto impaginate con il tempo si è prosciugata, ma nella violenza sbadata dello strappo sopravvivono il bello e il giusto di un lavoro destinato a toccare gli occhi del mondo.

Anche di questo Ruth vorrebbe fare ammenda, scusandosi con Capa delle smorfie perplesse con cui ascoltava Gerda quando le decantava, in crescendo, il talento di André Friedmann.

«Immagino quale talento.»

«No, non immagini. E non pensare che...»

«Non voglio sapere nulla.»

Ruth rideva, ma Gerda s'impuntava.

«Se te lo dico, significa che è così. Non facciamo altro che girare per Parigi, parlare, continuare a parlare nei caffè quando siamo stanchi di fare foto, intirizziti eccetera. Non voglio avere colpa se la sua Leica finisce un'altra volta al banco dei pegni. E poi gli ho ripetuto in tutte le lingue che ho da offrirgli pura e semplice amicizia. Ti basta?»

«Speriamo. Lo sai cosa si è messo in testa, quello, vero?»

«Va bene. Una sola volta. È stata una leggerezza forse, però...»

Il resto si dissolveva nel *perlage* dei suoi gorgheggi, Gerda era raggiante di ogni sua piccola colpa infantile, felice di ogni goduria rubata di straforo, e Ruth ne era travolta e subissata. Se questo capitava a lei, se lei restava sedotta dall'amica, e se quel potere seduttivo, nel suo caso, non erano le iridi screziate o la bocca a cuoricino, tantomeno i seni minuscoli, il pube fulvo, le cosce efebiche che Gerda si strofinava ogni mattina con l'acqua fredda e il sapone di Marsiglia, che cosa poteva rimproverarle per Georg o Willy o André e ogni altro uomo incapace di lasciarla andare e dimenticarla?

Ci fosse stata ancora Gerda, che in ogni veste (amante, agente, amica) suppliva da sola al pubblico e agli applausi di cui Friedmann aveva sempre avuto così bisogno, tutta quell'ansia d'acclamazione non si sarebbe mai ridotta a quelle piccole ritualità senza entusiasmo. Invece ora che Capa di plausi ne riceve tanti, e tante forti pacche sulle spalle da Ernest Hemingway, tante bottiglie per celebrare le comuni imprese, scordarsi le sconfitte e mandare i fascisti al diavolo, il capoclaque originario, Csiki Weisz, e lei, Ruth Cerf, verace figlia d'arte, sono ancora lì ad allestire il teatrino per dirgli « bravo! » Dodici pagine su una rivista a tiratura milionaria sono la prova di un successo straordinario. Eppure per Robert Capa il successo è diventato poco più che la conferma di un compito svolto secondo le aspettative. Allora Ruth e Csiki esagerano con gli aggettivi e i superlativi, anche se lui li consuma come l'acqua. Solo Gerda gli avrebbe trasmesso una sostanza ben diversa, lei aveva ambizione e convinzione per entrambi, e per difendere la Spagna libera, rossa e repubblicana.

Ruth si è decisa a guardare il *Picture Post*, così fa contento Csiki e poi può parlargli dei suoi progetti. Posa l'illustrato in mezzo al tavolo, pronta ad aprirlo, quando la attrae la ragazza in copertina. Non sembra una modella ma una ragazza vera, con un sorriso vero (« The Girl with a Smile ») e un bel taglio di capelli corti, bianchi come il pelo di un barboncino. *Life* non farebbe mai una copertina simile, le co-ver-girl di *Life* sono bellezze standard. Ma il *Picture Post*, nato per strappargli le isole britanniche con una veste quasi identica, vuole essere un giornale progressista. L'editore è uno dei nostri, le ha spiegato Csiki, uno di Budapest che ha portato a Londra l'esperienza del giornalismo berlinese. E quell'esperienza, a quanto pare, si traduce in una ragazza che suscita curiosità senza turbare l'occhio degli acquirenti. La Spagna è nascosta dentro, la Spagna riavrà i titoli della stampa borghese quando sarà caduta, vale a dire tra non molto. A Ruth sale un'amarezza che la riporta a Capa, esausto dai postumi del Río Segre, con Csiki, Chim e gli altri che lo accudiscono come un sultano. E tu, Gerda, riusciresti a tenergli alto il morale? Chiedendoselo deve subito stringere le labbra, perché all'improvviso sente la sua voce chiara e frizzantina: «Su, non demoralizziamoci».

Ruth non aveva mai visto Gerda rinfacciarsi un errore, rimasticare un rimorso. L'unica volta che aveva pianto in sua presenza, più a lungo di qualche battito di ciglia, era nell'autunno del '34, durante una *soirée* promossa dall'Association des écrivains et artistes révolutionnaires, a cui Gerda si sarebbe iscritta come fotografa qualche anno dopo. Ma allora non avevano un invito per adagiarsi sul velluto del Théâtre Adyar, e Ruth nessuna voglia di scendere di corsa fin dietro la Tour Eiffel. Solo perché, secondo Gerda, vedere l'ultimo film di un regista in lotta con i censori, i produttori e la gente che non capisce l'avanguardia era un tributo doveroso a Jean Vigo e al suo cinema rivoluzionario.

«Sarà allegro come un funerale...»

«Il film ce lo vediamo gratis, Ruth, che te ne importa.» Quando salì sul palco la protagonista de *L'Atalante*, a ricordare le condizioni in cui aveva finito le riprese *cet homme extraordinaire* stremato dalla tubercolosi, la sala era elettrica di commozione, le persone vicine al defunto in lacrime.

Gerda, con la sua faccia seriosa e sobria, non lasciava presagire che a metà pellicola un colpetto di tosse avrebbe aperto una piena di singhiozzi. Ma quella Juliette che scappa dalla chiatta del suo Jean verso le luci, le attrazioni e le seduzioni di Parigi, era davvero l'eroina perfetta per la sua amica. Forse sarebbero venute giù lacrime sentimentali davanti a un altro schermo, se non fossero state costrette a contare gli spiccioli in borsa. In quel periodo avevano dovuto rinunciare alla Garbo nel melodrammatico *Velo dipinto* e alla torbida Dietrich nell'*Imperatrice Caterina*, ma una domenica piovosa si erano concesse la seconda visione dei *Ragazzi della via Pál*, facendosi accompagnare dal Bassotto che non aspettava altro. Le poche volte in cui non si lesinavano una sera al cinema, preferivano però film comici: come ai vecchi tempi, quando l'elegantissima ragazza di Stoccarda rideva come una matta di Stanlio e Ollio lasciando incredula la nuova compagnia di Lipsia. Fuori dalle sale cinematografiche, tra le palpebre di Gerda affioravano soltanto incontinenze minime di rabbia, velature di dispiacere e soprattutto travasi di orgoglio ferito. Lacrime di preoccupazione, dolore o impotenza erano cedimenti al catastrofismo di cui, in quei tempi, conveniva liberarsi.

Una volta però era tornata a casa stanca e malmostosa, si era tolta scarpe e calze, si era massaggiata le caviglie e si era stesa sul letto con i vestiti addosso, chiudendo gli occhi per qualche istante.

Il giorno dopo Ruth non aveva saputo trattenere la domanda.

«Brutte notizie? Problemi di lavoro?»

«Il solito» aveva detto, «più una stupida nausea che non mi passa.»

«Magari dovresti andare da un medico.»

«Infatti. Domani vado.»

Ruth era rientrata nel pomeriggio e aveva trovato Gerda già a casa: struccata e pallida, ma con gli occhi accesi di una vivacità febbrile.

«È ufficiale: sono incinta. Ma venerdì mattina risolviamo. Basterà il fine settimana a riposo, dice la dottoressa. È una che capisce le esigenze delle donne. E si fa pagare così poco che conviene ricascarci, quasi quasi...»

Gerda rideva della sua battuta, come se con quella fosse già tutto mezzo sistemato. Invece a Ruth era andata talmente di traverso che doveva avere assunto un'espressione tetra.

«Ti ho scandalizzata? Sono incidenti, cose che capitano...»

«Lo so anch'io» aveva ritorto lei, con la grazia di chi ha piedi del trentanove abbondante.

Era rimasta male anche Gerda, ormai la conosceva. E all'improvviso Ruth aveva avvertito il divario dei loro cinque anni e se ne era spaventata: non solo per quello che poteva andare storto, e allora che diavolo avrebbero fatto lì a Parigi senza soldi e senza carte in regola? Avrebbero chiesto un prestito a Willy? Mandato un telegramma a Stoccarda? Era anche spaventata dall'idea stessa di una gravidanza. Sì, era davvero strano tenendo conto che avrebbe compiuto la medesima scelta, rivendicando la libertà di adottarla. Ed era ancor più strano tenendo conto che sua madre le aveva parlato presto di certe cose, di come evitarle o affrontarle, in modo chiaro.

Ruth era diventata altissima e signorina da circa un anno. Si era presa una cotta senza speranza e qualche infatuazione passeggera, ricambiata da uno o due compagni di scuola dei fratelli Kuritzkes. Si era lanciata in un bacio da dimenticare e non l'aveva assolutamente detto alla mamma, mentre aveva accennato alla delusione per il ragazzino della cotta. A volte faceva nomi, dava giudizi, disquisiva dei propri gusti in materia («biondo, castano forse, almeno di una spanna sopra la mia testa, e delle ultime classi del *Gymnasium*»), sollecitata dai suoi bellissimi fratelli che si divertivano a canzonarla.

I suoi fratelli però erano anche dei figli maschi coccolati che prima pensavano a se stessi (e questo, si dice Ruth, purtroppo vale ancora: sua madre abita in un quartiere dove dare la caccia all'ebreo è come scrollare un albero di mele in autunno. Kurt vorrebbe che il denaro per farla partire lo mettesse Hans, ma Hans è fuggito da Lipsia dopo la Notte dei Cristalli e adesso si trova in Svezia senza un soldo. Retroscena della sua vita di cui dovrà informare Csiki e Capa).

Ad ogni modo, quel giorno Hans era in viaggio d'affari, Kurt era già approdato a Manhattan – doveva essere il '29. Ruth aveva parlato a Mutti di un ragazzo, non ricorda quale, tantomeno come erano arrivate a parlarne. Però rammenta il volto di sua madre nel cerchio della lampada da cucina, lo stampo della sua avvenenza che resisteva all'età e all'usura, il mento sollevato sui rimasugli del pranzo elementare che aveva imbastito aspettando il suo ritorno dal lavoro: *Buttermilch*, patate lesse, dessert di fragole. «Promettimelo, Ruth: è importante. Se temi di avere quel problema, devi dirmelo alle prime avvisaglie. Di una stupidaggine veniamo a capo, capisci?, ma non possiamo permettercene altre.»

Quattordici anni li aveva già compiuti all'epoca? Probabilmente no, visto che voleva sprofondare. Stava per dare sfogo al senso d'offesa che le saliva in gola, quando sua madre era riuscita ad anticiparla. *Mein Herz*, le aveva detto, meglio pensare che vergognarsi.

In casa loro non era consentito nemmeno quel poco di segretezza che faceva sentire grandi, aveva pensato Ruth. Ma le compagne di liceo che avevano un padre vivo e benestante, e una *vera signora* come madre, non un'ex attrice, figlia di un ambulante, le cui nozze erano state chiacchierate per mesi nei cortili lungo il Brühl, non avrebbero mai avuto il bene di una simile confidenza.

Gerda, in fondo, non era quel tipo di ragazza? si domanda Ruth, guardando la strana figura sulla copertina del *Picture Post* che sarebbe piaciuta alla sua amica. Sì, forse all'inizio, perché poi si era sbarazzata di quell'impronta con determinazione, la stessa con cui era andata a farsi cavare il seme che le avrebbe gonfiato la pancia. Era un osso duro, Gerda, a prescindere dai suoi natali.

La mite e minuta signora Pohorylle solo a immaginare l'evenienza di una figlia rimasta incinta sarebbe morta di spavento e di vergogna. Gerda ne aveva ereditato la statura, i denti candidi, la pelle d'alabastro nella brutta stagione.

Però la madre di Gerda appariva piuttosto imparentata (forse lo era?) con la giovane domestica che aveva preso l'impermeabile di Ruth quando era salita la prima volta in Springerstrasse – anche se la domestica portava uno *sheitl* castano topo e la padrona di casa era acconciata secondo la penultima moda del momento. Ma le due donne dovevano avere un'intesa più forte di quella che Ruth aveva colto nelle sbrigative presentazioni sulla soglia del *Salon*, dove erano entrate con un certo imbarazzo.

«Posso offrirle *a stikele* del mio plumcake, signorina Cerf? L'ho fatto oggi e mi pare ben riuscito. O anche lei è attenta alla linea come mia figlia e preferisce un po' di frutta?»

«Grazie, signora Pohorylle, assaggio volentieri il suo plumcake.»

«Per me niente, Mutti, solo dell'acqua!»

Gerda gliel'aveva gridato mentre sua madre si allontanava e lei era già adagiata sul sofà a gambe accavallate, la prima sigaretta accesa, un cenno a Ruth di sedersi nell'altro angolo. La signora Pohorylle, al suo ritorno, era un'ellittica forma ovoidale che avanzava circospetta, tagliata in due da un rettangolo d'argento: un piattino per il dolce, un altro piattino con fettine di mela e spicchi d'arancia, forchettine da torta, una caraffa di cristallo, due bicchieri, una teiera bordata d'oro con la zuccheriera e una tazza dello stesso servizio di porcellana. Ruth voleva alzarsi ma «stia comoda, *bleiben Sie do zitsn!*» le era stato intimato, mentre Gerda si era limitata a spostare le Muratti e il posacenere sul tavolo d'appoggio. Quando ebbe compiuto l'impresa di deporre il vassoio, la signora Pohorylle la pregò di favorire («Bitteschön») e poi disse a sua figlia: «Sono in cucina con la Rivka, se hai bisogno».

Ruth prese due fette di plumcake e lasciò la frutta a Gerda. Infine, per educazione e abitudine, e anche perché non se ne occupò nessuno, sollevò il vassoio e andò a cercare la cucina. Aprì la porta di un locale ampio, inondato d'aria fresca e dalla luce che entrava dal balcone: pareti, tavolo di marmo, credenze bianche d'un bianco nuovo di zecca, tutto era riempito di un tripudio di vasetti verdi e cremisi. La madre di Gerda e Rivka stavano «mettendo via» cetrioli e barbabietole, sia a tocchetti sia ridotte in salsa di *cren* rosso, e si passavano barattoli e coperchi senza accorgersi della sua presenza.

«*Oj dos Fräulein hot gebracht di teler!*» esclamò la ragazza, al che la signora Pohorylle mormorò due incomprensibili frasette che produssero lo sgombero veloce delle conserve vicino all'acquaio.

«Non c'era bisogno di scomodarsi» le disse, ma non fece in tempo a pulirsi le mani nel grembiule che Ruth aveva già deposto il suo carico e con un «non c'è di che» si era riavviata verso il salotto. Persino con la porta chiusa, poté sentire che avevano ripreso subito a parlare in yiddish. Quella Rivka appena giunta dalla Galizia qui se la passa meglio di mia madre dai signori Kaufmann, le venne da pensare, e cercò un modo per dirlo a Gerda.

«Siete molto liberali, a casa vostra.»

«Piuttosto, sì. Perché?»

«Per come tua madre tratta la domestica.»

«Sai, non c'è abituata. Non siamo mica gente come i Chardack, che credevi?»

Ruth non ricorda se fosse una cugina del Bassotto o di un altro dei loro amici ricchi, ma discendeva sicuramente da una nota stirpe pellicciaia l'ambasciatrice mandata in casa Pohorylle dopo il terribile 18 marzo '33, quando le SA avevano messo a soqquadro l'appartamento portandosi via Gerda. I fratelli di Georg, che in quel momento era a Berlino a studiare medicina, avevano convocato subito una riunione oltre i primi *Schrebergärten* del Rosental, dove avevano previsto una presenza trascurabile di persone, qualche cane e qualche bambino in carrozzina, gli uni e gli altri portati fuori con una gran voglia di tornare al calduccio. In Friedrich-Karl-Strasse c'era già stata una visita dei bruni, inutile sotto l'aspetto della perquisizione e dunque intimidatoria. Avevano i canali giusti per raccogliere informazioni e volevano far sapere alla famiglia che Gerda, detenuta in *Schutzhaft*, era imputata di appartenenza a un'associazione sindacale fuorilegge.

I Pohorylle, quegli affaristi di mezza tacca che non capivano come la figlia avesse potuto farsi coinvolgere in certi ambienti, erano a conoscenza che ai nazisti bastava la custodia preventiva per detenere chiunque a loro arbitrio? Che anche senza accuse formalizzate potevano spostare Gerda in un altro penitenziario o spedirla in un campo di concentramento? Quindi occorreva che qualcuno andasse a informarli al più presto. Non potevano essere Dina né i suoi figli, di cui erano note le affiliazioni finite fuorilegge. I meno compromessi del loro gruppo, a cominciare dal Bassotto, si erano già trasferiti all'estero. Così, nonostante la militanza sindacale alla Gaudig-Schule, Ruth si era fatta avanti ipotizzando che salire lassù per una decina di minuti non poteva essere tanto drammatico.

«Almeno mi hanno già vista altre volte...»

In realtà, aveva una discreta pelle d'oca – la stessa strizza che adesso, quando andava a Berlino a portare informazioni e soccorso alle famiglie dei compagni detenuti, le suggeriva di infilare sotto il cuscino il passaporto svizzero. A volte, svegliandosi di notte, controllava che fosse ancora lì, sul comodino, prima di impegnarsi a chiudere di nuovo occhio. Quella volta, per le esperte direttive di Dina Gelbke, Ruth non era apparsa la candidata adatta. Chi altro potevano mandare dai Pohorylle?

Fu così che arrivarono a quella Else, Ilse o Inge. Sembrava, lì per lì, un pensiero disperatissimo, visto che aveva tredici anni a esagerare, ma Jenny, la sorella piccola di Georg, aveva giocato con lei da bambina e sosteneva che era una ragazzina sveglia.

Potevano offrirle qualcosa in cambio, una ricompensa.

«E secondo te una così ce la compriamo con una busta di caramelle da qualche *Pfennig*? Ma figurati!»

«Perché no? Quelle non sono soltanto caramelle, ma un premio» disse Jenny.

«Una medaglia al valore...»

«Esatto, Soma. Puoi risparmiarti il tuo sarcasmo.»

Decisero che non si perdeva nulla a fare un tentativo. Durante la ricreazione Jenny parlò con questa Else, Ilse o Inge che, molto pragmatica, rispose di poter fare una scappata dopo la scuola, senza tardare troppo perché i suoi genitori già cominciavano a far storie. Ormai veniva scortata dalla *Fräulein* ariana a ginnastica e pianoforte e, quando la lezione finiva tardi, arrivava a prenderla l'autista del negozio.

«Ti porto in bici e ti aspetto all'angolo» l'aveva rassicurata Jenny. «Però devi fare in fretta.»

«Ma è pericoloso?» si era informata la ragazzina.

«Per te no.»

«Perché sembro una bambina?»

«Certo. E perché sembri più interessata ai dolcetti che ad altre cose.»

«No. Se posso fare qualcosa contro *quelli*, lo faccio gratis.»

Tutto questo l'aveva raccontato Jenny, ridendo di un successo che sembrava ricalcato da un libro per ragazzi. Sì, la loro ambasciatrice doveva avere senz'altro letto *Emil e i detective* e gli altri romanzi più recenti di Erich Kästner. Romanzi o meno, quel che doveva fare l'aveva fatto.

Si era presentata con la formalità del caso (il buon cognome aveva ottenuto il suo effetto) e, premettendo che era attesa a pranzo, non aveva indugiato a recapitare il suo messaggio. Tutti gli amici, aveva detto, sono vicini a Gerda e alla sua famiglia. I signori Pohorylle l'avevano guardata straniti, ma non avevano chiesto niente, così, approfittando del loro disorientamento, Jenny aveva lanciato la domanda esplorativa.

«Possiamo aiutarvi in qualche modo?»

A quel punto, il padre di Gerda doveva aver capito. «Grazie» le aveva detto, come parlando a un'adulta: «Se ne sta occupando il nostro console, il console polacco. Sta per sporgere una protesta scritta al Ministero per gli Affari Esteri. Lo riferisca, signorina».

La nota finale, la più grottesca, era che la signora Pohorylle non voleva far andare via la messaggera senza una prova tangibile di riconoscenza, ma dato il terribile momento non aveva nulla di buono da offrirle. Alla fine si era presentata con un pacchetto in cui era avvolta una confezione di dieci uova.

«Sono le nostre, di classe A, fresche di oggi. Possono venir buone ora che ci avviciniamo alle festività di Pasqua.»

Le uova erano poi finite in Friedrich-Karl-Strasse, dove

erano state servite fritte sopra una catasta di pane nero e prosciutto, in una cena miscredente, rapida e robusta.

Gerda era stata rilasciata all'inizio di aprile, pochi giorni prima che cominciasse la pasqua ebraica. Ma il *Judenboy-kott* aveva tramortito di incredulità e terrore anche i commercianti e i professionisti che non avevano subito violenze fisiche né saccheggi o vandalismi, a partire dai vetri rotti. Il grossista Heinrich Pohorylle aveva riavuto sua figlia. Aveva ringraziato il Signore, ricomprato la merce persa, ripulito il deposito di uova. Ma le ragazze sapevano che nulla si sarebbe appianato. Dovevano andarsene.

Ruth aveva ricevuto il consiglio di partire presto da un ammiratore diventato nazista («Fortuna che non l'ho trattato male!» si era detta) e non aveva perso tempo. Anche Gerda era conscia che se fosse caduta un'altra volta nelle grinfie di quei banditi, come minimo sarebbe stata espulsa e spedita in Polonia, paese di cui conservava un vago odore di latte tiepido e legname arso, l'apparizione di una volpe che forse si era sognata, e una paura dei cosacchi che doveva essere altrettanto favolosa. «Capisci, Ruth, non ci sono mai più andata da quando avevo cinque anni. Le uniche parole che conosco sono quelle scritte sul passaporto e non so nemmeno come pronunciarle.»

Più tardi, quando a Parigi André e Gerda si scambiavano le loro storie di galera, a Ruth sembrava di assistere principalmente a una sfida complice, una tenzone tra amanti che richiedeva la presenza di un giudice di gara.

«Mi hanno gonfiato così bene che quando sono salito sul treno per Vienna avevo ancora le ossa rotte e il didietro mi bruciava così tanto che stavo sempre in corridoio a fumare. Ho finito l'intera scorta di sigarette prima della dogana.»

«A noi arrivavano le urla degli uomini massacrati dalle

143

SA negli interrogatori. Allora ho scoperto che potevamo abusare del campanello riservato ai poliziotti. Era come quelli della scuola, un suono da far tremare l'edificio.»

«Che ti hanno fatto?»

«Niente. Insulti. Smettevo di suonare appena cominciavano a scendere le scale. Ma i compagni ci sentivano, e in più davamo un gran fastidio a quei bastardi.»

«O non la conti giusta, o li hai intortati anche lì con le tue grazie.»

«Certo. Avevo pure la lacrimuccia facile...»

Possibile che Gerda fosse rimasta così lucida anche in prigione? Che fosse sempre stata reattiva e incoraggiante e, va da sé, circonfusa di chic e charme come una creatura di un mondo a parte?

«Mi hanno arrestata che stavo andando a ballare...»

«Con chi?»

«Ah, non lo so, Georg era già in Italia.»

«Lo dici apposta per stuzzicarmi, vero?»

«Macché. Volevo dire che era un bel vantaggio, perché gli sbirri non concepivano che una con le scarpette in tinta con l'abito di seta potesse essere una rossa rabbiosa.»

Credeva veramente, Gerda, che i suoi sorrisetti e ghingheri le servissero da corazza impenetrabile, e quella convinzione era stata sufficiente per non farsi scalfire? O era davvero refrattaria alla paura, all'angoscia (nella camera delle torture, dio santo!) e all'inesorabile senso di disfatta?

Vivere, ma non a ogni compromesso, questo lo volevano tutti quanti. Lo volevano Georg e i suoi fratelli, lo volevano lei e Melchior e i loro compagni del SAP. Lo volevano anche Chim e Kati Horna e Csiki Weisz e chiunque fosse andato in Spagna, anche solo per un breve periodo, ad affiancare la lotta repubblicana con la fotocamera. Come faceva

Gerda a essere infinitamente meglio attrezzata degli altri? Perché non c'era dubbio che lo fosse, lo era sempre stata. Non c'era bisogno di aprire il loro *Pariser Tageszeitung* all'indomani del suo funerale per trovare conferma in un articolo come, già nella primavera del '33, fosse stata una compagna di cella intrepida e smaliziata, come avesse distribuito sigarette e cantato hit americane alle detenute, fino a quando, da estranea guardata di traverso («oca infiocchettata» dovevano aver pensato di lei anche in prigione), era diventata addirittura una capobanda.

Difficile credere che fosse andata proprio così, ma pure i fatti raccontati da una compagna del carcere di Lipsia, e da chi aveva conosciuto Gerda in Spagna, lo confermavano. Del resto, andando in Germania con Melchior, lei stessa ha sperimentato sulla sua pelle di staffetta clandestina che non esiste miglior stimolante della febbre da palcoscenico che la nuda cruda semplice paura.

E poi, la signorina Pohorylle, cittadina polacca nata a Stoccarda, possedeva le virtù marziali che Hitler pretendeva dalla gioventù tedesca: agile come un levriero, tenace come il pellame, e qualche volta dura come l'acciaio. Ma la tenacia e la durezza di Gerda erano modellate in tutt'altra pasta: non guerriera, non mortuaria. Vivere a tutti i costi, ma non a ogni prezzo, Gerda lo desiderava più di tutti loro messi insieme. E infatti superava i vincoli e gli ostacoli frapposti a quel desiderio con un impulso irrefrenabile, uno slancio che solo la mole d'acciaio di un cingolato era riuscito a stritolare.

Il venerdì Ruth l'aveva accompagnata all'appuntamento medico. Si erano svegliate all'alba per prepararsi senza premura e poi attraversare mezza Parigi. Sul metrò avevano letto il giornale e commentato le notizie a voce bassa per non disturbare il popolo lavoratore che riempiva le prime corse con l'esigenza di un altro po' di sonno. Erano scese a Filles du Calvaire, salite in una casa all'inizio di rue Oberkampf. « Voilà » aveva detto Gerda, appena erano entrate nel vestibolo simile a tante sale d'aspetto, salvo che a quell'ora del mattino era completamente vuoto.

La dottoressa si era affacciata quasi all'istante. Per quel poco che Ruth aveva avuto modo di vederla, le era piaciuta: età media, acconciatura di media lunghezza, piccolo giro di perle sotto il camice, rossetto fresco. Aveva notato che nella pila di riviste sul tavolino della sala d'aspetto c'erano alcuni numeri di *Vu* e *Regards*, ma aveva preferito quelle femminili. Si era distratta con i nuovi modelli proposti da *Le Petit Écho de la Mode* (l'unica idea da copiare erano dei grandi fiocchi scozzesi da portare sui colletti). Aveva ricambiato il « bonjour, madame » di una giovane coppia, vedendo spuntare da uno scialle di lana chiara un ventre protuberante come un cocomero, e il ragazzo con il berretto sempre in testa le aveva detto: « Voyez, il-y en a deux, là-dedans », e poi le aveva chiesto se poteva dare uno sguardo all'*Humanité* lasciato da Gerda sulla sedia accanto.

« Bien sur », e potevano tenere il quotidiano.

« Merci, camarade! »

« De rien. Et beaucoup de félicitations, camarades. »

« Ce sera dur, putain, mais on va se débrouiller. »

La ragazza aveva accennato a una gomitata, e per istinto si era allisciata la pancia.

Si erano sforzati di ridere. Avevano parlato di turni straordinari, di come sistemare i gemelli e della dottoressa che li riceveva gratis, perché il diritto di partorire con il minimo di rischio doveva spettare anche a un'operaia, come a qualsiasi futura madre. Così, quando la prima paziente era uscita dallo studio della compagna ginecologa, Ruth si sentiva ormai del tutto rassicurata.

«On y va!» aveva squillato Gerda attraversando leggera la sala d'aspetto, però nell'ascensore si era lasciata andare contro il legno oleoso della cabina.

Ruth voleva cercare un taxi, ma Gerda l'aveva insultata, «Sei cretina? Proprio qui davanti?», e aveva insistito per la metropolitana. Ne era uscito un compromesso, suggerito dal primo caffè apparso sul marciapiede, in cui l'amica dolorante si era infilata per farsi dare un bicchiere d'acqua.

«Stai lì» le aveva detto Ruth, «vengo a recuperarti in taxi.»

Nel tragitto Gerda guardava fuori dal finestrino. Aveva fatto le scale ignorando il suo braccio e fino in camera non aveva detto una parola.

«Merde, brucia. La prossima volta nasco maschio!»

L'aveva tamponata, aveva cambiato l'assorbente, piegato quello vecchio, portato via il vaso da notte pieno di broda rossa e riportato in camera risciacquato. Era uscita a fare commissioni e tornata per controllare se era tutto a posto. Gerda era sempre in posizione rannicchiata, immobile, non riusciva a capire se dormiva. Più tardi, sbirciandola dalla sua metà del materasso, le aveva fatto tenerezza. Un piccolo gomitolo di membra femminili che respirava russando un poco a bocca leggermente aperta. Il sonno disarma, anche i più combattivi. Il giorno dopo Gerda aveva dichiarato che stava bene pur sentendosi ancora una schifezza («come un pesce pulito prima di finire lesso»), e non aveva più bisogno di assistenza.

«Mi serve solo l'aspirina.»

«Te l'ho presa, sta lì sul comodino con una tazza di tè fresco.»

«Sei un tesoro. Allora ci vediamo verso sera.»

Questo era quanto.

No, non del tutto. Aveva da poco trionfato il Front Populaire, quando si erano incontrate per caso al Café Capoulade, e Gerda le aveva raccontato, tra varie altre novità, che era stata di nuovo in rue Oberkampf da quella brava dottoressa: nessuno strascico, nessun problema, e c'era pure il lato positivo che i flic erano occupati con lo sciopero generale, così si era concessa un taxi subito, non come l'altra volta...

Era probabile che l'artefice dell'incidente fosse André, ma quella domanda Ruth non se l'era posta neanche la prima volta, quando viveva assieme a Gerda.

Povero Capa, le viene da sogghignare adesso, come sarà stato contento di potersi intrufolare tra gli operai asserragliati alla Renault e fotografare le commesse in sciopero delle Galeries Lafayette, piuttosto che doversi troppo dedicare a zone femminili mai toccate sotto quell'aspetto. Però una volta rientrato in rue Vavin, sarà corso a comprare garze e aspirine e avrà accudito Gerda con coccole e cioccolata e forse persino fiori freschi. La sua gattina azzoppata e principessa avrà avuto molto piacere di crogiolarsi in quelle cure, mentre fuori c'era l'intero paese in agitazione e pure il bel sole tiepido di giugno. Finché avrà soffiato «lasciami stare, André, voglio starmene un po' in pace», e lui, cacciato fuori sul boulevard de Montparnasse, sarà partito in cerca di nuovi generi di conforto, e per confortare anche se stesso sarà infine andato a bersi buona parte dell'anticipo sul servizio esclusivo alla Renault di Billancourt. Il bouquet pacificatore, composto dalla fioraia vicino al Dôme, se non era già stato dimenticato al caffè, sarà finito ovunque tranne che nella brocca dell'acqua sopra lo scrittoio. Il giorno dopo, Gerda ne avrà salvato il salvabile o decretato che, peccato, i fiori erano da buttare, ma a parte un rimbrotto, perché un'ubriacatura non era una scusa per stramazzare a letto con i vestiti addosso, sarà stata di umore splendido, come sempre. Splendida anche lei, regale e volitiva nell'elargire ogni parte intatta di se stessa e lasciar perdere lo screzio, il bruciore, i fiori vizzi e tutto il resto.

Ruth è distratta da quelle congetture un po' divertite, ma il *Picture Post* la riporta alla realtà che va guardata in faccia. THIS IS WAR! a caratteri cubitali è il titolo sopra il servizio, e poi immagini quasi senza testo, una addirittura su due pagine, cinque soldati stipati sotto il loggione naturale di una roccia che osservano, in lontananza, un brullo altopiano dilaniato dalle bombe. Eccetto quel fotomontaggio creato a Londra, le ha già viste tutte. Le ha imbustate e indirizzate seduta a questo tavolo, e poi ritrovate sulle pile dei giornali, sbandierate, appese in edicola. Due settimane prima *Regards* è uscito con il retro di copertina dedicato agli stessi uomini lanciati all'assalto.

Attaque sur le Sègre! Toutes les phases du combat. Photographies par CAPA.

Aveva preso *Regards* al volo mentre correva a ritirare il copione di *Senza domani* da riportare con urgenza a Max Ophüls nell'ultima versione battuta a macchina. Non c'era tempo per fare un salto all'Atelier, tanto meno una visita al malato. Non c'era posto a sedere sul metrò, ma sfogliando in precario equilibrio le pagine della rivista, quelle foto le avevano dato ancora un brivido.

E adesso li ritrova sul *Picture Post* quegli uomini chini come dromedari che avanzano di sbieco sul terreno pietroso. L'uomo nero come la roccia, sfocato, completamente solo nel mondo cancellato dal fumo biancastro delle esplosioni. Tre ombre: due sostengono il compagno al centro della foto, in mezzo al nulla della cortina fumogena che lambisce i loro passi. L'uomo ferito gravemente. L'uomo che sotto l'obiettivo muore.

La victoire du Rio Sègre; un document unique et exclusif.

Victoire, victoire, victoire: in cima a ogni pagina.

La vittoria è stata eroica, ma non ha mutato nulla. L'offensiva finale è ormai nell'aria, se ne avverte l'odore ovunque, persino a Roma, dove il pontefice, fiducioso di trovare ascolto nel generale Franco, ha chiesto una tregua natalizia. È l'ultima incognita: il papa otterrà la proroga? Melchior, quando a casa ne parlano, dice «ipocriti bastardi», Csiki «mah, speriamo», Chim lo ritiene un insulto alla decenza, visto che a feste celebrate *los moros* al soldo dei sedicenti crociati sarebbero stati lasciati liberi di fare strage di civili, come sempre. Capa voleva a tutti i costi tornare per Natale in Catalogna. Mancavano due settimane.

Joyeux Noël! Joyeuses Fêtes! Joyeux Noël et Bonne Année 1939!

Da quando in Germania tutto va di male in peggio, passare dal silenzio di rue Froidevaux e poi dal buio invernale del cimitero di Montparnasse, ai boulevard illuminati, alle vetrine addobbate, alle persone cariche di buste o abbracciate ai pacchetti natalizi, per Ruth a volte è come ritrovarsi simile a un topo di città che per un attimo non fiata e poi schizza via.

La realtà che conta è altrove. La realtà è peggiore della più cruda foto di Capa sui giornali. E allora Ruth si concede una pausa, guarda il servizio con la ragazza dai capelli bianchi, e non fa caso a Csiki, fermo alle sue spalle, che le domanda: «Visto?»

«Grandioso!» esclama per riflesso.

Non reagisce, Csiki. Neanche quando Ruth si volta e lo vede in viso, una maschera da Pierrot, tirata e pallida.

«No» sussurra Csiki, «guarda meglio.»

«Che c'è, che cosa dovrei aver visto? Il fotomontaggio, la foto del soldato moribondo?»

«Un'altra.»

Ruth, agitata, torna alle dodici pagine di THIS IS WAR!, le scorre sino alla pagina che le è sfuggita e che contiene solo un ritratto del fotografo. *The Greatest War-Photographer in the World: Robert Capa.*

E finalmente capisce. Capisce l'urgenza di mostrarle *il Picture Post*. Sospetta che Csiki non abbia osato consegnarlo a Capa, motivo per cui adesso cerca consiglio da lei.

La pagina con il ritratto che consacra *the Greatest War-Photographer in the World* è una vetta mai raggiunta da un fotografo, ma se Capa perdesse l'equilibrio, potrebbe ricadere nel vuoto da cui si è appena sollevato. Il precipizio è sotto i loro occhi, proprio lì sul tavolo.

Quella fotografia l'ha scattata Gerda. Sul fronte di Segovia, vicino al passo di Navacerrada, quando lei lavorava con la Leica, lui con la Eyemo fornita da *Time-Life* per realizzare un servizio che avrebbe inaugurato la grande svolta. «*The March of Time* è un cinegiornale proiettato in oltre mille teatri. Entriamo a Hollywood, compagna!» Robert Capa doveva averglielo detto all'incirca così, perché è così che l'aveva ritratto Gerda Taro: concentrato, spavaldo, il profilo accorpato a quella cinepresa che spunta dall'arcata sopracciliare come un corno metallico con le ali di una falena.

Il più grande fotografo di guerra senza una macchina fotografica.

È tutto così assurdo che a Ruth sfugge un commento forse incauto: Gerda, pur di non farsi vedere troppo gongolante di quel successo, non avrebbe riso dell'incongruità?

«Magari» sospira Csiki, «all'epoca non era affatto divertita.» E come al solito, era stato lui a dover riferire a Capa le brutte notizie. «Glielo spieghi, quando lo sente, che un film non è una sequenza di fotografie» gli aveva comunicato il tizio di *Life*, già in procinto di attaccare la cornetta.

«D'accord, d'accord» aveva farfugliato Csiki al telefono, «mais écoutez, my boss is back in Spain avec la camera, he will do better, il est en train d'apprendre...»

«Well, keep on trying!»

L'ultima a usare la Eyemo, mormora Csiki, era stata Gerda. La Leica sbalzata via dall'impronta dei cingoli, con il rullino ancora intatto, era stata recuperata, ma della cinepresa non era rimasta traccia. *Time-Life* aveva chiamato lo studio per fare le condoglianze, Capa era irreperibile ad Amsterdam. Csiki aveva temuto che se Capa avesse detto loro che a Brunete era scomparsa anche la Eyemo, il conto della cinepresa non avrebbe tardato ad arrivare, e forse pure una diffida perché doveva maneggiarla solo l'autore ingaggiato per contratto.

Ruth osserva il pomo d'Adamo di Csiki che deglutisce a ripetizione, sembra aver inghiottito una lampadina, e aggiunge, agghiacciata, che Gerda amava sentirsi la parte migliore di Robert Capa. Lo diceva a tutti che era più brava di

152

lui a filmare. Ma quel particolare della Eyemo, no, quello non lo sapeva...

La lampadina da abat-jour in gola a Csiki si sta fermando. Alla fine, racconta stanco, Capa aveva richiamato la redazione.

«I'm very sorry, but your camera c'est kaputt... perdue avec ma femme.»

Ruth ha lasciato la rivista sul tavolo e riacciuffato Csiki, già pronto a sparire nel laboratorio (vuole nascondere che sta piangendo?), per dirgli che si porta avanti con i compiti che le ha dato.

«Grazie. I negativi sai dove trovarli. Se mancano i fogli bianchi, usa la carta intestata.»

Fuori ha ripreso a piovere, l'acqua scende a rivoli sulle vetrate, esasperante. Magari un altro caffè aiuterebbe contro i piedi freddi, male non fa comunque.

«Faccio un altro caffè, lo vuoi?» grida all'amico.

Csiki insiste che vuole prepararlo lui, la invita a sedersi comoda e corre a prendere l'acqua nella sua *Wunderkammer*. Ruth si lascia andare nella poltroncina razionalista, indecisa se togliersi le scarpe.

Csiki le porta il caffè, con l'impazienza di capovolgere in positivo il peso che si è tolto con quella confidenza. Gerda sarebbe stata fiera di vedere la sua fotografia sul *Picture Post*. «Dovrebbe esserlo anche Capa, non ti pare?»

Ruth annuisce e assaggia un sorso bollente, mentre Csiki si fa trascinare dai ricordi, con la loquacità dei tipi taciturni quando si mettono a parlare, per una volta.

«Non puoi sapere com'era esaltato, Bandi, quando *Time* gli aveva dato la Eyemo. Ti ha parlato sicuramente del passo di Navacerrada, di quanto erano stati bene lassù, accampati in mezzo alla foresta e sempre al lavoro fianco a fianco.»

Non deve fare altro, Ruth, che un cenno affermativo e lasciare che prosegua.

Due tipi di lampade da flash, abbondanti provviste di pellicola, una scorta di caffè e cioccolata: tutto ciò che Gerda aveva ordinato via telegramma da Valencia (Weisz era andato a procacciare il materiale fotografico, dei beni di conforto si era occupato Capa) aveva dovuto fare spazio nello zaino a quel compatto, prezioso oggetto che valeva il sacrificio dello zucchero in zollette e la ricerca di un buco a lato per ogni singolo pacchetto di bionde americane estratte dalla stecca.

Ma non era un marchingegno favoloso? aveva esclamato Bandi prima di avvolgere la Eyemo nel maglione che doveva proteggerla durante il viaggio. Non somigliava, così smontata, a un robottino che ti guarda di traverso, sì, e per giunta femminile («lo vedi, Csiki, ha le tette!»), a un balocco per bambini inventato da Picasso?

Bandi era incontenibile. Non vedeva l'ora di arrivare a Madrid e disseppellire la sorpresa davanti a Gerda. Non ne poteva più di stare lontano da lei e dalla Spagna, così era andato dritto da Louis Aragon a dire che si licenziava. *Ce Soir*, con il contratto in esclusiva per la Francia, gli aveva concesso un privilegio indubitabile, ma ora che la strada per l'America era spianata non ne aveva più bisogno. Voleva dirlo a Gerda e tirare fuori subito la prova che non si era inventato nulla, deponendo la Eyemo nelle sue belle mani incredule: il tutto abbracciandola, baciandola sul collo e poi mettendosi a barcollare avvinghiati per la stanza come dei ballerini di polka ubriachi.

Sì, Ruth tutto questo se lo immagina. Il resto lo conosce già, perché glielo ha raccontato Capa, più di una volta. Il giorno dopo erano partiti da Madrid, facendo una tappa prima di raggiungere il passo di Navacerrada. Gerda, vedendolo girare per l'aia sterrata di una casa contadina, al collo la macchina fotografica e in spalla la cinepresa, appagato, felice, gonfio fin sotto l'orlo del pesante dolcevita, gli aveva detto «guardami!» e ottenuto in risposta la sua espressione più da canaglia.

Ma lei non era soddisfatta di quello scatto.

«Stupido, non devi fare colpo sulle ragazze, devi mostrare al mondo che sei un regista: prendi la Eyemo, ecco, un po' più dritta, concentrati, sei Robert Capa, non hai paura di niente, neanche di quel grosso cane lupo che fa la guardia giusto a due balzi dal tuo didietro» lo provocava.

«Ça va, adesso sì, sei venuto bene, puoi abbassarla.»

Capa si era avvicinato a Gerda con una certa lentezza, voltandosi soltanto dopo averla raggiunta. Il cane lupo era lì, libero in effetti, però molto disciplinato, come se sapesse esattamente quando e con chi doveva passare dalla difesa all'attacco.

«Ma è dei nostri! Szép kutya, jó kutyus, vero che sei ein braves Hundchen? Un perro alemán pero también un camarada valeroso. Te mandan a buscar minas fascistas, perrito guapo? Secondo te, in che lingua bisogna parlare a questo cane?»

Pare che proprio in quel momento, quando Capa si era mosso verso il cane per dargli una carezza, fosse comparso un soldato belga del battaglione *La Marsellaise* con un ordine del generale Walter: dovevano aspettare che giungesse a quella *finca*, dove li avrebbe ospitati, e l'indomani provveduto a scortarli sui luoghi di battaglia.

«Ah, et ce chien maintenant c'est le chien personnel du commandant» aveva detto il compagno belga. «Mais si le commandant lui parle en sa langue maternelle, le polonais, je ne sais pas...»

Gerda invece lo sapeva, lei sapeva parlare al pastore tedesco in polacco, e il cane era felice di trottarle dietro o di fermarsi ai suoi comandi. Gerda sapeva rivolgersi a quasi tutti gli interbrigatisti nella loro lingua, con qualche frase conquistava battaglioni e generali, incantava commissari politici e censori. Gerda così amata dai corrispondenti della stampa estera e da poeti e scrittori; Rafael Alberti e signora la accoglievano sempre con grande calore ogni volta che si fermava a Madrid alla casa dell'Alianza. «E poi, Ruth, non so descriverti lo sguardo di John Dos Passos quando una sera all'Hotel Florida gli ha recitato alcuni passi di un suo romanzo. Hemingway l'ha odiata sin da quel momento, ma si sarebbe ricreduto se solo avesse avuto qualche altra occasione di incontrarla...»

Quando Capa prendeva a inondarla di queste rapsodie, Ruth ascoltava e annuiva come chi si beve ogni sorso di un racconto, assaporando i fiori e i frutti maturi sprigionati dal *perlage* d'oro colato, senza capire se quella nota pungente d'acidità, quella fermentazione esagerata, fossero indizio che le aveva rifilato un dozzinale spumantaccio come una Grande Cuvée Riserva.

Il vero dal taroccato, come si fa a distinguerlo con Capa? si domanda, mentre Csiki adesso parla al telefono proprio con lui, in ungherese come sempre.

Eppure, ricorda Ruth, c'era stato veramente quel libro di Dos Passos che Gerda si era portata nella piscina del circolo Bar Kochba per un'estate, era un regalo di compleanno, e lei lo macinava tra un tuffo e l'altro. A volte perdeva il filo, tornava indietro, sbuffava che, tranne *Berlin Alexanderplatz*, non aveva mai letto un romanzo moderno così impervio. Però coglieva il bello che le era stato promesso nella dedica:

Alla più grande ballerina del pianeta
questo grande romanzo americano
dove l'orchestra della rivoluzione
suona al ritmo dell'hot jazz più scatenato.
Il tuo felice compagno (di ogni danza)
                                        Georg
                    Lipsia, 1° agosto 1932

Per evitare di bagnarla, Gerda aveva tolto la copertina e il libro sembrava un'edizione delle opere di Lenin disegnata da un costruttivista: una bibbia rossa con tre ravvicinate strisce nere, al centro il titolo severo, *Auf den Trümmern*. Quelle rovine della Grande Guerra non annunciavano nulla di hot o di jazz o di scatenato, ma Gerda era affascinata da quel mattone e bruciava sotto il sole per finirlo. Bruciava per ogni cosa le arrivasse da Georg, prima che lui ripartisse per Berlino. Era al culmine dell'innamoramento. Si godeva quei momenti conscia che stavano volgendo al termine, o il godimento si intensificava proprio in vista della fine? No, a Gerda non piacevano le cose che finivano. Non aveva mai lasciato che nessuno dei suoi uomini uscisse dal suo raggio. Neanche nel caso della loro acciaccata amicizia aveva mostrato il tatto di ricalibrare le distanze, cosa che mandava così in fumo Ruth da farle cambiare marciapiede, l'unico a degnarla di un'occhiata mesta era il Bassotto. No, Gerda non concepiva che qualcosa potesse rompersi per sempre: solo transizioni, fasi, capitoli, dove il punto finale, messo da lei stessa, anticipava l'urgenza di voltare pagina. Perché a Gerda piacevano le cose che cambiavano.

La svolta spagnola era stata la più seria e la più esaltante. Credibile, quindi, che Gerda, catapultata nel *beau monde* madrileno sotto coprifuoco, fosse andata a nozze al cospetto dello scrittore di fama mondiale che aveva accompagnato la sua ultima estate a Lipsia. «L'orchestra della rivoluzione suona al ritmo dell'hot jazz più scatenato: è questo l'effetto che fanno i suoi romanzi!» Dos Passos era rimasto colpito, Capa del colpo che Gerda aveva fatto su Dos Passos, senza sapere che l'amore per Dos Passos era sbocciato dall'edizione in tedesco ricevuta dall'amato Georg Kuritzkes.

Forse non era andata proprio così, ma in quel caso Capa non fanfaroneggiava a casaccio. Quando si imbatteva in qualche graffio che oltraggiava le sue splendide memorie, si improvvisava d'emblée il mago dei ritocchi. Però non tollerava che altri lo correggessero, e delle foto-ricordo neanche parlarne.

Quella con il cane lupo, ad esempio.

Csiki Weisz, conoscendo l'attaccamento di Bandi alle due foto che Gerda gli aveva dedicato, un giorno aveva pensato di ritagliare e ritoccare quella a corpo intero. Si vedeva chi era Robert Capa, si vedeva la fotocamera, e la foto finiva lì: un mezzo busto nero su un fondo calcinato, senza chiazze di sporco sulle braghe, senza gli scarponcini tozzi, l'aia sterrata, la povera casa contadina vigilata da un cane lupo allo stato brado. Ma Bandi, parecchio contrariato, aveva detto: «No, tu non la tocchi una foto di Gerda. Lo facciano in redazione, se proprio vogliono».

Era rimasto male, Csiki. Aveva mugugnato che era sciocco mandare ai giornali un ritratto con la cinepresa e l'altro con un intruso a quattro zampe. Ma continuava a duplicare le foto, come gli era stato chiesto, e Ruth ad aggiungere il timbro PHOTO TARO sulle buste da spedire. Che cosa ci facesse un pastore tedesco ben pasciuto in quello scorcio di Spagna rurale, Ruth non se l'era mai chiesto, finché Capa non glielo aveva suggerito.

Non stava in piedi quella storia. Che il cane lupo fosse stato addestrato a scopi militari, poteva darsi. Però non era di sicuro il cane del generale Walter. A Capa era saltata in testa la favola di Gerda che gli dava ordini in polacco, lingua che poi parlava a malapena, e non poteva più staccarsene. Il comandante la ammirava, la adorava, secondo Capa, al punto da intervenire di persona per darle l'ordine di ritirarsi all'istante dal campo di battaglia. E Gerda, infischiandosene del generale Walter, aveva continuato a fotografare finché era stato troppo tardi.

Per un attimo Ruth si sente affossare nella poltrona razionalista, i piedi scattano giù a cercare l'appoggio delle scarpe.

Csiki è ancora attaccato al telefono e Ruth non capisce niente, tranne hotel, Bandi, rue Froidevaux, e altre parole che sarebbero afferrabili anche se parlassero in arabo.

Prende un sorso di caffè e prova a riflettere, infastidita dalla pioggia.

Capa disponeva di arti e tattiche allenate nelle strade di Budapest, compresa quella di spararle grosse, un apprendistato che gli aveva insegnato anche a non scottarsi troppo. D'altra parte, pure Capa girava intorno al fuoco con quelle favole alla Capa, fole esagerate per ridere come i bambini al Kasperltheater, ridere di gusto quando l'impertinente burattino le prendeva in testa, e quando la favolosa Gretel svaniva nella botola, rimanere talmente a bocca aperta da evitare l'affanno che accompagna lo sgomento.

Ruth conosce bene le risorse picaresche di Bandi Friedmann, ma non si fida più. Ha visto quel che succede se gli vengono a mancare, purtroppo, e lo ha visto molto da vicino, il giorno in cui lo ha accompagnato a Tolosa a prendere Gerda, o quello che di Gerda era rimasto.

Sul treno per Tolosa, per otto-nove ore, Capa non aveva fatto che piangere e sospirare, salvo ripetere ogni tanto «non dovevo, non dovevo, Ruth» ondeggiando lievemente avanti e indietro sul sedile di seconda classe. Prima di andare alla Gare d'Austerlitz, si era accasciato su una seggiola della sua cucina, non aveva bevuto nemmeno un sorso d'acqua aspettando che lei si preparasse, una fatica a non rompere le calze con le mani che tremavano. «Avvisa la concierge che ho avuto un imprevisto!» aveva detto a Melchior sulla porta, già meno tramortita dallo squillo del campanello a un'ora improponibile che, per via dei loro contatti con il *Widerstand*, le aveva fatto subito pensare a Hans – che l'avessero arrestato, se non di peggio. Era peggio, ma non riguardava suo fratello.

Con il passare delle ore e dei chilometri, i singhiozzi si erano attenuati, o approfonditi, fino a diventare sommessi rantoli. A volte, girato verso il paesaggio oltre il finestrino, Capa mormorava qualche frase convulsa in ungherese, però gli occhi rimanevano opachi come il manto bituminoso della strada che costeggiava i binari. Ruth non sapeva come consolarlo. Provava a prendergli una mano, stringerla forte. Provava a tenerle entrambe, appoggiandole sulle sue ginocchia, ma lui le sottraeva con un cenno infantile della testa, come a significare « non lo merito ». Aveva provato a dirgli che non era colpa sua. Ma la verità era che non poteva farci nulla. Non poteva fare altro che assistere per otto-nove ore a quello strazio, sperando che Gerda, anche da morta, avesse il potere di calmarlo, di consentirgli d'aggrapparsi alla sua bara come a una zattera, come unico appiglio reale nell'alto mare che inghiotte. Magari avrebbe sciolto qualcosa di quel macigno che aveva dentro. Magari avrebbe pianto per altre otto-nove ore, però in modo differente.

Lo sperava, ma non ci contava molto. Avvertiva lei stessa l'ansia, o la paura, di incontrare Gerda, che a Madrid era stata salutata con tutti gli onori (ma in una città assediata da quasi un anno, come avevano trovato l'occorrente per ricomporre a regola d'arte un uccellino di persona trascinata sotto un carro armato?) e omaggiata da una gran folla pure a Valencia. L'unico modo per non pensarci era cogliere il filo della conversazione che, a tratti, le lanciava l'uomo che alla Gare d'Austerlitz si era presentato come il compagno Paul Nizan, con i biglietti per lo scompartimento riservato da *Ce Soir* e il compito di riportare a Parigi *nôtre jolie camerade et chère amie*. Un filo fragile. A Ruth ogni parola in francese di colpo usciva faticosa, falsa. E allora Paul Nizan si rintanava di nuovo dietro la risma di giornali appoggiati sul posto libero tra lui e Capa, mostrando solo il bordo dei grandi occhiali tondi.

« Avevo vent'anni, non permetterò a nessuno di dire che questa è la più bella età della vita » aveva scritto in un libro di cui Ruth conosceva solo quel famoso incipit. Una frase perfetta, date le circostanze, per chi ne aveva compiuti ventuno, come lei. Per non dire di Capa, che era maggiore di due anni. L'autore di *Aden, Arabia*, con quell'aspetto da intellettuale parigino, Ruth non riusciva a immaginarselo ventenne, tantomeno impegnato a dettare un articolo nel grattacielo madrileno della Telefónica che ondeggiava e tremava e brontolava (come faceva Gerda, imitando il cupo brontolio) quando cadevano le bombe, ossia tutti i santi giorni. Nizan era stravolto pure lui dalla notizia, e visibilmente a disagio, avendo conosciuto Capa in ben altri momenti, con la sua faccia di spavaldo buontempone.

Provavano comunque a fare finta di avere qualcosa da dirsi, lei e Nizan, azzardavano persino qualche sortita verso Capa. Era avvenuto all'altezza di Limoges il più lungo dei loro tentativi.

«Siamo quasi a metà strada» l'annuncio di Nizan.

«Ah, bien» la replica di Capa, tornato subito a rannicchiarsi tra i braccioli.

«Limoges» aveva detto Ruth, «la città delle porcellane?»

Certo, le preziose porcellane, ma sin dai tempi della *Grande Révolution* quelli che le producevano avevano dato filo da torcere ai padroni. Nizan, pur continuando a disquisire del Limousin, della sua encomiabile classe operaia, delle risorse di caolina e così via, la fissava con la gravità di una richiesta di soccorso.

«I signori dove lavoravo, appena arrivata a Parigi, avevano un servizio della Haviland. Rischiavo di finire sulla strada per un piattino rotto, ma mi pagavano in nero, come tutti noi emigrati...»

Perché, pur di parlare, aveva raccontato quella vicenda che aveva la volgarità di una pochade per piccoloborghesi in vena di una serata stuzzicante? La *Fräulein* che, dopo aver portato i bambini a scuola, trovava il capo famiglia nudo sotto la *robe de chambre*, gridava «c'est dégoûtant!», fuggiva dalla camera da letto e dalla casa, non sapeva dove andare, piangeva su una panchina, cercava un telefono per raggiungere sua madre, tornava indietro, faceva le valigie. E infine scopriva che l'avevano denunciata in prefettura come *étrangère* irregolare, cosa che le aveva creato grane a non finire. Ma poi era arrivata Gerda ed erano andate a vivere insieme...

La scossa che aveva attraversato il corpo di Capa era stata così violenta da far sobbalzare anche Nizan. Ma il nome di Gerda non poteva più rimangiarselo, e a quel punto doveva a tutti i costi rompere il silenzio sceso nello scompartimento.

«I padroni delle manifatture Haviland sono della stessa famiglia di Olivia de Havilland, che lei sappia?» aveva chiesto a Nizan.

Le stelle del cinema non erano il suo campo, aveva risposto lui, fissandola dagli occhiali rotondi, ma aveva letto che l'attrice era imparentata con i proprietari dell'industria aeronautica: «Si tratta *quand même* delle grandi dinastie capitaliste, n'est-ce pas, Madame?»

In altre circostanze, malgrado la cerimoniosità che la Francia insegnava ai propri figli di ogni estrazione e ideologia, avrebbero lasciato perdere, per senso del ridicolo e della decenza. Ma il silenzio era troppo penoso, e Paul Nizan aveva continuato a parlare inopinatamente di cinema. Quando era uscito *Captain Blood*, si era subito capito che Olivia de Havilland era destinata al successo; per non parlare di Errol Flynn che, dopo l'exploit come pirata nobile e ribelle, si era recato in Spagna per solidarizzare con la parte giusta...

«Un con total, ce Flynn-là!» aveva fatto irruzione Capa con un disprezzo oltretombale. Un pagliaccio che usava la causa spagnola e soprattutto le spagnole per fare i propri comodi da divo, ed era pure uno schifoso cacasotto.

Nessuno aveva più proferito parola.

Forse Nizan ignorava i retroscena che l'avevano fatto inciampare in quel *faux pas*. O forse sapeva che Errol Flynn aveva flirtato anche con Gerda, però non aveva dato peso a quelle voci. Il Capa di due giorni prima avrebbe seppellito il contendente con un profluvio di aneddoti grotteschi, non con quella frase incattivita.

Nello scompartimento era calato un silenzio di gelo.

Montagne, greggi, tre viaggiatori imbozzolati nei loro posti. Erano arrivati così alla stazione di Tolosa.

A Tolosa, Capa si era dato una parvenza di contegno, finché si era saputo che non c'era il permesso di rimpatriare la salma via aereo (ma quello, aveva pensato Ruth, si poteva chiamare *rimpatrio?*). Gerda rimaneva a Valencia, in attesa di essere infilata su un vagone che doveva rispettare ogni posto di blocco e stazioncina catalana. Dopo alcune telefonate tra Paul Nizan e Louis Aragon fu stabilito che l'incaricato di *Ce Soir* sarebbe andato a Port Bou per sbrigare le questioni burocratiche (ci voleva la *carte de séjour* pure per il cadavere?) e poi salire sul convoglio speciale delle ferrovie francesi insieme alla bara. Capa, che era tornato un peso morto, conveniva spedirlo indietro senza indugi: vuoi per evitargli l'attesa incalcolabile alla frontiera, vuoi perché c'era madame Cerf, fortunatamente, che una volta rientrata a Parigi poteva offrire sostegno ai familiari di Gerda in arrivo da Belgrado.

« Il y arrive que des civils survécus à un bombardement plombent dans un état catatonique» aveva annotato Ruth

durante una lezione di pronto soccorso dedicata al discernimento delle lesioni interne. Ma non sapeva cosa fare con quell'*état catatonique*, salvo sentirsi sollevata che la linea Toulouse-Paris non prevedesse molte fermate intermedie. «Lascialo dormire che ne ha bisogno» si diceva, chiudendo a sua volta gli occhi. Ma a Cahors li aveva già riaperti. «Almeno riposare» si ripeteva, richiudendo gli occhi nell'inutile tentativo di far tacere lo strazio. «Perché io?» si ripeteva. Perché non Chim, o Cartier-Bresson, o magari gli Stein, che erano sempre stati vicini alla coppia? Ecco, perché non Lilo Stein, se Capa doveva proprio aggrapparsi a una donna? Non siamo nemmeno amici, amici veri, si diceva, cosa che forse negli ultimi tempi valeva anche per Gerda. Non lo vedi come è ridotto! si ribellava, strizzando ancora di più le palpebre, rivolta a colei che non poteva più sentire le sue recriminazioni. E la tua famiglia? Non mi hai mai accennato che tua madre era malata e ora devo occuparmi di tuo padre con cui, in vita mia, avrò scambiato un paio di saluti. Cosa credevi, Gerda, di essere invulnerabile?

Ruth aveva agognato un momento tutto per sé, ma adesso che quel momento si allungava di stazione in stazione ferroviaria, continuava a rigirarsi nel ronzio dei suoi pensieri, con le onde di sfinimento che le scrosciavano nei timpani, come sott'acqua. Invulnerabile, sì certo. Facile sentirsi invulnerabili quando degli altri te ne importa poco. Noi invece siamo qui a fare quello che si può, e io non posso neanche lasciarmi andare, perché ho lui davanti. Non puoi vederlo, non puoi capire com'è conciato. Potrebbe buttarsi giù dal treno – no, adesso non ne sarebbe in grado, ma è meglio non fidarsi. Ci hai mai pensato? Hai mai pensato a chi rimane?

Non c'era nessuno sfogo in quel rimuginare, anzi la faceva sentire ancora più miserabile, più intrappolata nell'angoscia che il risentimento rimestava: finché un bolo premeva per poi uscire in un lamento. Ruth lo sentiva salire dal diaframma, sentiva che somigliava al grido di un gatto giù nel cortile, ma doverlo ricacciare ne amplificava la risonanza interiore, nitida e tremenda. Le labbra contratte, la mascella che tremava, aveva cominciato a piangere a occhi chiusi. Deglutendo, cancellando con le mani i fili di lacrime, si sforzava di riprendere un respiro regolare che, lentamente, l'aveva condotta verso un breve sonno.

Quando il treno si era fermato, André la stava guardando.

«Dove siamo?»

«Orléans: lo diceva un signore con tanti bagagli.»

«Allora manca poco più di un'ora. Ci sarà qualcuno di *Ce Soir* ad accompagnarti in albergo. Purtroppo io, come ti hanno spiegato, non posso farlo.»

André, indifferente a quelle notizie come a tutto il resto, continuava a guardarla. Si era accorto che aveva pianto? Le erano rimasti gli occhi arrossati, un piccolo pendant con quelli gonfi che ora cercavano il suo contatto? D'istinto, aveva tirato su col naso.

«*Entschuldige*, Ruth.»

«Di che cosa?»

«Avrai avuto da fare, il lavoro... il cinema.»

«Ma no, sono tutti presi a rassicurare il regista sulla première di *Yoshiwara*. Ophüls ha dovuto ripiegare su un giardino giapponese a Porte de Saint-Cloud anziché girare a Tokyo.»

«Il film com'è?»

«Un brodo ristretto di *Madame Butterfly*, *La Bohème* e *La Traviata*. Sarò ingiusta, ma considerate le versioni che ho battuto a macchina, mi commuoverei di più con un film sovietico su un collettivo ucraino di apicoltori.»

Era un sorriso, quella smorfia che era apparsa sul viso di André? Appena un riflesso, che però smentiva l'*état catatonique*. Ruth aveva imparato che una risposta fisica agli stimoli esterni, se perdurava, fugava il sospetto di danni permanenti. Avrebbero ripreso a vivere: persino Capa, in qualche modo.

Doveva continuare a parlare, a raccontargli qualsiasi cosa. Poteva andare bene quel giardino esotico alle porte di Parigi? Un luogo incantevole, con ponticello, lanterne, una pagoda, un *pavillon de thé*, altre casette con le pareti in carta di riso, mentre la Senna scorreva a due passi e le biciclette scampanellavano nelle gite al Bois de Boulogne...

«Me ne ha parlato Seiichi, forse...»

«L'hanno aperto al pubblico da poco, non lo conosce quasi nessuno.»

Così, anziché il melodramma tra geisha e ufficiale russo di *Yoshiwara*, Ruth aveva raccontato ad André la storia di Albert Kahn, figlio di mercanti di bestiame, che nella Parigi della Belle Époque fondò una banca. Con i guadagni favolosi acquistò villa e terreni per creare un parco che contenesse tutti i luoghi che aveva amato. Foreste come nei nativi Vosgi o nel lontano Colorado, un giardino alla francese, uno all'inglese, e alla giapponese quello più grande, perché i titoli emessi dall'imperatore l'avevano reso uno degli uomini più ricchi del suo tempo. Ma quei Jardins du Monde non gli bastavano. Si sentiva un viaggiatore, un filantropo, un pacifista. Prese a spendere il suo patrimonio per favorire la diretta conoscenza di altri popoli e culture, e così promuovere l'universale comprensione e fratellanza. Giunta l'estate del '14, l'idea si rivelò di un'ingenuità crudele, ma

Albert Kahn non si perse d'animo. Creò subito un comitato di soccorso per fornire cibo e riparo ai profughi, come era stato lui stesso da bambino. E non appena tornarono percorribili i continenti, riavviò i suoi progetti. Il mondo aveva sperimentato il rovescio del progresso civilizzatore in cui credeva Monsieur Kahn – rovina irreparabile, scomparsa accelerata – ma lui poteva ancora conservarne la fragile varietà e la meraviglia in effigie. L'idea risaliva a un viaggio in Giappone prima della guerra, quando aveva insegnato l'uso di un apparecchio fotografico e di una cinepresa al suo autista parigino.

« L'autista? Un fotografo era troppo per le sue tasche? »

« Aspetta. Kahn era abituato ad andare oltre gli obiettivi raggiunti con successo. Così ingaggiò fotografi e cineoperatori, una dozzina, e li mandò in una cinquantina di paesi. »

« Spesati, pagati e tutto quanto? »

« Pagati non lo so, ma riforniti di pellicola e Autochromes Lumière in quantità illimitata. Si trattava di creare un archivio della vita umana, un archivio planetario. Gli hanno riportato circa cento ore di filmato e più di settantamila lastre a colori... »

« A colori? Una follia. »

« Non fossero stati spesi fondi pubblici, gli Archives de la Planète sarebbero andati persi. Non sono un servizio di porcellane di cui chiunque capisce il valore... »

« Anche una bella *Fräulein* che lo manda a pezzi per vendetta... Avresti dovuto farci un pensierino. »

Altroché se l'aveva fatto, aveva ribattuto con una risata acuta, strappata allo stupore che lui l'avesse ascoltata. Ma sentendola guaire, Capa si era rimesso a piangere: non molto, ma come riscosso dalla temporanea sospensione della pena.

Le storie della vita non si raddrizzano perché se ne trova una bella da raccontare. Era finita male anche quella del banchiere, e Ruth non poteva che riassumerla per come era andata.

Albert Kahn aveva temuto le guerre, l'odio e i pregiudizi, ma non la rete d'interessi a cui partecipava, la rete di scambi planetari per cui non esiste una sostanziale differenza tra la guerra e la pace. Le banche francesi si credevano al riparo della tempesta di Wall Street. Così, quando nel '31 cominciarono a vacillare, la Banque Albert Kahn era troppo esposta verso i mercati e al contempo troppo piccola per meritare un intervento della Banca di Francia. Kahn ipotecò le proprietà sul Lungosenna e la villa in Costa Azzurra, ma alla fine colò a picco. Fallita la banca, sequestrati tutti i suoi beni, gli fu concesso l'uso in comodato della dimora di Boulogne.

«E le lastre, i filmati?»

«In un deposito municipale, come t'ho accennato...»

Ruth si era resa conto che il caso le aveva suggerito una storia miracolosamente adatta a sfiorare la curiosità residua di un fotografo, ma poteva solo aggiungere che Ophüls, appreso che il banchiere conosceva la Tokyo dell'epoca di *Yoshiwara* e ne possedeva qualche immagine, aveva voluto farsi ricevere a tutti i costi nella villa. Kahn, che era un ometto ancora in forma salvo per l'uso del bastone, scambiava volentieri qualche parola con Michiko, la giovane protagonista, ma poi salutava il resto della compagnia con un mezzo inchino e si tappava nel suo domicilio.

Era la verità, la verità le aveva offerto una pausa a effetto. E adesso Capa attendeva lo scioglimento della storia.

«Un giorno che ero lì, Ophüls mi prende da parte e mi presenta a Kahn. 'Madame Cerf, come le sarà facile capire, ha origini alsaziane d'antica stirpe rabbinica – a differenza

169

mia, che sarei un Oppenheimer di Saarbrücken, come tanti, se non mi fossi dato un nome d'arte.' 'Conosco bene' risponde Kahn, 'andavo al mercato con mio padre.' L'intuizione, mi ha poi spiegato Ophüls, gli era venuta quando lo sguardo si era imbattuto nelle cime degli abeti, quella prospettiva lineare tra il Sol Levante e i boschi della sua infanzia. Comunque, da quel giorno, per Monsieur Kahn eravamo tutti compaesani, *Landsleut*, con cui rispolverare persino il curioso *Jeddisschdaitsch* della sua infanzia. L'interlocutore prediletto era il direttore della fotografia, che con lo yiddish se la cava perché è di Breslau. Era buffo sentirli parlare di aspetti tecnici del cinema che appassionavano Kahn e per i quali Eugen Schüfftan è un vero genio. S'è inventato gli effetti speciali di *Metropolis*, e da quando Fritz Lang è in America, Ophüls se lo contende con tutti i registi tedeschi a Parigi, e pure quelli francesi.»

Ruth stava per raccontare che alla fine Ophüls e Schüfftan erano stati invitati a una proiezione delle strabilianti Autochrome, quando Capa la aveva interrotta con veemenza. La delusione del primo film che Fritz Lang aveva girato a Hollywood! Spencer Tracy era bravissimo, ma di certo non all'altezza di Peter Lorre. *Furia* non aveva nulla a che vedere con *M*. La ragazza con cui era andato a vedere il film ne era uscita talmente spaventata da fargli spendere gli ultimi quattrini per portarla a casa in taxi. Così s'era dovuto macinare chilometri di cupi quartieri berlinesi, tra ombre fantastiche di maniaci assassini, e il pericolo assai reale di farsi arrestare per vagabondaggio.

Si sta calmando, aveva pensato Ruth. Ma era come se parlasse al posto di un altro.

«Mesi fa eravamo bloccati a Parigi» aveva proseguito André, la voce piatta. «Io dovevo coprire un'esercitazione di difesa civile che sembrava un ballo in maschera antigas, rispetto alla Spagna dove i fronti erano fermi. Gerda lavorava poco e cominciava a essere insofferente...»

«Immagino.»

«Eravamo in fondo alla sala, la tenevo stretta, come sempre, sino a quando le luci si accendono e la gente si alza per uscire. 'M era un'altra cosa' le dico, e le racconto l'esperienza berlinese, facendola ridere. L'aveva visto anche Gerda, vero, con Kuritzkes?»

«Non so» aveva risposto lei, «è probabile...»

Capa la ascoltava?

«C'erano ancora i titoli di coda» aveva ripreso «e Gerda mi annuncia che va a trovare Georg. Mi ero sentito come Spencer Tracy, furioso, avrei voluto prenderla a pugni. Quando sono cadute le prime bombe su Madrid, era ancora laggiù, a Capri.»

Capa era scoppiato a piangere. Dopo essersi sfogato, si era rinchiuso di nuovo in un silenzio protettivo, riconsegnandola al suo rimuginare.

Quella visita a Napoli era stata più lunga del previsto: e Ruth conosceva Gerda, e conosceva Georg. Lo sgarbo con Willy Chardack era acqua passata, tutti e due erano ormai proiettati verso la Guerra di Spagna. Che cosa avevano da perdere se non qualche momento da cogliere in bellezza?

E al ritorno dall'Italia, Gerda si era catapultata in Spagna, senza un'esitazione. Povera amica, che cos'hai combinato, aveva pensato Ruth con improvvisa, rassegnata leggerezza.

Il treno aveva rallentato e si era fermato alle porte di Parigi. Ora che le luci, i palazzi, le insegne pubblicitarie segnalavano che erano quasi arrivati, André la guardava con ansia.

171

«Ti chiamo in albergo» gli aveva promesso, «appena riesco.»

«*Macht nichts!*» aveva risposto André, «lascia perdere», con un gesto che aveva portato con sé da Budapest, un gesto troppo irruente.

Perché era vero il contrario. Era chiaro a entrambi che lui avrebbe continuato a cercarla, e Ruth si sarebbe fatta trovare ogni volta che poteva, lo avrebbe ascoltato e visto piangere, piangere sempre di meno e parlare sempre di più. Parlare di Gerda. Il viaggio a Tolosa li aveva legati più di quanto lo fossero stati quando c'era Gerda.

Weisz è ancora al telefono con Capa, Ruth però non può rimanere all'infinito in poltrona, travolta da pensieri che non l'aiutano ad andare avanti.

Si alza con slancio, sposta la rivista per fare spazio sul tavolo a carta e penna. Sta cercando i negativi nei ripiani alti dello scaffale, quando Csiki riattacca. Adesso sa cosa deve rispondergli: meglio non mostrare nulla a Capa finché non siamo sicuri che si sia ripreso del tutto, questione di pochi giorni.

Csiki concorda pensieroso, poi scuote la testa. Ma non sta dubitando del suo consiglio.

«In Spagna crolla tutto. E noi ci perdiamo dietro a queste stupidaggini.»

«Ma no, io ti capisco.»

«Per lui è una catastrofe.»

«Lo so e mi dispiace molto, però io devo pensare ad altro adesso. Melchior ha trovato lavoro a Berna, andiamo a stare là, così mia madre può venire via da Lipsia, finalmente.»

Csiki annuisce senza enfasi, ma poi chiede se è stata la *Reichskristallnacht*. La sua cantilena ungherese sbanda su quegli agglomerati di consonanti.

«Due giorni dopo mio fratello avrebbe dovuto sposarsi» risponde Ruth con un sospiro, «invece ha preso la sposa ed è scappato. Si è appena rifatto vivo da Stoccolma, sorpresa enorme. Mia madre, finché Hans era in Germania, non si sarebbe mossa di un centimetro. Adesso il problema sono i soldi. La somma che mio fratello le ha lasciato dopo aver svenduto in fretta e furia attività e cose di valore, non copre la tassa per l'espatrio. I nazisti sono avidi. O la borsa o la vita. Quando ci penso sono esasperata.»

«E l'altro fratello, quello che è venuto qui a trovarti?»

«Gli ho scritto, ma non mi aspetto granché dalla risposta. Kurt è stato il primo ad andarsene e a invitare nostra madre a raggiungerlo in America. Hans avrebbe dovuto pagarle il viaggio, era l'uomo d'affari della famiglia, erano i benedetti affari alla borsa delle pellicce a trattenerlo a Lipsia. Ma nel '34 l'abile Hans finisce detenuto a Sachsenburg e Kurt, ah Kurt, la prende male. Perché nostra madre era ostaggio di Hans, e perché alla fine si è indebitata per tirarlo fuori dal campo di concentramento. Oltre ai nazisti, le vecchie gelosie tra fratelli. Da non credere.»

Troppa foga, probabilmente, ma il silenzio di Csiki, attento e malinconico, non aiuta a moderarla. Quanti fratelli ha a Budapest? Da quanti anni non li vede?

«Kurt insisterà che Hans avrebbe dovuto pensare a lei prima di salvare la pellaccia. Non poteva portarla in Svezia? Ribadirà che la vita a New York è troppo costosa per un teatrante. Adesso Hans non ha un lavoro ma, conoscendolo, lo troverà a breve: quando papà è morto non so cosa avremmo fatto senza di lui. Kurt però non sopportava

173

che Hans si atteggiasse a capofamiglia perché portava a casa i soldi, e Hans non sopportava che Kurt facesse quello che voleva solo perché era più piccolo. Intanto scrivo a entrambi la somma esatta dei miei ridicoli risparmi. Vedo di pungerli nell'orgoglio, che non manca a nessuno dei due. Risolveremo, in qualche modo.»

«Parti subito?»

«No no» ribatte Ruth.

Non c'è motivo di affrettarsi, lontani come sono dal risolvere tante questioni, ma lei vuole portarsi avanti. E deve farlo da residente in Svizzera, sposata con uno svizzero, per poter accogliere sua madre in Svizzera, se tutto va come spera.

«Vorrei dirlo a Capa prima che si precipiti di nuovo in Spagna» continua Ruth. «Nei prossimi giorni cercherò di venire qui più spesso, così magari ci sarò anch'io quando deciderai di mostrargli la rivista. Anche se non ce ne sarà bisogno.»

«Grazie.»

«Niente.»

Ruth, sollevata, torna allo scaffale dei negativi, e Csiki, invece di immergersi nel laboratorio, la segue.

«Capa oggi non passa. C'è Kati Horna in albergo. Le ho raccomandato di non muoversi finché si sveglia, così è sicura di trovarlo.»

«Non sapevo che fosse a Parigi» dice Ruth, e avverte subito come quella frase banale suoni sbagliata rispetto allo scenario cui allude: la fuga da Barcellona armi e bagagli, l'esodo repubblicano che si somma agli arrivi di austriaci e tedeschi, con la grancassa sugli ebrei e i bolscevichi che invadono la Francia.

«È qui da poco. Le ho detto di addebitare le chiamate che deve fare sulla camera di Bandi» risponde Csiki.

Mancano i soldi, il lavoro, un alloggio. Il marito di Kati si è preso una mezza polmonite sui Pirenei dove i francesi lo hanno rinchiuso in un campo, sebbene, pur essendo anarchico, abbia preso l'uniforme per assistere le masse in fuga – quei poveri compagni che non hanno più nulla, o non l'hanno mai avuto, e adesso congelano tra le montagne, mai vista la neve quando arrivano dalle coste senza un indumento caldo.

Dovremmo essere laggiù, si dice Ruth. Ma è un lusso che non può più permettersi.

Csiki sta parlando di prefetture, procedure e permessi, e lei si distrae sui fatti propri, il timore che gli svizzeri revochino la cittadinanza, se scoprono perché vanno a Berlino, lei e Melchior.

«Pian piano le cose si sistemeranno» conclude Csiki, e Ruth annuisce, ma non sa bene a che proposito.

«Scusa, mi sono persa.»

«Ho detto che il resto si sistema ora che Kati e José Horna sono qui. E, con questo, torno nel mio bugigattolo.»

Ruth prende le scatole che le servono e quell'andirivieni tra il tavolo e gli scaffali conforme all'altalenare dei pensieri tra Spagna e Germania, le fa venire in mente Georg. Non ne ha più notizie, ma è inevitabile che sia finito anche lui in un campo d'internamento: esausto, esposto alle malattie, vessato dai *gendarmes* e dalle guardie che li odiano, quelli come loro.

Georg le era sembrato di una bellezza così radiosa nell'inverno parigino («finché c'è un raggio di sole si sta meglio fuori: le case non sono riscaldate a Napoli»), quando l'aveva rivisto nel febbraio del '37. I suoi compagni italiani erano esaltati di sedere in un famoso caffè della Rive Gauche a respirare quell'aria libera e sfaccendata, dopo essersi presentati all'ufficio arruolamento delle Brigate Internazionali. «Magari ci si rivede tutti laggiù» aveva prospettato Ruth, «voi a fare i medici, io l'infermiera», spiegando che si era iscritta a un corso della Croce Rossa. A quel punto un giovane imbrillantinato aveva fatto un'osservazione, suscitando l'ilarità dell'intera comitiva, e Georg si era sentito obbligato a tradurre: «Perdonali, non puoi capire chi è cresciuto nel patriarcato cattolico e nel fascismo. Il mio amico, che ieri ha visto anche Gerda, si domandava se siete tutte così a Lipsia... Un povero ferito, ha detto, sviene subito appena apre gli occhi e si trova davanti una come te».

L'atmosfera era allegra e fiduciosa, Madrid resisteva agli infami bombardamenti, Gerda era ripartita per il fronte del Jarama, dove la nuova offensiva verso la capitale sarebbe stata respinta un'altra volta. «Ti aspetto» si era accomiatato Georg, abbracciandola.

Erano passati mesi da quell'incontro, Gerda non si vedeva più a Parigi. Una sera Melchior era tornato di umore nero da una riunione di partito. «Brutti segnali: Georg Kuritzkes ha scampato la fucilazione per un soffio. L'hanno aspettato al varco, accusato di essere una spia fascista, poi un medico italiano ha testimoniato in suo favore al processo. Qualcuno di certo lo ha denunciato. Qui all'ufficio arruolamento non hanno riconosciuto l'iscrizione al Kommunistischer Jugendverband e hanno accettato la sua domanda con riserva...»

«Stai scherzando? Quello è nato comunista!» aveva esclamato Ruth, quasi scottandosi con il fiammifero con cui si era accesa una sigaretta.

«Sì, lo dicono pure quelli di Lipsia, convinti che la calunnia sia arrivata da qualcuno del KPD locale.»

In cucina, dove era andato a cercare qualcosa da mangiare, Melchior le aveva raccontato il seguito. Non avevano concesso a Kuritzkes di servire come medicò, dandogli la scelta se ripartire subito o combattere come soldato semplice, e lui si era fatto mandare al fronte.

«La politica forse non c'entra» aveva detto Ruth, sedendosi davanti a Melchior per guardarlo negli occhi. «Georg ha sempre avuto le ragazze ai suoi piedi. Probabilmente si è trattato di invidia, o di una vendetta di qualcuno a cui Georg ha portato via la ragazza. Considera che la faccenda risale a febbraio, quando l'aria non era ancora avvelenata. Chiunque abbia partorito questa infamia poteva credere di essersi tolto giusto un sassolino dalla scarpa.»

«Spero che tu abbia ragione» aveva concluso Melchior.

Dopo i fatti terribili di Barcellona, il SAP aveva patteggiato con i comunisti che i suoi volontari potessero confluire nelle Brigate Internazionali, dal momento che almeno sulla priorità di vincere la guerra si trovavano d'accordo. Il clima era tornato più disteso, ma Ruth non si era liberata dalla paura che, se fosse partita per la Spagna, uno spasimante respinto avrebbe potuto denunciare o ricattare anche lei, comportarsi cioè all'opposto dello spasimante, ormai entrato nelle SS, che l'aveva avvisata di espatriare. L'idea di guardarsi, non dai nazisti, ma dai compagni, le era stata talmente insopportabile che Melchior aveva avuto agio a convincerla che il loro fronte antifascista erano le attività in Germania, punto e basta.

Ruth si china sul tavolo per aprire i taccuini di Taro e Capa – bambini piccoli feriti, profughi che dormono ammassati per le strade, miliziani a cavallo con cappelli di paglia da contadini di epoche remote – e continua a pensare all'ultima volta che ha avuto notizie di Georg.

«El doctor Kuritzkes ti manda i suoi saluti.»

Era trascorso quasi un anno da quando Capa, tornato da Teruel, l'aveva sorpresa con quell'uscita.

«Gerda aveva ragione: gran bel ragazzo, gran bella persona, un tantino rigido ma – senza offesa – siete tedeschi in fin dei conti...»

«Magari era spiazzato che tu fossi andato a cercarlo.»

«Spiazzato e quindi rigido: ti pare un'obiezione valida a quello che ho detto?»

Sbalordita lo era a sua volta, Ruth, ma non al punto da non porgli la domanda principale un istante prima di vederlo dileguarsi dietro a Csiki.

«Vuoi dire che finalmente lo hanno accettato come medico?»

Era un'ottima notizia, mentre su come avesse scovato Georg, Capa non si era mai pronunciato. Del resto, non era più tornato in Spagna, se non nell'ultimo periodo, che l'aveva ridotto uno straccio. Sapeva che fine aveva fatto el doctor Kuritzkes?

Potrebbe domandarglielo, si dice Ruth armeggiando con i negativi, anzi chiedergli di informarsi appena arriverà a Barcellona. Sarebbe un buon preambolo per avvertirlo che magari non la troverà più lì quando rientrerà a Parigi.

Poi deve mettersi in contatto con Soma, che è tornato a Napoli, pregandolo di rispondere all'indirizzo dell'Atelier, altrimenti le informazioni per aiutare Georg rischiano di vagare da un paese all'altro.

Adesso che è tornato a Napoli, Soma può condividere le preoccupazioni con Jenny, ma nel momento peggiore era stato a Parigi. Si erano incontrati al caffè e lui aveva estratto quella lettera di Georg, scritta da qualche remoto avamposto andaluso, puntando a una frase infilata in mezzo: «Non dimenticatevi di me». Soma era raggelato da quell'imperativo.

«Fa' semplicemente quello che ti chiede: scrivigli» gli aveva detto Ruth.

Lei però si era talmente allarmata da aver fatto un salto in rue Vavin per vedere almeno come stava Capa. Il concierge l'aveva indirizzata al piccolo foyer deserto, dove due uomini sprofondati nelle poltrone si lasciavano stordire da Billie Holiday.

A cigarette that bears a lipstick's traces,
An airline ticket to romantic places
And still my heart has wings
These foolish things remind me of you

André metteva e rimetteva la puntina sul grammofono. Ted Allan, il ragazzo che era con Gerda a Brunete, restava infossato con le stampelle adagiate tra i braccioli, le guance rigate di un bambino a cui hanno rotto il più amato dei giocattoli. Ruth aveva pensato che era una *folie à deux* quel connubio vedovile e che il più matto dei due era Capa. Ma poi, scoprendo che era andato a cercare Georg, aveva colto un metodo nella follia – un tentativo di medicare se stesso prendendosi cura dei vecchi rivali, un'idea di fedeltà a Gerda tanto bislacca quanto, a suo modo, coerente.

Ruth capisce che può fare ancora qualcosa prima di preparare le valigie per la Svizzera, qualcosa per sentirsi meno in difetto con chi ha combattuto per la Spagna. Deve finire di catalogare le immagini di quella guerra perduta. Deve farlo proprio per questo, e farlo come si deve. Il fascismo non durerà in eterno per quanti crimini e disastri possa ancora causare, perciò andiamo avanti, si dice risoluta. Un pensiero che merita una sigaretta. Continueranno ad agire come vogliono, le democrazie illuminate, ma non potranno venirci a dire di non aver saputo prevedere ciò che Hitler e i suoi complici stavano preparando. Abbiamo qui le prove dell'*hors d'oeuvre*: le prove della resistenza popolare, le prove della distruzione sistematica.

Février 1937: réfugiés de Málaga, après du bombardement fasciste de la ville d'Almería, scrive sulla colonna di un foglio bianco, decisa a riempire tutte le altre.

È talmente concentrata nel lavoro che la porta del cucinino la fa sobbalzare. Csiki l'ha aperta di colpo e ora si sta dirigendo verso l'ingresso con i suoi balzi da cameriere di un caffè turistico.

«Devo scappare a fare le consegne. Domani ci vediamo?»

«Certo, e anche i prossimi giorni. Il '36 l'ho finito e sto andando avanti, ti prometto che prima di partire avrò concluso. Basta che annoti le divergenze, giusto?»

«Solo quelle sostanziali: date, luoghi, circostanze.»

«Pensavo di cominciare dai taccuini, segno le copie stampate nella colonna accanto, poi tutte le pellicole che corrispondono al periodo.»

«Perfetto. Così, un po' alla volta, sistemo bene i negativi che sono la cosa più importante, e messa peggio.»

Csiki, imbacuccato con berretto, sciarpa, bavero alzato

sulle orecchie, la borsa a tracolla e le chiavi della bicicletta in mano, le lancia un saluto affettuoso.

«À tout à l'heure» ricambia, e riprende a dedicarsi al suo compito.

In rue Froidevaux non c'è anima viva quando esce dall'Atelier. Il tempo è così brutto che Ruth sogna l'insegna del metrò sin dalle prime falcate sul sentiero fradicio di nevischio che comincia a farla pattinare, mentre l'odore pesante di terra bagnata invade le narici. Tra poco non dovrò più camminare lungo un cimitero per andare al lavoro, si ripete, e questo, forse, la conforta. Ormai Csiki è informato della cosa, deve soltanto parlarne a Capa. Non vede l'ora di dirlo a Melchior, e glielo dice, infatti, ancora prima di togliersi il cappotto.

«Bene. Ti scaldo un po' d'acqua per scongelare i piedi?»

«Ci stavo pensando...»

«Fa' con calma, cambiati, abbiamo una baguette fresca e la minestra avanzata.»

In pigiama di flanella e maglione sopra, i piedi nella bacinella infilata sotto il tavolo, sbocconcellando un tozzo di pane («ho una fame!»), Ruth ascolta le novità della giornata. A Berna gli hanno trovato un appartamento di due locali, la informa Melchior, e intende non farselo scappare. Anche se Berna, dopo Berlino e Parigi... veramente un paesotto. Un po' gli piange il cuore, ma lasciamolo piangere, si consola, bisogna adattarsi.

Ruth già si vede staccare da una parete un orologio a cucù e appendere al suo posto una foto parigina. Ma la loquela berlinese con cui Melchior arruffa i cedimenti al senti-

181

mentalismo le ricorda che quel rimpatrio per lui non è meno difficile del suo essere straniera ormai ovunque.

«Quando cominci in tipografia? Dopo le feste?»

«Sì, prima faccio un paio di viaggi per preparare tutto. Vado a Berlino intorno a Natale e torno dopo Capodanno. Questa volta è meglio che tu resti qui, così sistemi anche le mie ultime faccende. Intanto mi registro all'anagrafe. In caso d'arresto, Berna potrà chiedere di espellermi direttamente a Berna. Come ti sembra?»

Le viene da sogghignare pericolosamente, mentre si porta il cucchiaio alle labbra. Non ci sarebbe molto da ridere, nella sostanza, eppure è comico che uno svizzero per secolare stirpe paterna rivaluti la sua patria giuridica come una sala d'aspetto, in confronto alla perduta *Heimatstadt* Berlino.

«Mi sembra buono. Anche la minestra riscaldata. Sono contenta di partire.»

«Ah sì?»

«Sono contenta di chiudere quel che c'è da chiudere. Non aspettare oltre. Poi si vedrà, con mia madre, i soldi e tutto il resto.»

Il tepore che si irradia da due direzioni opposte verso il centro del suo corpo Ruth se lo gusta, si lascia andare. Intanto racconta degli scatti di Capa e Gerda dal '36 alle ultime battaglie. Di come, schedandoli, si sia accorta del volume complessivo, e del valore. «Quando guardi quegli scatti di seguito» dice con una concitazione carica di rabbia che lì può essere liberata, «vedi benissimo come l'aggressione nazifascista diventi sempre più barbarica... la porcheria della guerra totale... Madrid, Málaga, Almería, Guernica, Bilbao, Valencia...»

Melchior ha preso i bicchieri per suddividere l'avanzo

del vino, ne misura quasi tre dita precise per ciascuno, ferma il bicchiere a mezz'aria per un brindisi. Sembra addirittura felice.

« Alla compagna più leale dei lealisti! »

Felice di averla lì davanti, rossa dai piedi alla faccia, risoluta e in fondo solidale, e Ruth si sente incoraggiata. Il *vin de pays* si è fatto un po' acido, non è peccato allungarlo con l'acqua, e la pausa per portarlo alle labbra diluisce la foga e accelera i suoi salti mentali.

« Vedi Sas a Berlino? » chiede a Melchior. « Potresti recapitargli una cosa da parte mia, una foto di Gerda. Nello studio ce ne sono di bellissime e recenti, chissà perché non ci ho pensato prima. »

« Perché sei una ragazza prudente. »

« Mi prendi in giro? Forse volevo solo evitare di rattristarlo. Ma Sas non è uno che si lascia abbattere, al contrario, e perciò... »

Melchior l'ha interrotta per dire che, se sta pensando a una foto scattata da Gerda, non se ne parla, e va comunque selezionata con criterio.

« Sas e Gerda erano fatti per intendersi » commenta Ruth, dondolandosi sulla sedia con lo schienale buono e la gamba storta, carica di un nervosismo anch'esso buono, proteso in avanti, a differenza del trabiccolo su cui è seduta e che per rompersi aspetta solo un locatario più corpulento. Immaginare che possa accadere presto la rallegra.

Va selezionata, ha detto Melchior, e allora Ruth passa in rassegna le immagini che le piacerebbe mostrare all'uomo con cui Gerda partiva in moto a compiere le prime azioni antifasciste: due scatti dove si ripara dietro un soldato, quello dove dorme su una pietra miliare con l'incisione PC. Purtroppo la foto in cui tiene un mulo per le redini

183

è improponibile, perché il *mono azul* tradirebbe sia il soggetto che il possessore, non è vero?

Melchior conferma, sospirando.

«Ho deciso: ti porto un bel ritratto, e all'occorrenza dici che è la tua fidanzata.»

«Moglie» la corregge Melchior.

«Già, moglie, è scritto sul tuo passaporto.»

Ruth prova un improvviso imbarazzo, e cerca subito la via per uscirne. Nella foto che ha pensato di portare a Melchior, Gerda sta comprando dei mughetti, come si usa in Francia il Primo Maggio. Quasi certamente stava andando in place de la Bastille assieme a Capa. Ma ai tedeschi si può propinare un'altra storia. Si dirà che stava scegliendo il bouquet di nozze con sua madre che, in realtà, è la fioraia. In quel ritratto Gerda è vestita alla buona, da ragazza del popolo, come si è abituata a fare in Spagna. Però ha sempre quello stile nell'abbinare sciarpa e berretto, quel sorriso luminoso...

«Sarebbe fiero, Sas, di vederla così» conclude con slancio.

«Va bene» dice Melchior, «a meno che non ti sia sfuggito un dettaglio compromettente.»

«No, è perfetta» ribatte Ruth scoppiando a ridere. «Capa la rifila come foto delle loro nozze!»

Sì, era partito per la Cina con una scorta di quelle foto e le regalava come i missionari le sacre immaginette.

E poi i giornalisti contriti e un po' morbosi, chiedevano all'Atelier «What about the beautiful wife he lost in Spain?» Era in effetti già nata in Spagna la storia che fossero marito e moglie, una voce alimentata per aiutare Gerda che andava da sola in mezzo ai soldati. E alla fine Capa, l'uomo più incline a confondere realtà e finzione, si è trovato tra le mani una prova: i fiori bianchi, la fioraia sorridente, Gerda che indossava la sua giacca di camoscio. «Eravamo una persona sola, un corpo solo» riusciva a farfugliare in preda a una ciucca triste. Oh, gli avrebbe riso in faccia Gerda. Ma questo smentiva che fosse uscita con lui, quella mattina del Primo Maggio, infilata nel suo macchiato, amatissimo giubbotto?

«Sai che a vederli da lontano, quasi della stessa altezza, cioè bassini, somigliavano un po' a Charlot e Paulette Goddard su quella strada di campagna?»

«Dici?»

«Tu li conosci troppo.»

Infatti, obietta Ruth, l'apparenza inganna. Lui non riusciva a fare a meno di catturarla in chissà quanti fotogrammi, tra la folla di un comizio, in una trincea madrilena; lei gli ha dedicato appena due ritratti.

«Era lui che non amava farsi catturare o era lei che non era innamorata?» sogghigna Melchior.

«No no, aspetta» ribatte accaldata Ruth, anche se è solo seguitando a parlare che i suoi pensieri prendono contorno – pensieri poco rassicuranti, ma che si sente di assecondare, davanti al futuro prossimo e all'uomo con cui si appresta a cominciarlo. Allora parla a Melchior del ritratto di Capa sul *Picture Post* e della Eyemo sepolta a Brunete. Quanto tempo (ore? minuti?) sarà passato tra l'istante in cui Gerda ha scattato la foto di un mezzo incendiato e l'istante in cui il mezzo su cui viaggiava è stato investito? Nel camion in fiamme saranno bruciati vivi? Gerda li avrà sentiti urlare? Quanta gente ha visto morire prima di morire? Un numero molto maggiore di quanti ne ha immortalati. I soldati feriti nella Sierra de Guadarrama, alcuni in condizioni così gravi che non avevano speranza... Ed erano già morti tutti all'ospedale di Valencia... Gerda si infilava tra i corpi martoriati, si chinava per scattare, aveva fotografato un corpo buttato sulle mattonelle senza uno straccio per sudario, un bambino o una bambina, cinque-sei anni, volto sfigurato.

«Io sarei scappata, o avrei pianto e vomitato anche l'anima. Lei invece scattava, scattava tre volte, poi cambiava cadavere, un morto meno osceno a vedersi, un morto che alcuni giornali hanno pubblicato. Lo chiedo a te, visto che sei meno coinvolto: la mia amica che cosa era diventata laggiù in Spagna?»

«Una donna molto coraggiosa» le dice Melchior esitante, a disagio.

Ruth, un magone orribile, scuote la testa: «Non l'ho mai negato. Coraggiosa, capace di controllarsi, di fissare gli obiettivi».

«Che cosa ti sconcerta, allora?»

Ruth non sa rispondere, più confusa di suo marito, il cui sguardo le rimanda il proprio disorientamento.

«Si trascinava dietro la fotocamera, la cinepresa, il cavalletto, per chilometri e chilometri. Ted Allan ha raccontato che con le ultime parole ha chiesto se i suoi rullini erano intatti. Scattava a raffica in mezzo al delirio, la piccola Leica sopra la testa, come se la proteggesse dai bombardieri. Il buon soldato Gerda: non ne dubito. Ma non capisco, no.»

«Che cosa, Ruth?»

«Non capisco cosa sentiva. Paura poca, d'accordo. E poi?»

Le dita dei piedi si sono raggrinzite, l'acqua nella bacinella comincia a raffreddarsi, e Melchior sembra essersi arreso ai suoi pensieri a voce alta.

Tornava a Madrid, Valencia, Barcellona, prosegue Ruth. Si rimetteva i tacchi, il rossetto e il sorriso. Rientrava a Parigi e sembrava la solita, allegra ed entusiasta Gerda, e parlava della Spagna, sì, con qualche accenno alle cose orribili che aveva visto, nell'impeto di quei resoconti avventurosi: le bestialità commesse da *los moros*, la spossatezza della gente, il paesaggio surreale creato dalle bombe. Ma erano tutte parole spese per la causa, così come lo erano le sue foto. La solidarietà internazionale doveva far sentire chiaro e forte che il non-intervento era un crimine. Questo diceva, Gerda Taro, e la capisco.

«Io stessa come mi comportavo, in fin dei conti? La festicciola dagli Stein, nel maggio del '35, te la ricordi, Melchior? Le lampadine colorate creavano un'atmosfera da spelonca, la zuppa di mezzanotte servita a mestolate sopra la pentola per radunare gli avvinazzati. E io a chi avevo detto che Hans era di nuovo a Sachsenburg? Non a Gerda, che flirtava con André Friedmann e con altri ospiti. A nessuno, l'avevo detto, perché non era il caso, no? Meglio fare finta di niente. Mesi dopo, incontrandola per strada, avevamo scambiato due parole. 'Ti vedo in forma, Ruth, cosa combini?' 'Mi sposo, abbiamo traslocato.' 'Congratulazioni! A quanto pare non potrebbe andare meglio.' 'C'è mio fratello in campo di concentramento.' 'Kurt?' 'No, il maggiore, Hans, quello rimasto a Lipsia.' '*Ach so*, li confondo. Terribile, ma con Kurt in America qualcosa si farà senz'altro. Tieni la testa alta.'»

«Uno scambio normale tra amiche che non sono più amiche come una volta» commenta Melchior, che forse sta cominciando a perdere la pazienza.

«Normale, sì. Però capisci cosa intendo con 'fare finta di niente'? Parlare di certe cose come se fossero normali, perché lo sono, perché non esiste altro modo per trattarle...»

«Perché lo sono diventate, normali.»

«D'accordo. Passami lo strofinaccio, basta così.»

Nel tempo che ci mette ad asciugare i piedi, svuotare la bacinella e infilarsi un paio di calzettoni freschi di bucato, suo marito ha sparecchiato e cominciato a lavare i piatti.

« Non stare lì come un'anima in pena » le dice vedendola in piedi davanti alla porta, « siediti, finisci il tuo ragionamento. »

« Chiamarlo così magari è troppo... » sorride Ruth, andando a sedersi ma non sulla sedia traballante. « D'altra parte, cosa dovremmo fare se non finta di niente? In caso di pericolo reale, per esempio andando a Berlino, o anche qui, dove tutto è pacifico all'apparenza. E quelli che arrivano dalla Spagna? Dovrebbero non smettere mai di rievocare gli obbrobri? »

Melchior la ascolta in silenzio, curvo sul lavello.

« Eppure Capa l'ultima volta ha avuto un tracollo » continua Ruth. « È sempre stato più fragile di Gerda. Non è questione di coraggio, perché lui non ha fatto che lavorare sotto le bombe. È questione di forza di volontà e di controllo. Era lei a portare i pantaloni... ma no, cosa dico, i pantaloni non c'entrano un accidente... »

Melchior interrompe il suo lavoro di rigovernatura e si volta a guardare sua moglie, intenerito.

« Sai qual è il paradosso? » si illumina Ruth. « Il paradosso è che per una donna è più facile. Senz'altro per una signorina come Gerda che eccelleva nel conservare i bei modi, la facciata. Sorridi e scherzi, conosci la tua parte, sei allenata a farlo da una vita. Quale uomo si insospettirebbe davanti a una ragazza spensierata? Basta apparire e fare finta di niente. Resistere è fare finta di niente, resistere è recitare. Gli uomini pensano che solo loro sono capaci di disciplina, noi donne non siamo nemmeno state ammesse come ausiliarie dopo lo scioglimento delle milizie repubblicane.

Invece Gerda si era addestrata ben prima di avventurarsi come un soldato su un campo di battaglia. E in ogni caso, sotto la tuta operaia, la gonna affusolata o la divisa militare non resta sempre la persona umana, *ein Mensch*? »

« Gerda era anche spericolata per natura, tu allora avresti detto spregiudicata » ribatte Melchior, e l'acqua sporca che ha scaricato nel lavello emette un gorgoglio di approvazione.

« Altroché se lo era. Capa non si perdona di non essere stato con lei a Brunete. Anche se non si contano le ragazze che si è portato a letto nel frattempo... Per voi è semplice. »

« L'uomo è un animale semplice, lo sanno tutti. »

« Sarà. »

« Non è stato punito abbastanza? » obietta Melchior, e mentre si volta a guardarla il panno con cui sta asciugando le stoviglie disegna uno svolazzo. « Gli è arrivato pure uno schiaffo dal fratello di Gerda, stampato in faccia alla Gare d'Austerlitz, davanti alla congrega del giornalismo rosso. Avrebbe dovuto farsi crescere la barba e astenersi dai piaceri della carne come un *chassid*? »

« Caschi male, tesoro. Le esortazioni di Martin Buber per il tuo *bar mitzvah* e tutte le arcane faccende religiose te le lascio... »

Ridacchiano con la complicità di una coppia che sorveglia come un rito le proprie schermaglie: lei che non si era mai sentita completamente parte di qualcosa, lui allevato a sionismo e utopie libertarie.

Melchior ne parlava poco, cosa che a Ruth era sembrata tipica di un uomo che pensava a fare, un uomo che aveva scelto un mestiere che gli piaceva, e poi un partito politico, e pure una donna emancipata come lei. Soprattutto era un compagno affidabile: « Pensavi di avere trovato uno svizzero come si deve» le ripeteva «e ti ritrovi con un ebreo apolide e apostata».

«Il problema» riprende Ruth, meno ironica di quanto vorrebbe, «è che anch'io sono una donna semplice: mi fido di ciò che vedo. Vale per te, vale per Capa.»

«Vero» concorda Melchior, «ma hai appena detto che Capa è un fanfarone incurabile. Ingenua un po' sì, non credulona.»

«Sai, qualche mese dopo che avevamo sepolto Gerda, lo vedevo al Select con la sua ballerina, la pantera araba, e mi dicevo che quella era la vita, la vita vera, mentre i ricordi con cui mi tratteneva erano fantasmi destinati a soccombere. 'La gente crede a ciò che vuole credere' diceva Gerda. Credulona in quel senso.»

«Non intendevo questo.»

«Perché non ti fumi una sigaretta e il resto lo sistemo io?»

«Continua, io ho quasi finito.»

Un teppistello come Bandi Friedmann si era svezzato nel pericolo, se lo era impresso nei cinque sensi. Una ragazza come Gerda, no: lei era una principiante. Non era capace di proteggersi, il coraggio le dava alla testa, come uno *Schnaps* mandato giù per sfida, «ti sembra assurdo?»

«Per niente.» Melchior si è seduto accanto a lei e la fissa con esasperata tenerezza.

«Ma ormai questa storia volge al termine. Hai fatto bene a pensare alla foto da dare a Sas. Hanno più fegato dei tuoi fotografi di guerra messi assieme, i nostri compagni che alimentano il *Widerstand*.»

Nel pacchetto è rimasta un'ultima sigaretta. Dopo un paio di tiri, Ruth la allunga a Melchior e annuisce: «Non lo metto in dubbio. Ma non metto neanche in dubbio che Gerda potrebbe essere ancora viva, se lui fosse stato laggiù, quel giorno. Ecco: qui a casa posso dirlo». Le arriva uno sbuffo di fumo prolungato. «In rue Froidevaux nemmeno tra le righe, spero.» Ruth accenna di no, avvilita. Ha dato a Capa ogni motivo di assoluzione: la sfortuna, la tragedia, l'impossibilità di impedire a Gerda di agire di testa propria. Però, quando lo cerca al Select, ogni volta si ritrova in faccia la veranda della Coupole, dove un giorno di settembre del '34 l'aveva abbordata un tale così mal combinato da avergli pagato il caffè per bontà d'animo. «*Mein wunderschönes Fräulein*, mi serve proprio un tipo come lei, una alta, bionda naturale. Lei sarà la modella, io il fotografo, il committente è un'assicurazione svizzera, e con un'assicurazione svizzera, stia tranquilla, le offrirò altro che un *petit café* in aggiunta al compenso.»

«Questa, però, è una versione alla Capa» insinua Melchior.

«Macché: non te l'ho mai raccontato?»

«Non con questa dovizia di dettagli...»

«Il fatto è che Friedmann fanfaroneggiava con l'estro che Capa continua ad alimentare. Tornata a casa, avevo investito Gerda di sospetti e i pochi appigli rassicuranti si erano dissolti. 'Mi accompagni' le avevo chiesto 'anche se è alle nove di mattina?' 'Ti accompagno! Anzi, usciamo prima e ci godiamo l'aria fresca: così avrai un aspetto ancora più sano nel momento in cui ti immortala...' 'Se mi immortala... Magari è tra le gambe l'unico strumento che si porta.' 'I soldi ti servono? Allora si parte dal presupposto che quel servizio fotografico esiste e che magari il tizio vuole pure provarci con te, com'è ovvio. Male che vada, Ruth, lo spernacchiamo lungo tutta la Rive Gauche.'»

La risata a spese del presunto adescatore di bellezze bionde e la certezza che Gerda l'avrebbe accompagnata, le aveva fatto vedere il fotografo in una luce più serena. Non riusciva a capire, aveva detto all'amica, da dove ricavasse tanta sicumera, però i modi erano divertenti e, se c'era da credergli, era riuscito a fotografare Trockij nel '32 a Copenaghen.

«Sul serio? Trockij non si fa mai avvicinare dalla stampa perché ha paura che infiltrino un sicario. Vorrei proprio sapere come ha fatto...»

Tra Gerda e André Friedmann si era stabilita subito un'intesa e i due le infliggevano comandi a voci sovrapposte: no, accavallate è troppo, accostale di nuovo, un po' di sghembo, le gambe chilometriche della mia amica dobbiamo esibirle, però con discrezione ed eleganza, *natürlich, meine Liebe*, ma anche le tue si difendono, se posso.

Di tutto quello che era seguito – Gerda che grazie a Friedmann imparava a fotografare, Friedmann che grazie a Gerda si dava un aspetto presentabile – Ruth era stata contenta. E non si era stupita quando Gerda le aveva detto che era andata a vivere con Friedmann, perché non c'era più nulla da meravigliarsi dopo la *liaison* con il Bassotto.

Ora il tempo che André e Gerda avevano passato insieme le sembra un'enormità: due anni esatti, uno a Parigi, l'altro in Spagna, in buona parte sotto lo stesso tetto, addirittura nello stesso sacco a pelo.

Melchior, stanco, dice che ogni pentola ha il suo coperchio, o prova a trovarne uno che si adatta.

E se la pentola il coperchio non lo sopporta?

«Andiamo a letto, Ruth.»

«Sono io che li ho fatti incontrare.»

TERZA PARTE

Georg Kuritzkes

Roma, 1960

La guerra non viene più dichiarata,
ma proseguita. L'inaudito
è divenuto quotidiano. L'eroe
resta lontano dai combattimenti. Il debole
è trasferito nelle zone del fuoco.
La divisa di oggi è la pazienza,
medaglia la misera stella
della speranza, appuntata sul cuore.
Viene conferita
quando non accade più nulla,
quando il fuoco tambureggiante ammutolisce,
quando il nemico è divenuto invisibile
e l'ombra d'eterno riarmo
ricopre il cielo.
Viene conferita
per diserzione dalle bandiere,
per il valore di fronte all'amico...

INGEBORG BACHMANN, *Tutti i giorni*

Roma, 18 settembre 1960

Mia cara Ruth,

Willy Chardack è rimasto un bassotto a pelo ruvido, ma ha
gradito le mie congratulazioni. Come prevedevi tu: quindi
grazie del tuo aiuto e consiglio. Qui finalmente si respira. Sono tornati gli amici italiani con
cui mi sono lanciato anch'io in un esperimento – non otterrà
risultati decisivi per la salute dell'umanità, però semplifiche-
rebbe il compito di mostrare il nostro mondo a colori. Siamo
un'équipe improvvisata, ma dotata di ottime competenze; a
me tocca la parte neuroscientifica, quella tecnica è affidata a
un *directeur photo* molto richiesto e il tutto avviene con la su-
pervisione di un professore dell'Università di Roma.

Mi fa bene sottrarmi alla routine «panem et circenses» (la
FAO affaccia sul Circo Massimo dove ai tempi di Giulio Cesare si disputavano le corse in quadriga). Per aprire uno studio mutualistico occorre affrontare burocrazie bizantine o ag-
girarle attraverso conoscenze, mance eccetera, e lo trovo così
odioso che temporeggio.

Intanto mi sono comprato una Vespa. Un affare, secondo
il mio meccanico.

Mi spiace che da voi siano già ricominciate le scuole (qui si
riprende a ottobre!) perché sarebbe il momento ideale per vi-

sitare Roma. Vieni quando vuoi, con i figli, con il marito se può concedersi una vacanza. Sarei felice di farti da cicerone e di prestarti il mezzo più up-to-date per esplorare i monumenti e la famosa mondanità contemporanea!

Un saluto molto cordiale
tuo

Il fracasso della macchina da scrivere, l'unica a disturbare la quiete del palazzo della FAO, risuona ancora nelle orecchie del dottor Kuritzkes quando aggiunge la sua firma sul foglio estratto dalla Olivetti: una G energica, sproporzionata come la testa di un girino dalla coda illeggibile, l'abituale scarabocchio che lo fa esitare prima di battere il nome intero sulla busta. Giorgio Kuritzkes, c/o PUTTI, Via della Purificazione 47, Roma, ITALIA. Per Ruth sarebbe più consueto «Georg», ma non per la vicina di casa che potrebbe rispondere nel caso in cui la lettera dovesse tornare indietro, e per lui, che cambia nome da una vita, fa lo stesso.

Ha impiegato tempo a scriverla e adesso deve sbrigarsi a metterla nella cartella da esibire al custode a cui ha chiesto il favore («in via del tutto eccezionale») di farlo salire in ufficio la domenica. È una recita cerimoniale («Dotto', mi raccomando, faccia presto»), e il gioco delle parti va salvaguardato. E non importa che l'idea di telefonare gli sia venuta dopo aver deciso di passare in ufficio a prendere delle carte, e che non abbia mai usato l'apparecchio per comunicazioni personali, men che meno in un giorno festivo.

È stata una buona idea telefonare a Willy quando in America è domenica mattina, e un piacere trovarlo al primo colpo, parlare con un vecchio amico in un altro continente, nel silenzio che riverbera dell'ondeggiamento ritmico delle cicale, talmente fragoroso, in questa fine estate, da annullare il rumore delle automobili che passano sul viale delle Terme di Caracalla. Incantato, come non le avesse mai viste, dalle chiome compatte dei pini, dalle rovine, dai giardini paradisiaci dell'Aventino da cui non si può distogliere lo sguardo. Librato, privilegiato, extraterritoriale. Avvolto dal palazzo di marmo a otto piani di geometrica purezza, la meraviglia di certa edilizia del Ventennio che pare architettata per far dimenticare le proprie origini. Doveva essere il Ministero per l'Africa Italiana e nel '52 aveva aperto le porte alle Nazioni Unite. Un contrappasso concordato per l'affitto simbolico di un dollaro all'anno.

Sì, ha perso troppo tempo a scrivere la lettera e con il custode non basteranno più le sigarette lasciate sopra il banco, ci vorrà pure un regalo a Natale. Stecca, sigari, bottiglia? Bisogna che si informi. Alcuni colleghi si rallegreranno che si sia fatto corrompere da certe usanze, ma pazienza.

Esce dall'ascensore soddisfatto. CONFERENCE EUROPE, 10-15 OCTOBER, ROME riporta la cartella sottobraccio che, nel caso di domande del custode, va portata subito all'ambasciata di uno dei paesi invitati all'ultimo momento per bilanciare la presenza degli Stati Uniti, che hanno chiesto di assistere come osservatori.

Oreste però è distratto da un ragazzino che non sta fermo, ma neanche osa allontanarsi dal banco. Deve avere circa dieci anni. Ha ancora un'età in cui si rispettano i divieti, cosa che, a suo modo, si applica pure al custode, che sta spolpando una pesca attento a non farla sgocciolare oltre lo strofinaccio su cui è apparecchiato il suo pranzo.

«Alle tre comincia la partita e quelli, li mortacci, non m'aspettano. Fanno gioca' a 'n'artro se non arrivo!»

Oreste alza lo sguardo: «Un'altra parolaccia e pigli due schiaffi» borbotta al ragazzino, e la faccia patriarcale, la divisa che stringe il mezzobusto, si irrigidiscono di colpo. Ecco, mi ha visto, pensa il dottore. La cadenza dei suoi tacchi, unico suono che echeggia nel lungo corridoio, conferma quanto sia caduta fuori luogo la sua comparsa. Il figlio di Oreste non potrebbe ciondolare lì dentro, infatti il custode racimola le stoviglie in quattro e quattr'otto, sbirciando nella sua direzione, e ora lo attende al banco con un'espressione così grave da ricordargli un racconto ascoltato di recente. Il paese lasciato da pischello, gli anni di fatica nei cantieri, l'infortunio, la domanda d'invalidità, il sentirsi miracolato dalla Madonna, visto che poteva andare molto peggio, e infine («senza raccomandazioni!») quel lavoro con cui manda avanti tutta la famiglia. Ma il dottore nemmeno si sogna di denunciare che lo spazio sovrano della Food and Agriculture Organization è stato violato dal rito di una pastasciutta.

Lui e il portiere si conoscono per nome, ed è già tanto: segno che il dottor Giorgio, come lo chiama Oreste, non fa parte dei funzionari che vanno e vengono e quando sono trasferiti altrove non hanno ancora imparato l'italiano. No, quando è arrivato da Parigi il suo italiano era già così fluido che quasi nessuno si accontentava di fargli i complimenti, costringendolo a spiegare che aveva vissuto in Italia da studente. «Qui a Roma?» aveva indagato anche Oreste. Il dottore, per tagliar corto, aveva ribattuto: «No, a Firenze».

Il custode perciò non sa che il dottor Giorgio, avendo studiato pure a Milano e a Torino e infine a Napoli, ha imparato a distinguere persino i dialetti. E se in Italia, all'epoca, l'apprendimento era limitato alla vita dei quartieri, mentre negli atenei aleggiava la pomposità dell'italiano di regime, non era così in Spagna, dove i volontari italiani accorsi da ogni parte si erano portati dietro le loro parlate popolari.

Sapevano leggere e scrivere, quei volontari, molti avevano imparato a farlo raccolti in segreto attorno a un focolare contadino, quasi tutti da adulti. Diventati militanti anche per l'orgoglio di quell'impresa prometeica, ascoltavano il commissario politico con una serietà che rivelava come per loro conoscenza e comunismo fossero sinonimi. Un giorno, quando la radio stava trasmettendo un discorso del compagno Nicoletti, qualcuno aveva gridato «Peppino Di Vittorio!», e il diminutivo di chi era partito bracciante per sollevare le terre meridionali spargeva tra gli italiani una voglia di riscatto fiduciosa. Chiunque, con un po' di addestramento, imparava a sparare e a stare agli ordini, e che un meccanico lombardo diventasse geniere, un portuale ligure carrista, i minatori sardi degli artificieri, era soltanto il primo passo verso la società senza classi delle Brigate Internazionali. Le parole, però, erano distorte dagli accenti, limitate dai dialetti incomprensibili oltre il raggio dei compaesani con cui erano giunti al campo di Albacete. Georg Kuritzkes era ben consapevole di avere un privilegio rispetto a quei compagni. Era arrivato con carte supposte false, era per giunta apolide, ma non aveva difficoltà a comprendere e a farsi capire in diverse lingue.

Alla fine lo avevano assegnato alla 86ª Brigada Mixta sotto il comando di Aldo Morandi, un compagno siciliano le cui doti militari erano state premiate da una rapida carriera, e poi lo avevano trasferito sul fronte della regione mineraria andalusa. Aveva scritto a Gerda – giusto due righe sulla bellezza scarna della Sierra Morena e un saluto molto affettuoso – ma non contava che la lettera spedita all'ufficio censura di Madrid le sarebbe stata recapitata presto.

Un giorno, tornando da una ricognizione, con la testa svuotata dal sole di montagna che picchiava sull'elmetto, aveva scorto da lontano un assembramento e aveva pensato che il *campesino* accerchiato stesse offrendo una merce rara, forse addirittura *jamón serrano*, e calcolato che era inutile accelerare. Aveva tirato dritto con il suo passo finché, leggera come una lince sulle scarpe di pezza tipiche spagnole, gli era apparsa Gerda. Strappandosi il berretto basco e scuotendo forte la zazzera imbiondata, gli aveva rivolto un «mi riconosci?», ed era rimasta a guardarlo, esilarata dall'espressione che doveva essere comparsa sulla sua faccia.

Era arrivata il giorno prima, sul tardi. L'avevano accolta nella *casita* che serviva da quartier generale e sistemata su una delle due brandine della stanza riservata al comando. Si era riposata bene, ma le era spiaciuto un po' che a condividere il giaciglio, insieme agli ufficiali e alle zecche, unica pecca del fienile, ci fosse il vicecomandante spagnolo, un autentico *hidalgo*. Morandi invece avrebbe preferito vederla ripartire subito, nonostante le credenziali che lei gli aveva esibito e pur avendo stabilito lui medesimo che si sarebbero alternati nel cederle la branda.

I compagni del suo gruppo si erano allontanati, un po' per disciplina, un po' per discrezione, e molto, non c'era dubbio, per commentare la comparsa sensazionale di quella *rubia* armata di fotocamera nel loro marginale avamposto. Erano soli sul sentiero, lui e Gerda. Sarebbe stato il momento ideale per parlarsi, visto che nessuno avrebbe colto una sillaba. Bastava dirle dell'arresto e del processo – «come in Kafka» – con ironia, naturalmente. Ma lui si era sentito un perfetto K. e ne provava ancora un tremendo imbarazzo. Gerda sarebbe rimasta di sale ripensando all'ultimo abbraccio a Parigi («sapevo che su di te si può contare»), e non aveva nessuna colpa di quel che gli era accaduto. E poi, camminarle accanto in quell'aria pulviscolare, su quel tracciato d'erba dura e pietrisco, aveva l'insondabile qualità di un sogno. Desiderava sopra ogni cosa non guastare la festa di quell'improvviso ritrovarsi (erano vivi: non bastava?), il gusto di vederla a proprio agio nell'aspro nulla di quei monti strapazzati dalla guerra.

Lentamente si erano riavvicinati ai compagni nell'accampamento, mentre Gerda continuava a sfogarsi contro Morandi. Povero Georg che era capitato con quell'ottuso militare per cui una donna al fronte era più perniciosa della sciolta («Dormo con questa tuta lurida, capisci?, e non sento neanche più la puzza»), quel padre severo in uniforme che celava l'istinto di una madre chioccia.

Georg, pur scoppiando a ridere (c'era del vero in quello che Gerda diceva, e c'era tutta la sua energia), si era fatto scappare un rintuzzo imprudente: «Avessimo più comandanti come lui, saremmo più vicini alla vittoria».

Così aveva provato ad attenuare: «Morandi ne ha viste tante, sin dalla Grande Guerra...»

«Ti ha tolto dalle linee? Ti impiega come medico?» aveva chiesto Gerda, ammorbidendosi di colpo.

Sapeva già qualcosa e cincischiava per schivare l'argomento? si era domandato con un sollievo che smuoveva il sasso sotto lo sterno.

«Non può. Però mi sfrutta come interprete, staffetta tra i reparti, aiuto marconista.»

Questo Gerda l'aveva trovato molto buffo («come nome di battaglia ti daranno Berlitz»), probabilmente per non doversi mostrare grata verso il bersaglio dei suoi dileggi.

«Non ti immagini quanto ci è costato capirsi male tra francesi, inglesi e tedeschi, e nel coordinamento con gli spagnoli. Quante perdite, temo pure qualche sconfitta!»

Gerda, incredula e irritata, aveva contestato che nessuno dei grandi generali con cui era in rapporti cordialissimi («a differenza del tuo antipatico Morandi») gliene aveva mai fatto cenno, e neanche uno dei soldati dei quali si era guadagnata la fiducia e il rispetto.

«Ein schlechter Witz» aveva commentato, sprezzante, continuando a scrutarlo con una smorfia interrogativa.

«È così» aveva detto Georg, «anche se pare una barzelletta.»

«Scheißdreck merde shit... mierda!»

Il moto spontaneo di adattamento al loro spirito da caserma internazionalista gli era sembrato irresistibile. Non ci fossero stati i compagni che tenevano d'occhio cosa ci facesse ancora lì con la biondina («una mia cara amica» si era poi premurato di spiegare – errore clamoroso), l'avrebbe baciata subito, non proprio sulla bocca, per non sbagliare. Accelerando il passo aveva vagheggiato e temuto una prossima occasione. Ma era stata l'unica volta che aveva visto Gerda da sola, per tanti giorni di fila.

Nel palazzo della FAO, il dottor Kuritzkes non ha mai parlato della Spagna o dei compagni ritrovati sui monti dell'Alta Savoia, mentre a Parigi tutti sapevano che era stato *maquisard*.

Il dopoguerra si protraeva ovunque e in modo particolare nell'avenue Kléber, dove si trovava la sede provvisoria dell'UNESCO. I parigini passavano davanti al mastodontico Hotel Majestic con la ritrovata andatura *nonchalante*, percependo a stento che le svastiche e le armi imbracciate a protezione dell'Alto Comandante della Wehrmacht erano state rimpiazzate dalle bandiere delle nazioni vincitrici. Ma chi entrava nel foyer per dirigersi in una suite farcita di scrivanie o nell'ufficio personale ricavato da una *salle de bains* (con i faldoni nella vasca e il coperchio della tazza come tavolo d'appoggio), non poteva fare a meno di sentirsi ancora un occupante. Un occupante per giunta svantaggiato, perché un grand hotel si adattava meglio alle brutali esigenze di un comando che ad albergare la molteplicità dei progetti dedicati all'educazione, alla scienza e alla cultura del mondo rappacificato.

Il dottor Kuritzkes era venuto a Roma prima che i colleghi potessero trasferirsi nell'edificio di place de Fontenoy, la cui articolazione in tre braccia concepite da tre architetti di nazionalità diverse e approvata da un comitato dei massimi maestri (Le Corbusier, Gropius, Saarinen, Rogers, Markelius, Costa), era la perfetta realizzazione della missione universale per cui era stata progettata la *Maison de l'UNESCO*.

A Roma conoscevano il suo curriculum, ma non si usava più parlare del periodo che aveva dato vita al nuovo ordine mondiale, di cui le Nazioni Unite erano state precorritrici come la colomba dopo il diluvio. Lo faceva solo un collega jugoslavo, il dottor Modrić, biologo laureato a Trieste e specializzato in ittiologia alla Lomonosova di Mosca. Era uno studioso magro con cui il dottor Kuritzkes collaborava spesso alle ricerche finalizzate a migliorare le tecniche di pesca. La cosa strana era che, a tu per tu, Modrić non menzionava mai la guerra. Preferiva dilungarsi sugli ecosistemi acquatici che presentavano alla scienza la sfida continua dell'ignoto e divagare un pochino sul privato quando avevano finito il compito del giorno. La relazione complicata con una signora Carla che lavorava in una banca a piazza Fiume. Il dispiacere per i figli, rimasti con l'ex moglie a Zagabria e iscritti a una scuola a tempo pieno, come nel mondo capitalista se la sognavano, ma proprio per questo irraggiungibili nell'orario di lavoro. Era stato il dottor Modrić a suggerirgli che con un modesto *bakshish* («Qui, caro Kuritzkes, non siamo in Europa centrale: se ne sarà accorto.») si poteva telefonare dall'ufficio nel fine settimana, evitando la seccatura di chiudersi in una cabina, fuori il fumo, gli schiamazzi, i ragazzotti che a ogni minuto che stavi attaccato alla cornetta s'inventavano gestacci più sfacciati.

Brava persona, Modrić. Uomo in fondo assai discreto.

«Dottore, lo so che è dei nostri, però la prego di consentirmi una domanda: non è che ora, come tanti, preferisce passare per *atlantico*?» gli aveva chiesto, mentre stava riassumendo quello che la neurofisiologia aveva imparato dall'intelligenza sofisticata dei cefalopodi.

«No» aveva risposto sicuro. «Adesso preferisco anch'io occuparmi di ciò che sta *dentro* l'Atlantico. Lo trovo più proficuo e appagante.»

«Ça va sans dire» aveva assentito il dottor Modrić.

Quella replica era così rappresentativa del suo modo di essere che risultava bizzarro, in mensa, sentirlo investire i colleghi delle sue imprese partigiane. Lo faceva per sfogo e per ripicca, questo era chiaro: gli jugoslavi venivano presi con le pinze, l'irredentismo e via di seguito, molto più di certi tedeschi dai trascorsi immaginabili («Cordiali con tutti, eh? Fascisti dentro!»).

«Tutto il resto non lo vedi, non ti riguarda?» cercava di fermarlo qualche commensale.

Il resto cominciava con il ciclopico palo nell'occhio in cui incappavano tutti i giorni. L'ONU aveva ottenuto un accordo per la restituzione del bottino etiope, ma la stele di Axum restava davanti al palazzo della FAO, ventiquattro metri di refurtiva piantati nel cielo limpido romano. «Il s'en fichent, les italiens!» concludeva un collega, «they don't give a damn» annuiva un altro, anzi, si fregavano le mani che la decolonizzazione fosse toccata ai vincitori. Così approdavano all'argomento che, al di fuori delle loro competenze, conoscevano meglio di qualsiasi altro.

Nella mensa della FAO, intorno ai tavoli inondati di luce chiara, da giorni seguivano la crisi in Congo, tesi e appassionati, in confronto le Olimpiadi appena concluse erano state un'emozione passeggera. Le notizie nerissime dall'Africa avevano spazzato via il tripudio per Abebe Bikila, il maratoneta etiope che, doppiata per la seconda volta la stele rubata, aveva messo le ali ai piedi scalzi e conquistato l'oro.

Durante la crisi di Suez, l'ONU aveva contribuito a sventare una nuova guerra mondiale, ma ora subiva lo scacco di due cacicchi seduti sulle ricchezze naturali congolesi, che accendevano l'appetito delle superpotenze e dei belgi. Le Nazioni Unite, lungi dal somigliare a un governo planetario, non riuscivano nemmeno a interpretare il ruolo dell'arbitro capace di sospendere la contesa. Una constatazione amara, ma il peggio era che la discordia aveva attecchito anche a Roma. Lì erano esperti di foreste e di pascoli, di *cultivar* e di stoccaggio di derrate, ma il colpo di stato in Congo li aveva divisi. La frattura che si era aperta nel viale delle Terme di Caracalla non rispecchiava neppure la divisione in blocchi, visto che l'Unione Sovietica e i suoi alleati erano usciti dalla FAO. I bianchi difendevano in maggioranza il ruolo imparziale che l'ONU si era prefissa di mantenere, una linea che per i colleghi africani, ma anche turchi, indiani eccetera, si stava rivelando una farsa pilatesca. In Congo i soldati di Mobutu avevano messo Lumumba agli arresti domiciliari, il premier che voleva l'unità del proprio popolo, la piena libertà democratica, l'amministrazione equa delle risorse, e le Nazioni Unite non avevano fatto altro che fornire la cintura di guardie carcerarie intorno alla sua casa.

«Per proteggerlo» provava a dire qualche svedese o canadese, provocando un putiferio.

Il dottor Kuritzkes e il dottor Modrić si trovavano tra le mosche bianche dello schieramento colorato. Ma chi conosceva meglio il biologo titino sospettava che si sentisse più vicino agli amati polipi che agli abitanti di quelle terre sconosciute. Il dottor Kuritzkes, invece, sfoderava le vecchie armi della persuasione e della retorica, mentre avrebbe preferito non doverle usare più, perlomeno non lì dentro. Non avrebbe voluto dubitare nuovamente di una scelta, perché i giochi politici ormai lo avvelenavano. Lo stemma della FAO era una spiga, «fiat panis» il suo motto. Chiedeva tanto se confidava di poter svolgere un compito onesto sotto quell'insegna?

Nell'ultima settimana Georg aveva ripreso a sognare Gerda. Aveva bisogno del suo ottimismo, del suo pragmatismo spudorato. Della bravura a dissimulare incertezze e delusioni, della facilità a mostrarsi realistica sino al cinismo, pur di non darsi vinta. Persino della derisione che nessun'altra donna gli aveva mai riservato con tale frequenza. Che cosa faresti, Gerda? Non è difficile immaginarlo. «Avete finito?» diceva, quando a Lipsia assisteva a dibattiti tanto simili a quelli che lui ora sostiene in mensa. «Possiamo andare a ballare, come mi hai promesso, o devo cercarmi qualcun altro?» cantava con un sorrisetto.

«Non ho finito, stiamo parlando di cose importanti» ritorceva lui, odiandola, e se la prendeva pure con gli amici che, battendo la punta delle scarpe, segnalavano di aver capito che la discussione era rimandata. Ubi maior...

Però era bravo, allora, a non perdere la faccia. «Va bene» diceva, «ma fammi finire la sigaretta.» E subito ne offriva una anche a Gerda, e mentre spegneva il fiammifero che le aveva allungato (quante vampate erano state domate con quei gesti galanti?) tornava a fare il punto della situazione.

I compagni non si accorgevano che era agitato, e nemmeno Gerda, forse perché non le importava. A lei bastava che la prendesse sottobraccio, la riparasse con la giacca se alla fermata del tram sulla Gohliser Strasse cominciava a nevicare. E poi chiacchieravano fino al consueto *Tanzlokal*, dove la tensione si scioglieva, i pensieri venivano azzittiti dalla musica della sala da ballo.

Gli piacevano le luci basse, il tepore affumicato e sudaticcio, lo swing che faceva fare alle scapole cose da pazzi, e gli piaceva Gerda.

«Anche tu mi piaci. Sono sincera.»

Glielo aveva assicurato la prima volta che era riuscito ad abbracciarla e poi baciarla come si deve, ritrovandosi stordito. Come aveva fatto a svincolarsi senza uno strappo, solo una frasetta soffiata a un palmo dalla sua bocca? No, probabilmente non sarebbe la ragazza giusta, gli aveva poi detto, e in più nella sua vita c'è Pieter a cui tiene molto.

Georg si era raffreddato subito, ma il foxtrot gli consentiva di stringerla dove i gancetti spuntavano sotto il vestito di seta, la corsa all'ultimo tram di prenderla per mano, la pensilina affollata di spegnere una risata sulle sue labbra. Era obnubilato, lo guidava l'incoscienza.

Solo che poi, su quei tram lenti, surriscaldati, appannati dal maltempo e dagli strascichi dell'agitazione, finiva sempre per ingarbugliarsi in analisi e questioni di principio. Non è il caso di fissarmi su una donna così borghese, si diceva, la fidanzata di un capitalista che lei non manca di difendere («Colpa di Pieter se in America sono schiavisti?»).

E poi, Gerda Pohorylle non si stancava mai di mostrarsi frivola e superficiale, magari non proprio frivola, ma impaziente di riprendersi la sua intoccabile spensieratezza. Non lasciarti ingannare da quella testolina così sveglia e imprevedibile, si ammoniva, e continuava a fare il simpatico. Non farti blandire dall'interesse verso i tuoi consigli di lettura, le tue opinioni critiche. Non credere sul serio che le importi qualcosa del materialismo storico o dell'emancipazione degli oppressi. A lei interessa non annoiarsi, la tua bella faccia e il divertimento, nient'altro. Regolati di conseguenza: divertiti, d'accordo, ma non illuderti sul resto.

Aveva vinto il resto. L'attrazione aveva seguito il proprio corso, la chimica inondato le sinapsi prevalendo sulla ratio, com'era naturale, com'era giusto. Georg Kuritzkes era innamorato senza scampo di Gerda Pohorylle. L'unica domanda che si era mai posto, era come avesse fatto a conquistarla, finché non si era rivelato reale ciò che aveva temuto illusorio.

Gerda era cambiata. Si era trasformata. Non come le ragazze che si adattavano a lui con un trasporto così ovvio che nella sua testa finivano per confondersi l'una con l'altra: Hanni, Paula, Trudel, Marie-Luise... Invece non erano mutate le schermaglie con sua madre, le volte che l'aveva criticata perché stravedeva per Gerda e si mostrava sempre pronta a prendere le sue parti. «Che cos'è?» la attaccava. «L'orribile istinto missionario che rende tanto più ghiotta la pecora da convertire? O aspiravi anche tu alla bella vita...»

«Non provocarmi, Georg, non capisci nulla.»

«Va bene. Ti chiedo umilmente di illuminarmi!»

Sua madre si aggiustava gli occhiali da lettura o riprendeva lo straccio per la polvere, mentre Georg puntualizzava che Hanni Paula Trudel e Marie-Luise erano diventate compagne nel giro di un mese, se non erano già iscritte alla Lega giovanile comunista.

«Dimmi, ho tempo da perdere con delle ragazzette che accanto a te non possono durare molto?»

«E *questa* può durare?»

«Lo spero per te, *durak*. Io faccio quello che posso, ma tu dovresti impegnarti più del solito.»

Georg protestava che non avrebbe mai fatto il cascamorto, che lo escludevano l'educazione che aveva ricevuto, le idee sulla relazione paritetica tra i sessi, fingendo di fraintendere sua madre, che si era già voltata per vedere dove era finito il fratellino avuto con il dottor Gelbke. In realtà, voleva solo restarle alle costole quel tanto che bastava a sentirsi ripetere che Gerda era una donna di acume insolito, molto simpatica e, «inutile che te lo dica», attraente. Estorte quelle conferme, si metteva l'animo in pace.

Il rasserenamento che Georg ricavava dalla propria dialettica era molto più volatile della serena consuetudine che si andava stabilendo tra lui e Gerda, la compagna-madre e gli altri frequentatori di Friedrich-Karl-Strasse. La ragazza era l'ultima a lasciare la sua mansarda, e qualche volta non era tornata a casa. Una mattina sua madre aveva incontrato Gerda in cucina, tutta in ordine, accanto alla ghiacciaia, e si era sentita domandare: «Posso prendere la bottiglia del latte?»

«Fai pure, per il piccolo ne rimane un'altra» le aveva risposto. «Non chiedermelo nemmeno più.»

Le notti e le colazioni in casa Gelbke si erano ripetute. Gerda si avvicinava alla ghiacciaia, «posso?» domandava, e sua madre la rinvitava a servirsi, mentre Georg tagliava il pane sogghignando a testa bassa (era ridicolo, sì, ma lui era contento). Poi Dina leggeva a voce alta gli articoli della *Arbeiter Illustrierte Zeitung*, Gerda raccoglieva il ciuccio per il piccolo e lo sciacquava sotto il rubinetto, intanto lui tirava Fritzchen giù dalla sedia su cui tentava di arrampicarsi...

Di mattina si lasciavano sul suo portone, la sera Georg passava dalla Springerstrasse e aspettava che Gerda scendesse. Era di una puntualità incredibile e questo lo rallegrava ogni volta. Così un giorno aveva suonato in anticipo, visto che ciondolava da un paio di minuti davanti al civico trentadue. Gerda aveva risposto «Arrivo subito», ma poi gli aveva chiesto di salire.

«Georg Kuritzkes, lo studente di medicina» lo aveva presentato ai suoi genitori. «Dobbiamo scappare, però, il cinema comincia tra mezz'ora.»

«Molto lieti, ci onori della sua visita quando avrà più tempo.»

«La ringrazio, signor Pohorylle, e scusi la toccata e fuga...»

«*Aber bitte*: voi giovani dovete divertirvi!»

L'episodio circoscritto al vestibolo dove Gerda si era aggiustata il berretto davanti a uno specchio appeso sopra un mostriciattolo panciuto di trumò, aveva contribuito a rassicurarlo. *Spießbürger*, si era detto, piccoloborghesi arricchiti. Cortesi come si conviene ai commercianti, ma non untuosi in eccesso. Si sarebbero arresi all'idea che Gerda avesse dato il benservito al grande importatore di caffè per mettersi con uno come lui? Ancora privo di un mestiere e nemico della classe a cui si fregiavano di appartenere? La serata era fresca ma piacevole e il tempo sufficiente per andare a piedi fino al cinema Capitol. Si erano incamminati nell'ombra dei lampioni che striavano di un giallo sporco il manto delle vie residenziali. Era stato il ritmo del loro incedere, il buio accentuato sul lato della strada dove cominciava il Rosental, la stretta delle loro mani che si allentava e riallacciava a piccoli impulsi sincopati? Fatto sta che gli era sorta una domanda che, passo dopo passo, se ne era tirata dietro un'altra. Gerda aveva detto ai suoi genitori che cos'era andata a fare a Stoccarda? O che altro aveva raccontato? Che andava a trovare l'amica del cuore dei vecchi tempi? E cosa diceva quando non tornava a casa? Che si fermava da Ruth Cerf? O non diceva niente?

«Allunghiamo un po', qui non c'è niente, è noioso.»

Georg avrebbe accantonato quei pensieri, se Gerda non avesse cominciato ad affrettare l'andatura. Si era sentito come strattonato in una fuga in avanti che accelerava i battiti, accelerava i dubbi, e d'un tratto li collegava ai signori Pohorylle che rivedeva in immagini e dettagli raggelati. Il panciotto gonfio con la catenella dell'orologio fuori moda di suo padre. Gli occhiali sghembi davanti agli occhi slavati che facevano pendant con una barba stinta. La madre molto piccola, con il pallore rafforzato dalla discrezione di un abbigliamento color topo. Non aveva aperto bocca se non per assentire a monosillabi alle parole del marito.

Gerda lo aveva tenuto nascosto ai suoi genitori? Aveva voluto nascondere a quelle autorità minuscole non soltanto lui, ma tutti quelli che, a un quarto d'ora lungo la *Chaussée* di Gohlis, ricopriva di ammirazione? Georg non aveva neanche fatto caso se sullo stipite dei Pohorylle ci fosse una *mezuzah*. Ma era comunque il figlio di una donna divorziata e risposata con un *goi*. E mentre gli risuonava la disgustosa rotondità di quella parola per lui inconsulta, si era bloccato.

« Ti vergogni di me? »

« Cosa?! »

« Ti vergogni di me e della mia famiglia? »

La ripetizione l'aveva fatto avvampare, di vergogna e di rabbia che fosse lui a vergognarsene. Non si vedeva, per fortuna, sotto la nuvolaglia frastagliata d'ombre del Rosental.

« Preferisci nascondere ai tuoi la piega che ha preso la nostra frequentazione da un po' di tempo a questa parte? »

Aveva ricevuto in risposta una risata cristallina: lunga e terribile, la mano di Gerda sottratta alla sua e levata in un ghirigoro teatrale.

« Me ne infischio dei miei genitori: ho sempre fatto quello che mi andava. »

Senza altre chiose al riguardo, era stato riacciuffato per la mano: « Facciamo tardi al cinema ». Ma a un semaforo rosso, Gerda aveva dichiarato che quelle storie erano una barba, ed era una noia casa sua.

« Davo per scontato che la vedessi allo stesso modo, però ti invito a cena a casa nostra, ti porto a fare lo *shabbat*, se ci tieni... »

« Come vuoi. »

La questione era chiusa, accantonata prima che raggiungessero rapidi la biglietteria del cinema, sempre affollato nel fine settimana. Perché si era impicciato in cose che non lo riguardavano? Perché aveva ceduto a un moralismo così piccino (soltanto perché aveva visto i Pohorylle in faccia?) quando Gerda era una donna adulta, una donna libera, e aveva tutto il diritto di gestire le sue faccende come meglio credeva? Lui si sarebbe laureato, all'occorrenza avrebbe fatto la parte del giovane beneducato, senza nascondere che non sapeva dire mezza preghiera in ebraico, né attenuare le proprie opinioni pur nel rispetto dei genitori di Gerda. Non gli spettava fare altro.

Poi c'erano stati gli esami, le vacanze, i giorni trascorsi tutti insieme nella casetta del dottor Gelbke sulla Dübener Heide e, infine, la sua partenza per Berlino. Nessun invito a casa Pohorylle, nessun momento sottratto al piacere del loro stare insieme.

Avevano esteso a nuovi territori le felici consuetudini. E se includevano giocoforza i piccoli bronci di Gerda e i grandi interrogativi che lo assalivano, la ripetitività ottundeva le analisi e smussava le questioni di principio. C'era una condizione che decretava la sospensione del tempo che scorre e, senza quello, i dubbi non maturavano. Non era mai stato così felice, Georg Kuritzkes, e non lo sarebbe mai più stato.

La nostalgia che si è concesso negli ultimi giorni ripensando ai suoi anni con Gerda ha avuto un effetto rassicurante e così l'ha assecondata appena fuori dai cancelli della FAO. Sentendo il venticello che gli viene incontro quando torna a casa in Vespa, s'è detto che era stato naturale come quell'aria calda avere una lingua e una città d'origine, un grande compito e un grande amore. Se neanche allora avesse avuto la capacità di vivere all'altezza dei suoi sogni, sarebbe diventato un reduce pieno di rimpianti rancorosi, o un traditore in una bolla d'oblio custodita come nei souvenir dove cade la neve fasulla, sul Colosseo come su ogni monumento del pianeta inglobato in quell'idillio da due soldi.

Non era ancora tutto perduto, allora. Non erano ancora passati alla necessità del *Widerstand*, la Resistenza troppo debole all'inverno della barbarie. Se la pulsione a non sottomettersi fosse stata moltiplicabile, se quel desiderio, vivificante come lo era la sua ragazza, avesse potuto estendersi, diventare insurrezione, l'ordine mortifero avrebbe traballato prima che la sua sconfitta equivalesse a un mondo in cenere e macerie.

A Lipsia e poi a Berlino i conflitti erano stati acerrimi, le divisioni laceranti. Le grandi città sprofondavano nello strangolamento del sostrato piccoloborghese e nelle dimissioni in massa della classe operaia, che accendevano un sentimento bipolare anche in chi non credeva che la rivoluzione dovesse sorgere, come l'araba fenice, dallo sfacelo della Repubblica di Weimar. Ma la lotta era diversa finché c'era la possibilità di vincerla. E lui organizzava, discuteva, scansava le imboscate delle SA e si teneva pronto a farci a botte – e aveva accanto Gerda Pohorylle.

Gerda riassumeva il bello e il difficile di quel periodo, da ritrovare e rinnovare tutti i giorni. In quel momento loro due erano perfetti: lei che lo portava a divertirsi, lui che le metteva in mano gli strumenti per combattere. Nessuno aveva colpa se quella complementarietà stupenda si era rotta. Sarebbe finita, probabilmente, anche se a dividerli non fosse arrivato Hitler.

Riconoscerlo non lo rattrista, al contrario, lo rimette al proprio posto di quasi cinquantenne che accetta i limiti, alcuni limiti, per non subirli tutti.

Di recente sua madre si è lanciata in una missione fondata sul convincimento che la «nostra Gerda» sia diventata una santa rivoluzionaria grazie all'*éducation sentimentale* di Lipsia. Georg non prova nemmeno a contraddirla, anche se ormai predilige le costruzioni del pensiero che passano al vaglio della fredda e rigorosa lente delle neuroscienze. Ma se la compagna Dina Gelbke riesce a strappare una stradina per la compagna Gerda Taro, un cubo di cemento a disposizione dei piccioni, che già imbrattano ogni testa di bronzo del venerato amico Lenin, non può che rendergliene merito. Mente e memoria sono una cosa unica, l'integrità della memoria fonda l'integrità di ogni essere umano, anche tra i nomadi (e lui non era forse un nomade?), non è una prerogativa dell'interiorità borghese custodire i ricordi. Ciascuno ricorda ciò che gli serve, quel che lo aiuta a mantenersi in sella. E il dottor Kuritzkes vuole solo tenersi la «sua Gerda», anche se sa che non esiste.

Gerda la temeraria, l'imprevedibile, la volpe *rubia*, che non rinuncerebbe a qualsiasi morso di felicità si possa rubare al presente.

A Roma la temperatura è ancora estiva e il primo governo di centro-sinistra s'impegna in riforme e in tentativi di distensione estera, ma il disgelo è lontano, forse impossibile. Il destino del Congo lo indigna, ma non si sentirebbe messo così all'angolo, e insofferente della sua detestabile insofferenza impiegatizia, se non passasse ogni mattina davanti alla bandiera delle Nazioni Unite. Non ha torto, Modrić, quando lamenta che là fuori confondono l'ONU e la NATO, tutta roba degli americani a loro modo di vedere, e poi, «cosa c'entra uno di quell'altra parte, ci siamo capiti, dottore, un comunista?» Un comunista straniero viene preso come uno scherzo di natura in questa città che ha inventato il circo, e un comunista non allineato per giunta.

Solo che al dottor Modrić rimangono sia la patria socialista sia la familiarità con tutto ciò che vive in mari, laghi, fiumi e lagune. Invece il dottor Kuritzkes è un autentico pesce fuor d'acqua. Applica il sarcasmo a se stesso come un trattamento salutista. La mattina in bagno canta «lasciaaate ogni speraaanza... voi ch'entrate!» ricalcando il pesante accento di Helmut Krebs, la cui splendida interpretazione dell'*Orfeo* di Monteverdi gli è venuta incontro rovistando tra le bancarelle di Porta Portese. Il lascito di un tedesco? O qualcosa di molto peggio? Ha sentito sulle dita impolverate il fastidio di quelle congetture accampate sulla pura suggestione del marchio Deutsche Grammophon, prima di mettere il disco sotto l'ascella.

Nell'ultima settimana, però, non gli è più bastato bacchettarsi, canticchiare, discutere in ufficio, e poi a casa ascoltare l'*Orfeo* o J.S. Bach, il severo *Thomaskantor* che aleggiava sulla sua giovinezza, in un a tu per tu fra la poltrona a orecchioni e il giradischi. Ora deve ricapitolare, e lo fa meglio quando rientra sudato e corroborato da una corsa a Villa Borghese, dove al mattino non incontra che altri ginnasti espatriati e qualche cagnetto romano a passeggio con la domestica.

Non si è mai illuso che l'ONU possa sottrarsi ai grandi conflitti, e sa bene che la neutralità della scienza non esiste. Con i colleghi intellettuali dell'UNESCO ha sviscerato più volte le interpretazioni della famosa frase dei *Minima Mo-*

ralia: «Non si dà vita vera – o vita giusta – nella falsa».
L'UNESCO gli ha offerto il migliore dei compromessi,
un compromesso rimasto in fin dei conti accettabile. Ma
non lo accetta più. Spinto da un'esigenza veritiera, potrebbe ancora arrivare a una scelta giusta, anche se somiglia a
un passo falso. «Me ne vado, mi licenzio.»

L'altro giorno rigirava quelle conclusioni dopo essere andato dal suo barbiere in via Sicilia, quando, scendendo per via
Veneto, ha visto gli scrittori e gli accademici tedeschi che
usano fare della veranda del Doney il loro *Stammtisch*. Erano così riconoscibili dalla mimica e dai gesti misurati che
conferivano un aspetto provinciale ai capi acquistati nelle
sartorie raccomandate, benché le voci fossero coperte dai
clacson dei giovani in motorino che salutavano gli amici seduti per l'aperitivo e dallo schiamazzo degli americani –
gente che gravita intorno al cinema o all'ambasciata e al
Café Doney tiene corte. Persino la bionda poetessa, celebra-
tissima in Germania, sembrava una timida paesanotta della
Carinzia nel viavai di quella compiaciuta mondanità. Però
magari la intimoriva il suo compagno svizzero, non meno famoso come autore di romanzi, e attraente come può esserlo
una ranocchia stropicciata che parla con la pipa in bocca.
«Dovresti discettare anche tu della massima di Adorno»
ha pensato, spegnendo il mozzicone sotto il tacco.

All'improvviso, una ragazza che volava verso il ritrovo
gli ha fatto balenare Gerda. Lei sì che sarebbe stata intonata all'ambiente, perfettamente a suo agio con camerieri e
clienti d'ogni sorta: nei locali di Montparnasse era di casa,
mentre a Berlino voleva sempre trascinarlo al Romanisches
Café («Offro io! Non ho ancora speso quasi nulla...») do-

ve si incontrava chiunque avesse un nome all'avanguardia. La giovane italiana lo ha superato sui calzari contadini che Gerda portava in Spagna – *espadrille* si chiamano adesso che vanno di moda. E lui, in un lampo, ha visto Gerda, non com'era all'epoca, ma come sarebbe stata con quei sinuosi pantaloni alla Capri, il maglioncino in spalla, i capelli vaporosi. Quell'apparizione ha troncato le sue divagazioni, o meglio, vi si è intromessa. Quella manfrina della vita vera e della vita falsa, ti prego, Georg, ma lascia perdere...

Il dottor Kuritzkes, però, ammira Adorno, tornato dall'esilio per riprendersi la cattedra francofortese mentre la cultura critica tedesca si presta al ruolo di comparsa della *Dolce Vita*.

Hai motivo per rimproverarti di non essere andato a rifare la Germania, accanto a quelli che tengono nell'armadio la croce di ferro? si è detto, come altre volte, ma quel giorno il pensiero si è tinto dell'intonazione limpida e beffarda di Gerda Pohorylle. Così ha disceso le anse di via Veneto in uno stato di divertita meraviglia fin dove si comincia a vedere piazza Barberini. Si è lanciato nel traffico, come ha imparato a Napoli, e poco dopo aver svoltato nella viuzza che incrocia via della Purificazione, si è persuaso che anche questa volta ne uscirà bene. Se ce l'ha fatta a rivoluzionare la medicina l'ispido Bassotto, troverà anche lui qualche spazio, modesto forse, però autonomo, per dedicarsi alle sue ricerche – se non a Roma da qualsiasi altra parte. Basta aspettare il momento giusto, tenere gli occhi aperti.

Non appena ha salito le scale di pietra storte del suo palazzo, il dottor Kuritzkes ha cercato il numero di Ruth per chiederle l'indirizzo di Willy Chardack.

Gli avrebbe mandato una lettera con i più sentiti complimenti. Era di grande incoraggiamento, avrebbe scritto, vedere che la mela di Newton continuava a cadere dove capitava e che, malgrado i dispendi per asservirla (questo no, non doveva scriverlo), quella caduta accidentale fosse ancora il primo motore della scienza. L'accidentalità aveva soccorso anche lui quando, preso a studiare l'orientamento dei pesci guidato dal filtraggio della luce indiretta, aveva scoperto la teoria della luce polarizzata di Edwin H. Land. Entusiasta di quella teoria del colore così innovativa rispetto alla teoria classica, ne aveva parlato subito all'amico professor Somenzi, che l'aveva messo in contatto con un direttore della fotografia molto competente. Trovato un compagno d'avventura nel signor Mario Bernardo, aveva rifatto gli esperimenti descritti da Mr. Polaroid, purtroppo in condizioni troppo precarie per replicarne gli esiti straordinari. Del resto, una novità del loro approccio stava nell'intento di riesaminare la visione del colore in relazione alla nuova teoria. Avevano ricavato un articolo per una rivista specializzata, cosa di cui si era premurato di informare l'inventore della Polaroid.

Forse Willy gli avrebbe mandato solo due righe di ringraziamenti. Ma non era questo che contava: l'importante era ricollocarsi sullo stesso piano di possibilità che il Bassotto impersonava.

Quando però Ruth gli ha consigliato di telefonargli, si è sentito così risollevato da mettere sul giradischi l'album di Dave Brubeck (regalo della vicina di cui seguiva a titolo di amicizia una nipote epilettica) battendo sui braccioli il ritmo di *Take five*.

Ora sta per uscire dal palazzo della FAO con un senso di distacco già consumato e, avendo appena usato l'apparecchio dell'ufficio per accennare dei suoi propositi a Willy Chardack, è sicuro di essere davvero sul punto di voltare le spalle al Circo Massimo. Manca soltanto che assieme a qualche sigaretta («Ne prenda due per dopo, ho un'intera stecca.») offra a Oreste di accompagnare il ragazzino, che pare debba essere in un certo posto alle tre. Sarebbe risolta anche quella faccenda, se il portiere accettasse il passaggio in Vespa.

«Mannaggia c'ho la bici!» obietta l'interessato, prima che il padre riesca a ponderare una risposta adeguata ai sottintesi dell'offerta.

Fissano la pentola chiusa a fagotto sul banco del ricevimento, finché Oreste non pone fine all'imbarazzo. «La bici verrai a prenderla» ordina al figlio, «se il dottor Giorgio è così gentile...»

Il dottor Giorgio è così gentile che avviandosi verso il cancello domanda al bambino come si chiama. «Claudio» gli dice, e poi più nulla. Però lo osserva attentissimo mentre appende il fagotto al manubrio, sistema la catena, mette in moto.

«Dove andiamo?»

«Viale di Trastevere, sa come arrivarci? Conviene passare di lì, poi le spiego.»

«Bene. Tieniti stretto.»

Alla fine di via San Francesco a Ripa il ragazzino gli fa cenno di svoltare, sicché all'improvviso si trovano contromano, ma sono quasi a destinazione, per fortuna. La casa è alta per gli edifici di Trastevere, pitturata di un rosso lutulento su cui è affissa una targa che sembra ispirata da un surrealista: VIA DELLA LUCE.

«Mo' faccio subito.»

Il ragazzino lo ha mollato in sella alla Vespa a indovinare

l'epoca di costruzione, l'utilizzo originario (alloggi per la servitù di qualche villa?), fumando una sigaretta. Girano più gatti, non tutti rognosi, che passanti e veicoli. Probabilmente perché è domenica e la città ha appena finito di pranzare. Clangori domestici, radio che cantano e che parlano, segno che il campionato deve ancora cominciare. Un'imposta si apre, si sporge una donna dal décolleté considerevole. «Non doveva disturbarsi» grida giù. «Volevo scendere io a ringraziarla, ma è già scappato, Claudio.»

Il ragazzino esce accaldato dalle scale fatte di corsa, le calze tirate su, i ricci passati al pettine. «Mamma vuole che vado a piedi» dice con un'occhiata all'insù, «fa niente, tanto so' pochi minuti a San Cosimato.»

Il dottore vorrebbe intercedere, ma suonano le campane, sfasate come sempre. E quando il rimbombo si attutisce, si chiude anche la finestra al terzo piano.

«Sono le tre, arrivi in ritardo.»

«Nun se preoccupi, dotto', che fanno tardi anche gli altri.»

Il ragazzino non accenna a muoversi.

«Lei è tedesco, vero?» gli chiede.

«Si capisce dall'accento?»

«È quella cosa della puntualità... per il resto non parrebbe» commenta, e scappa via salutando con uno sventolio della mano.

Sono le tre, conviene che il dottor Kuritzkes si avvii verso via Asiago. Lo aspetta Mario Bernardo, vuole mostrargli dei cortometraggi didattici realizzati per la televisione. Stanno pensando a un filmato sulla visione del colore, ma trovare chi lo produce non sarà semplice. Possibile che Mr. Polaroid sospetti che lo abbia cercato con l'intento di battere cassa? si chiede di colpo, fermo sul Tevere con truppe di turisti e suore allineate al semaforo. Si mangerebbe le mani se fosse così, se a causa di un assurdo malinteso la corrispondenza con Land dovesse interrompersi sul nascere. Deve parlarne a Mario e adesso non sbagliare strada, meno male che a Prati non ci si perde facilmente. Lascia la Vespa davanti alla RAI, dove lo informano che il signor Bernardo gli ha lasciato un messaggio.

Georges,
    scusa il contrattempo. La solita cosa del cinema: ti cercano e devi correre. La chiamata arriva dal produttore di Fellini, il posto è molto amato dai neorealisti. Raggiungimi, se ti va. Altrimenti ci vediamo in serata.

Mario

Indicazioni: Vai a Termini, prosegui per piazza Vittorio, dopo piazza di Porta Maggiore prendi la Prenestina. A una certa altezza vedi sulla sinistra un cilindro enorme, un mausoleo romano. Da lì, segui il mio disegno.

Soccorso dalla monumentalità antica, il dottor Kuritzkes imbocca una traversa che spera sia quella disegnata dall'amico. Nel dubbio, frena più di quanto lo esiga il dedalo di stradine fittamente abitate, vuoi per leggere il nome della via (Giovenale: un poeta così l'hanno relegato a casa del diavolo?), vuoi per fermare qualcuno, se occorre. Andando quasi a passo d'uomo, lo sguardo attento a ogni cosa che gli viene incontro, l'aria stagnante tra le case che lo avvolge di folate d'afa, anche il respiro si rallenta al ritmo dilatato dello stupore. È spaesato? Forse. È spiazzato dalla familiarità di quel sentirsi estraneo, reazione epidermica rispetto a un paesaggio urbano che riaccende una vigilanza allenata a Napoli, rispolverata a Marsiglia, molto meno a Barcellona e a Madrid dove combatteva anche per la libertà dei ladri. Non riconosce quel che vede, non ha idea di dove collocarlo, però gli sembra di conoscerlo. Forse sono reminiscenze di un film che ha visto. No. Qui conta la visione del colore, la materia del colore, la polvere giallastra che si leva dalla strada. Gli intonaci corrosi, pastosi sulle costruzioni basse. I laterizi infossati, la ruggine sui tetti di lamiera. L'indifferenza torpida o chiassosa degli abitanti. Umanità proletaria e sottoproletaria che per due spiccioli di diaria non disdegna certo il costume dell'eterna plebe romana, ma chiede altro che fare massa in qualche *kolossal*. Inurbato a viva forza, inglobato come gli ultimi pratoni con le pecore annerite dal traffico sulla Prenestina. Deve girare a destra al primo incrocio, procedendo molto piano. Non è sicuro se poi svoltare alla prima traversa o alla seconda. C'è un albero che invade la visuale, le radici sollevano il manto stradale, una quercia. Poteva stare sulla Sierra Morena, come l'intero abitato appartenere a uno dei villaggi abbandonati dove era passato a servizio nell'infermeria, parola grossa. Sì, in una casetta simile si era appalesato Robert Capa, di punto in bianco.

Era intabarrato in un'accozzaglia di vestiti civili e militari, così sporchi di fumo e calcinacci che Georg lo aveva preso subito per un soldato. Il freddo era tremendo nei primi giorni del '38, e il borgo nelle prime retrovie superava i mille metri. Nella stanza dove ricuciva i feriti, il gelo diminuiva di pochi gradi: per sfruttare la luce non si poteva rattoppare la finestra con carta e stracci. Lo aveva mandato via con la sequenza di frasi che ripeteva in modo automatico senza neppure alzare lo sguardo dal tavolaccio. «*Para buscar a unos compañeros heridos vaya a la cocina, si eres herido tu mismo, camarada, busca a una enfermera.*» Avrebbe pensato qualcun altro a scacciarlo, se era solo sfinito o sotto shock, o cercava giusto un po' di caldo. L'uomo era rimasto sullo stipite, ma poi se n'era andato.

Solitamente il buio concedeva una tregua in cui i feriti venivano portati lassù, i casi gravi da operare in un cerchio di lumi al petrolio degno di un Caravaggio. Il buio permetteva anche di dare il cambio al personale medico, cosa non sempre possibile, ma quel giorno Georg aveva potuto smontare. All'ingresso c'era il solito assembramento di barellieri e soldati medicati, indistinguibili nell'ombra. Ma l'uomo di prima lo aveva identificato: «Georg Kuritzkes!» Lui si era spaventato e si era voltato controvoglia. Lì lo chiamavano soltanto Jorge, *doctor* o *camarada*, e non voleva credere che avessero mandato qualcuno a fargli storie. Non l'aveva deciso lui che l'offensiva dovesse svolgersi senza le Brigate Internazionali e neppure che fosse stabilita un'eccezione per i medici.

«*Was für eine wunderbare Überraschung! Und an einem solchen Tag!*»

«Sind Sie Robert Capa?» aveva chiesto, con quella forma di cortesia che lì non si usava. Lo aveva riconosciuto anche dall'iperbole (addirittura «meravigliosa» la sorpresa di incontrarlo!), ma i compagni quel giorno erano entrati a Teruel e la notizia aveva fugato il sospetto che l'enfasi fosse stata ironica.

«Un giorno che ci ridà forza» aveva assentito.

«Tu hai fatto il tuo lavoro, io ho fatto il mio, ora possiamo festeggiare, no?»

«Naturalmente» aveva risposto, «ma dopo questa notizia a maggior ragione non posso allontanarmi. A Teruel staranno organizzando i soccorsi, verranno a prendere qualcuno...»

«*Richtig*» aveva detto Capa. Si era tolto il berretto, l'aveva cacciato in tasca, e senza chiedergli il permesso era rientrato nella sala operatoria.

Georg se l'era immaginato sfacciato («come quelli là» diceva Gerda indicando gli scugnizzi sugli scogli), ma più giovane. Era la guerra che invecchiava, almeno quando ci si trovava dentro sino al collo.

«Doktor Kuritzkes» aveva ripreso Capa sbottonandosi la giubba sotto la quale proteggeva la fotocamera. Si era scusato di rubargli qualche minuto, nonostante la presa di Teruel fosse una gioia da condividere con *todo el mundo*.

«Ma questo no» aveva aggiunto estraendo una busta di fotografie dal taschino e mettendogli l'intero mazzo in mano.

La luce fioca non aiutava a guardarle, ma nascondeva ciò che era meglio Capa non vedesse: il gelo bruciava gli occhi appena si inumidivano.

«Posso tenerne una?» gli aveva domandato.

«Anche tutte. Siamo fotografi, ristampare non ci costa nulla.»

«Siamo?»

Lui, Chim e Gerda avevano affittato un atelier: luminoso, tranquillo, spazioso a sufficienza perché vi abitasse il suo amico assistente. Ruth Cerf veniva a dare una mano, il lavoro non mancava, per fortuna.

Georg non capiva come potesse sproloquiare in quel modo: invitarlo a Parigi, offrirgli un letto nello studio, insistere che era meglio di un hotel – l'arredamento era merito del gusto ineguagliabile di Gerda, del suo spiccato senso pratico. Ne era infastidito al punto di domandarsi se Capa non avesse qualche rotella fuori posto. Lavorava sotto tiro e rischiava continuamente di restarci, anche se un fotografo poteva sempre tirarsi indietro, però forse il suo equilibrio ne aveva risentito.

«E Ruth sta bene?» si era informato. «Quando la vede, me la saluti tanto.»

Tra le fotografie Georg aveva notato un ritratto posato, illuminato dal sorriso inconfondibile di Gerda. Capa se ne era accorto subito.

«Non faccia complimenti, *bitte*» gli aveva detto.

Sapeva, il fotografo, quante volte le aveva tolto quella giacca di pelliccia?

E poi c'era un'altra foto dove Gerda tirando su una calza faceva una smorfia delle sue. Tutto, si vedeva: la coscia esibita, il letto in disordine, i fiori della tappezzeria d'albergo delabré, una bottiglia di pastis, una vestaglietta a kimono appesa dietro il lavabo.

Non avrebbe dovuto farsi dare proprio quella foto, ma era stato l'altro a mettergli sotto il naso la sua intimità con Gerda.

Quando aveva restituito il mazzo, Capa piangeva. Piangeva e annuiva veemente approvando la sua scelta, mentre stentava a infilare il resto delle fotografie nella busta. Georg credeva di essersi abituato ai compagni che cedevano di colpo, prendendo a respirare affannosamente o a lacrimare in silenzio come rubinetti guasti. Ma non c'era stato niente da fare: si era messo a piangere pure lui.

«*Entschuldigung*, Georg, non abbiamo tempo da perdere...»

«Il tempo per una sigaretta dovremmo ancora averlo»

gli aveva detto cercando la sua ultima razione, riconfortato dal pensiero che, con la fine dell'assedio, sarebbe finita anche la penuria di tabacco.

Capa gli aveva offerto una delle sue sigarette americane, promettendo di lasciargli il pacchetto prima di andarsene. Sarebbe ripartito subito per Parigi e poi per la Cina, dove sarebbe dovuto andare assieme a Gerda. Ormai non poteva più rimandare. Ma non venire a Teruel sarebbe stata una defezione, un tradimento.

Parlava con la cicca in bocca, succhiando meccanicamente ogni volta che fiatava, e aveva trafficato all'interno della giacca sino a staccare una borraccia e offrirgli il primo sorso.

«Devi accontentarti di questo *Schnaps* aragonese, la scorta di brandy è finita.»

Dal modo in cui continuava a chiacchierare (di quell'*aguardiente* casalinga adatta a sciogliere le pietre; del grande Ernest Hemingway che beveva come una spugna ma era devoto con tutto il cuore alla causa; delle domande infinite che avrebbe voluto fargli, ci fosse stato tempo) sembrava essersi ripreso.

Lui però al terzo giro si sentiva stordito. Non aveva dormito, aveva mangiato soltanto un po' dei soliti fagioli. Dopo aver mandato giù un ultimo goccio (gli pareva di essere un etnologo costretto a fraternizzare con l'oggetto dei suoi studi), aveva riconsegnato la borraccia a Capa con un gesto che significava basta.

«A Gerda» aveva detto piano. Non alterato, no, ma forse spinto da quell'*aguardiente* micidiale ingurgitata a infischiarsene di eventuali reazioni.

Con un sorriso largo, complice, quasi sinistro per l'effetto che l'unica lampada accesa creava attorno al bianco dei denti denudati, Capa aveva ricambiato il brindisi, *auf unsere Gerda, lechaim*, alla vita, e alla libertà!

Aveva bevuto rumorosamente e dopo essersi pulito mento e bocca aveva riattaccato a parlare: dell'ingaggio che lo aveva trattenuto a Parigi, dello schiaffo preso al funerale (li conosci, vero, i fratelli Pohorylle?), della imperdonabile sciocchezza di averla lasciata quaggiù.

« Pensa » gli aveva detto, « io mi ero convinto che, nel caso di una battaglia decisiva, si sarebbe precipitata a scortarla la stampa militante al completo! Non li vedevo forse? A Madrid o al congresso degli scrittori a Valencia, come le mosche sul prosciutto. Il corrispondente del *Daily Worker*, l'inviato della *Pravda*, e non ti dico gli altri. Mi faceva piacere? No. Avevo altra scelta? No. Ti assicuro che avevo pensato persino di raccomandarla a quel giornalista canadese che lei si filava più degli altri. Gran bel ragazzo, come può esserlo un ventenne allevato a bistecche e latte, sport di squadra, fiducia nel bene che trionfa travasata sul comunismo. Mi dicevo che sarebbe morto piuttosto che abbandonarla, tanto era cotto. Ti rendi conto, Georg? *So ein Idiot!* 'Teddie, please keep an eye on her.' Capisci, come in un film hollywoodiano: lui che giurando diventa tutto rosso, lei che sorride tutta raggiante girando gli occhi da uno all'altro. Gerda gli avrebbe fatto fare quello che voleva, e io, idiota, non mi accorgevo del pericolo. Così lei ci è rimasta. Lui se l'è cavata, poveraccio. Ted Allan: magari ti è capitato di conoscerlo? »

Sì, in effetti l'ultima volta che aveva visto Gerda c'era quel giornalista. Parevano in rapporti fin troppo buoni, ma questo a Capa aveva preferito tacerlo. Gli aveva detto di averlo conosciuto in licenza a Madrid, bisognava dare atto che Gerda teneva molto a introdurre i vecchi amici alle sue nuove conoscenze.

Capa lo aveva scrutato a lungo, poi gli aveva fatto una domanda stravagante rispetto a quelle che si sarebbe atteso, ad esempio che impressione gli avesse fatto Ted Allan. Invece gli aveva chiesto: «E lei come ti ha presentato?»

«Le parole esatte?»

«Se te le ricordi...»

«Qualcosa come '*Voilà, je vous présente mon très cher ami, le docteur Kuritzkes*'.»

Quello che, dopo qualche secondo di silenzio, aveva temuto fosse un pianto soffocato, si era rivelato una risata tenue, chioccia, tenuta dentro per il gusto di covarla.

«Lo sai che cosa aveva raccontato a Teddie? Gli aveva detto che non poteva più innamorarsi perché il suo vero amore glielo aveva ammazzato Hitler. Ah, quant'era bello e coraggioso, quel grande amore, quel medico di origine polacca! *Docteur Kuritzkes, mon cher ami*, che tu possa vivere sano come un pesce sino a centovent'anni!»

Senza lasciargli il tempo di reagire, Capa aveva ripreso a parlare a ruota libera. Meglio così, visto che quella confidenza lo aveva scosso.

Ted Allan si era presentato a Parigi, uno straccio sulle stampelle, per cui Capa se l'era tenuto vicino, sino a proporgli di imbarcarsi insieme per New York, da dove Teddie sarebbe tornato a Montreal. Sulla nave si trascinava dalla cabina alla sala da pranzo come il campanaro di Nôtre-Dame, ma con il mare mosso si attaccava volentieri al suo braccio. Guardandolo abbattuto e penitente, si perdeva in racconti innamorati.

«Che devo dirti, Georg? Non mi dispiaceva. Era l'effetto proverbiale di mal comune mezzo gaudio? Può darsi. Mi piaceva ascoltare quanto fosse fantastica la nostra Gerda. Non so tu, ma io ero geloso come un macaco, anche se questo complicava terribilmente la convivenza. Però da quando lei non c'è più, non m'importa a chi faceva gli occhi dolci.»

Capa gli aveva offerto un'altra sigaretta, come per incoraggiarlo a rispondere. «Non sono stato geloso, quasi mai» aveva risposto.

«Sì, questo lo sosteneva anche Gerda.»

L'ultima confidenza che Capa gli aveva fatto prima che li cacciassero, prima che lo abbracciasse sulla soglia della sala operatoria, era che Teddie si comportava così di giorno, mentre la sera, quando aveva bevuto («non c'era altro da fare sulla nave!»), la musica cambiava. Blaterava che avrebbe portato Gerda in America e l'avrebbe guarita dal dolore per quel medico polacco. Non esisteva impedimento ai suoi sogni tranne la morte, e la morte, come nel finale di un romanzo, poteva rendere tutto possibile a posteriori.

«Sono fatti così, gli americani. Sognano una casetta identica a quella del vicino, con bambini e caminetto, e magari un'enorme stella rossa sull'albero di Natale, e nella loro testa l'hanno già bell'e comprata.»

Sul transatlantico Teddie si era vantato che Gerda aveva trovato brillanti i suoi racconti, lo aveva persino incoraggiato a mandarli al loro amico Hemingway. E lui le avrebbe dimostrato il suo talento e, *sorry to say, my friend*, la fama di uno scrittore superava facilmente il successo di un fotografo.

«Erano momenti non tanto gradevoli, *mein lieber Georg*. Ma cosa dovevo fare? Rammentargli la Cina e *adiós my friend*? O spiegargli che Gerda non si faceva tante storie nei momenti di respiro tra una battaglia e un bombardamento? Era stata premurosa nell'offrirgli quella bugia, peccato che Teddie, nella sua tracotante ingenuità, avesse deciso di ignorarare l'avvertimento. Ne era invaghita, forse, ma lo era pure di tanti giovani che vedeva partire la mattina e non tornare più la sera. In fin dei conti, la sola cosa che Gerda amava senza riserve non eravamo io e te e nessun altro, ma tutti quelli che impegnano le loro vite contro il fascismo, erano la Spagna e il suo lavoro al fianco del popolo spagnolo.»

Georg aveva annuito.

Gli restava il dubbio se lei non avesse cominciato a stufarsi anche di Capa, eppure doveva credergli su un punto: in guerra la persona più vicina è il tuo compagno e il compagno di Gerda era stato Capa, l'unico che lei avesse avuto accanto. Georg non era stato dispiaciuto di doverlo ammettere, dal momento che lo aveva visto scomparire finalmente dietro la curva della strada, zaino in spalla, bavero alzato, berretto di lana grossa calato fino al collo. Il pacchetto di Lucky Strike, purtroppo, si era dimenticato di lasciarglielo.

Preso dai ricordi, il dottor Kuritzkes si è fermato sulla traversa di via Giovenale che dovrebbe essere la strada giusta. Potrebbe ripartire, adesso, però si è appena accorto di una stravaganza: l'incontro con Capa a Teruel gli è rimasto più impresso del momento in cui i compagni gli avevano dato un quotidiano riportato da un giorno di licenza. Una brutta notizia, avevano detto. Le parole di cordoglio, che pure dovevano avergli offerto, sono scomparse. «*Enterrada en París la camarada Gerda Taro caída en Brunete.*» Un buco. Un buco che aveva un preciso nome clinico. Era rimasta solo la data sul ritaglio di giornale custodito nella tasca, dove un soldato tiene tutto ciò che gli è più caro: primo agosto, e avrebbe dovuto essere un giorno di compleanno.

Il dottor Kuritzkes decide di tirare fuori le indicazioni di Mario Bernardo per controllare dove si trova, ma è chiaro che cerca un espediente per staccarsi da quei ricordi. Sono quasi arrivato, si conferma, con il motore che sobbolle e sfiata, le suole che ancora non si alzano dalla carreggiata.

Il fronte di Cordova era stato in letargo durante tutto quel periodo, tranne una scaramuccia a metà settembre a cui aveva preso parte. Erano arrivate lettere da Napoli e da Parigi e, per qualche tortuosa via clandestina, persino da sua madre: affranta, fluviale di retorica e raccomandazioni. Inutili. Era venuto anche Morandi a fargli le condoglianze. Un grande coraggio richiede grande coraggio, aveva detto stringendogli la mano. Ringraziandolo, aveva ricambiato la stretta. Soltanto mesi dopo, quando a furia di impegnarsi a salvare le vite dei compagni si stava rimpossessando della propria, gli era balenato in testa che forse doveva il suo trasferimento al vecchio comandante. Aldo Morandi era un uomo capace di dire che faceva a meno di un soldato votato a farsi impallinare, quando poteva venir buono per rimettere in piedi quelli ancora validi. Chissà se in aggiunta aveva precisato che non si era macchiato di alcun cedimento del morale, quel soldato, finché non aveva saputo della morte di Gerda Taro. Imparassero a celebrare una scriteriata come esempio d'eroismo e non tenere conto delle esigenze di chi la guerra la sapeva fare.

È un pensiero nuovo, il primo che rinfranca il dottor Kuritzkes. Magari non sarebbe lì, riparato sotto una quercia per far passare le automobili, se non ce l'avessero condotto la cordiale antipatia per Gerda di un ufficiale all'antica e il lungo congelamento del fronte di Cordova, corrispondente al proprio congelamento. Sì, si è rinfrancato. Per quanto sia ancora straniato, si è accorto che quelle macchine che vede sfilare, tra cui una nera lucidissima, non possono appartenere a quelle vie miserabili. Se ne stanno andando quelli del cinema, si dice, quindi appena trovo Mario siamo liberi di dedicarci ai nostri progetti.

Poi scorge un gruppo di persone attorno a un paio di motorini e comincia a sentire un vocio che, a brandelli, gli arriva troppo alto. È una lite? Magari no, visto che da queste parti urlano per niente. Però non vuole passare in mezzo a un litigio, specie in un quartiere dove potrebbe degenerare, e allora spegne la Vespa e si mette in ascolto.

«Andate via, qui non c'è nulla che v'interessi. Capito? Dovete andarvene.»

La reazione è un «datti una calmata», ma poi le voci si fanno di nuovo indistinguibili. L'unico modo per capire cosa sta succedendo è sporgersi oltre quell'albero.

Malgrado veda di spalle una parte dei litiganti e l'altra tenda a scomparire e riapparire dietro le frasche, non esiste margine di dubbio. I vestiti, il corpo, la fisionomia di quei ragazzi sono da borghesi. A quel punto si tuffa verso di loro con una frenata stridente che tacita il diverbio.

«Sapete dove posso trovare il signor Bernardo?» chiede.

«Dovrebbe essere ancora al bar dietro l'angolo» rispondono senza un accenno di stupore.

Anche davanti al bar ci sono persone che si parlano fitto, tranne una signorina lasciata sola con un bloc-notes e una bottiglietta d'aranciata. In cima agli scalini che dividono il terrazzo dalla strada, Mario Bernardo discute con il gruppo che deve aver posato indumenti e borse sulle sedie degli altri tavoli.

«Georges, ma che piacere» esclama vedendolo. «Spero tu non abbia tribolato a trovarci. Posso offrirti un caffè o una bibita, visto che hai attraversato la città con questo caldo?»

Il dottor Kuritzkes accosta, spegne il motore, segue l'amico al tavolino dove ha lasciato la sua giacca, e che si chini per riprenderla anziché invitarlo a sedersi gli fa capire che Mario non vede l'ora di andarsene. Ma il caffè lo prendono lo stesso, al banco di marmo opaco ma ripulito prima di appoggiarci i piattini.

«Fanno anche il gelato, se ti va» propone l'amico, quasi a correggere l'ospitalità troppo sbrigativa. Poi, sottovoce, dice che quelli del cinema pensano che con i soldi si sistemi tutto. Sbuffa, sembra contrariato.

«Non vuoi nient'altro?»

«Solo un po' d'acqua. A Napoli te l'avrebbero già data. Ma l'Italia è complicata, un continente.»

L'amico è d'accordo, e trova notevole che se ne accorga. Stando a Roma, osserva, quasi tutti cominciano a credersi nell'ombelico del mondo oltre al quale c'è solo la trascurabile provincia. E questo, precisa, quando i romani autentici non conoscono molto di più delle quattro strade in cui sono abituati a muoversi.

Mentre serve il bicchiere d'acqua, il barista s'intromette. «C'avete ragione, dotto', e pure l'amico vostro, che se è stato a Napoli magari è passato pure dalle mie parti. Io sono nato qui, ma li zii giù in Ciociaria dicono che i tedeschi so' stati gentiluomini in confronto a quello che c'hanno combinato gli altri! E poi possiamo dirlo, no?, che de' romani veri, quelli che hanno avuto i bisnonni ai tempi di Giulio Cesare, ce so' rimasti pochi!»

Il dottor Kuritzkes, ormai abituato a quei commenti, risponde che è stato a Napoli per motivi più piacevoli dell'ultima guerra e aspetta che Mario Bernardo intaschi il resto. «Meno male che sei arrivato, Georges» gli dice mentre escono dal bar, «così non mi tocca riascoltare tutta la solfa mentre mi riportano a casa. Chissà quando si farà questo film... Intanto qui hanno girato il più grande capolavoro del cinema recente, *Roma città aperta*: proprio la sequenza dove ammazzano la Magnani e portano via il tipografo. Rossellini non s'è inventato niente. Questo era davvero un covo sovversivo, o una roccaforte, se preferisci. Uno lo hanno fucilato alle Fosse Ardeatine, tre deportati a Mauthausen e non sono più tornati. Ma erano in tanti, era il quartiere intero, erano tutti i quartieri popolari, e questo più degli altri. Non come a piazza Barberini, con le tue contesse nere felici di aver trovato il medico tedesco per curarsi i nervi...»

«Una sola, Mario. E quella» gli ricorda, «non ha più cercato le mie prestazioni quando ho colmato in modo, come si dice *gründlich?*, ecco, esaustivo, il suo interesse circa il mio curriculum.»

Non è da molto che Mario Bernardo è al corrente di simili episodi, vale a dire che il dottore non lo considera più un amico all'italiana, ma un amico nel significato che non ha smesso di attribuire alla parola. Vittorio Somenzi, del resto, gli aveva anticipato che poteva fidarsi di lui. Lo aveva conosciuto in guerra, momenti che legano, seppur drammatici e per fortuna superati. Era noto che il professore era stato un ufficiale dell'aeronautica, ma era altrettanto evidente che era un sincero progressista, nonché un gran signore. Ed era stato lo stesso Mario Bernardo a raccontargli il loro incontro, una sera in cui avevano cenato insieme dopo il lavoro per il loro esperimento, gustandosi l'ombra del pergolato di una bella trattoria sul Gianicolo.

Vittorio era nel genio aeronautico, ma non era mai salito su un aereo fino all'8 settembre, quando era riuscito a mettersi a disposizione dell'Office of Strategic Services, che lo aveva paracadutato sulle Prealpi bellunesi a contattare una brigata garibaldina isolata dalla neve caduta in sovrabbondanza sui passi del Cadore. Bernardo e il suo gruppo di partigiani erano lassù, in quell'ultimo lembo d'Italia sottoposto al *Gauleiter* del Tirolo, a corto di munizioni e vettovaglie, e l'uomo in completo di tweed grigio apparso sul dosso come lo sperduto commesso viaggiatore per cui lo spacciavano i documenti falsi, era sembrato troppo bello per essere la persona che attendevano al comando.

«Devi sapere» gli aveva spiegato Mario, versandogli del bianco fresco, «che mentre il paese si era liberato, noi lì ci aspettavamo di vedere i sorci verdi. Girava voce che i tedeschi si preparassero a resistere a oltranza, concentrando nel ridotto delle Alpi tesori saccheggiati, fabbriche sotterranee di missili, e tutti i pezzi da novanta con gli uomini più freschi e più fedeli. I servizi americani ci credevano, noi molto meno. Sapevamo degli accumuli di refurtiva, ma non avevamo mai visto né schiavi deportati che costruivano fortificazioni, né forze nuove. Vittorio lo aveva comunicato ai suoi superiori, eppure non si poteva stare tranquilli, perché nulla ci faceva escludere che i tedeschi si organizzassero più a nord. Si dice che proprio questo scenario avesse spinto Eisenhower a occupare la Baviera lasciando Berlino ai sovietici. D'altro canto, ci inquietava che gli Alleati, all'apparenza così convinti di questa *Alpenfestung*, evitassero di bombardare l'area, quando la padronanza dei cieli era loro. Sapevamo che larghi settori anglo-americani volevano tenere al minimo il contributo degli italiani alla liberazione, di noi partigiani comunisti, soprattutto. Girava voce che le regioni nordorientali sarebbero state unite all'Austria, come scippo all'Italia rossa emersa dall'insurrezione e come barriera contro la Jugoslavia titina. Quindi eravamo lì, a ridosso del nemico, morsi dal freddo, male armati, con l'aspettativa di lasciarci la pelle, e chissà se sarebbe servito, alla fine. Le cose poi sono andate lisce, ma questo non smentiva quei timori. Anzi, l'ultima impresa che aveva visto impegnato Vittorio e i ragazzi della Brigata Calvi li confermava. Era appena passato il 25 aprile, quando i servizi gli chiesero di localizzare un gruppo di ostaggi delle SS prelevati da Dachau e trasportati in Val Pusteria, zona operativa di nostra competenza. Vittorio si era accertato che fosse giunto a Villabassa il prezioso carico umano, prigionieri eccellenti che i capi supremi delle SS, intenzionati a scambiarli, avrebbero fatto liquidare nel caso non avessero avuto nulla da perdere. Vittorio era in parte a conoscenza delle trattative che stava conducendo il comandante della Wehrmacht in Italia, e persino da quello delle SS, ma questo l'ho saputo anni dopo. Morale della favola: la crisi degli ostaggi si è risolta bene, perché la bestia bionda, o almeno i due capibranco preferirono mettersi a pancia in su anziché eseguire gli ordini con cieca obbedienza. Bastava però che un paio di guardie concentrazionarie agissero come d'abitudine, cioè gettando i prigionieri giustiziati nel lago di Braies, per rischiare di compromettere nientedimeno che la fine della guerra in Italia.»

Il dottor Kuritzkes si era dedicato all'abbacchio con le patate ma, ascoltando quel racconto, aveva avuto un'intuizione. Era per caso il convoglio di cui parla Léon Blum nel suo libriccino di memorie? L'aveva letto a Parigi, commosso dalla fedeltà che i coniugi Blum avevano mantenuto a Buchenwald e durante l'ultimo trasporto, quando l'anziano socialista era così debole che avrebbe potuto non arrivare al termine del viaggio.

«Sì, quello» aveva esclamato Mario Bernardo, ed era vero che Léon Blum era molto malandato. Eppure, dopo avere ringraziato il comando partigiano venuto a liberarlo, aveva voluto attendere gli americani con gli altri compagni di sventura. Lo avevano salutato con rispetto ed erano tornati in Cadore.

«Il mondo è davvero piccolo» aveva commentato il dottor Kuritzkes, e Mario aveva elencato gli altri prigionieri. C'erano il vecchio cancelliere austriaco von Schuschnigg con moglie e bambina, due nipoti di Churchill, il figlio di Badoglio, un nipote di Molotov, l'intero Stato Maggiore greco e altre personalità di spicco dell'Europa conquistata: tedeschi in gran numero, tra cui una maggioranza di «von» vattelapesca – i familiari di von Stauffenberg e degli altri congiurati dell'attentato a Hitler, un nipote dell'ultimo Kaiser, il principe d'Assia marito di Mafalda di Savoia, tanti comandanti della Wehrmacht caduti in disgrazia e un barone dell'acciaio von Thyssen...

«Ah be', tutti antifascisti della prima ora e convinti democratici!» lo aveva interrotto il dottor Kuritzkes, poco disponibile ad assaporare quell'elenco.

Mario aveva riso, ma colto il filo troppo tagliente del suo sarcasmo.

«No, ti sbagli» aveva obiettato lanciando il nome di

238

Martin Niemöller, il coraggioso pastore luterano, e poi quello di un nipote di Garibaldi che si era unito subito alla «Calvi».

«Indubbiamente» aveva assentito, irritato con se stesso. Ma aveva poca pazienza con i discorsi da reduci, tutti così simili: e che anche i racconti dei vecchi partigiani fossero carichi di nostalgie sclerotiche, nostalgie da perdenti, non lo sopportava.

Forse era colpa sua se Mario si era intiepidito man mano che descriveva la svolta ottenuta grazie a un capitano della Wehrmacht, un altro di quegli Junker impronunciabili, che era riuscito a mettere gli ostaggi sotto la sua protezione: cosa di cui questi erano stati felicissimi, specie quando le SS si erano arrese all'ordine di tornare a casa, dove il Führer stava per suicidarsi. Così all'hotel Lago di Braies era scoppiato un idillio tra militari, sudtirolesi e deportati, «mancavano giusto il tè e il valzer». Ad ogni modo, prima di potervi condurre gli americani, le loro visite all'hotel su una Balilla requisita venivano accolte con sconcerto: non solo per le poche mitragliette, ma perché tutto quanto per «lorsignori» era da banditi. Solo il nipote di Molotov, il povero Vasilij che aveva visto uccidere il figlio di Stalin a Sachsenhausen, era rimasto sordo alle implorazioni di restare all'hotel, pena chissà quale disgrazia. Era andato con loro, era stato ospitato a Belluno, poi consegnato a Bologna ai sovietici, e infine aveva ringraziato i suoi liberatori via Radio Mosca. Il nipote di Garibaldi, invece, se lo erano ritrovati sul groppo, autoproclamato generale della Val Pusteria e con lui un tal Ferrero, Davide, capitano partigiano sulle Langhe catturato e deportato dai tedeschi. In quei giorni convulsi erano proiettati sull'Italia libera, l'Italia da rifare, ma avessero saputo che il Ferrero si era venduto alle SS prestando i propri uomini come guardiani della Risiera di San Sabba, altro che vicecomandante di un Garibaldi!

D'un tratto, le parti si erano rovesciate: Mario a chiedere di cambiare discorso, lui a replicare, ma certo, lasciamo perdere, capisco.

«Permetti che aggiunga solo questo, Georges» aveva concluso Mario. «Ci accusano di aver fatto giustizia sommaria, ma una giustizia giusta la si è mai vista, dopo, in Italia?»

«Compagno» aveva risposto Georg, «io salterei il dolce e il caffè. Passiamo a un grappino o un amaro?»

«Quello che prendi tu, lo prendo anch'io.»

Quella sera, dopo avere accompagnato a casa Mario Bernardo, il dottor Kuritzkes aveva voluto fare quattro passi spingendo la bici lungo i serpentoni del Gianicolo. Forse le altre volte non aveva imboccato la via Garibaldi, fatto sta che non aveva mai notato il bianco spettrale dell'ossario con cui i fascisti – ROMA O MORTE – si erano appropriati dei caduti della Repubblica romana. Era solo un esempio particolarmente spudorato di qualcosa che incontrava dappertutto, un continuo assorbirsi l'uno nell'altro di usi, costumi e accadimenti storici che lo adagiava in una sospensione del tempo e del giudizio, rotta nell'istante in cui dal petto di una nobile cariatide romana eruttava l'amore per il Duce, o nell'opposto venire allo scoperto di Bernardo e Somenzi. All'improvviso, aveva capito cosa significava che Vittorio non fosse salito su un aereo prima di farsi paracadutare dagli americani, come Mario gli aveva appena raccontato. Non era alla guida di nessuno dei Savoia-Marchetti mandati a bombardare le città spagnole né dei Fiat B.R.20 delle squadriglie legionarie che, mitragliando a bassa quota, avevano causato la collisione in cui era morta Gerda. E dal momento che l'ombra era stata sprigionata (i superiori di Somenzi al genio meteorologico non erano stati per caso coloro che avevano stabilito le condizioni favorevoli all'attacco di Brunete?), lui non avrebbe dovuto lasciarsi il mausoleo alle spalle e scendere in volata fino al ponte Sisto, godendosi lo splendore della città eterna, come tutti? Gerda non ci sarebbe riuscita a meraviglia? Non avrebbe barattato le sfilate del Ventennio con un accredito per il défilé di Emilio Schuberth, pronta a scattare a raffica sull'uscita della sposa? L'avevano fatto Chim e Capa, che s'intendevano assai meno d'alta moda che di parabole di tiro; e perché no, se era il lavoro più richiesto per un fotografo, dopo la guerra...

Non aveva niente da ridire sulla capacità di adattamento, quella di Gerda, anzi, gli era sempre sembrata invidiabile. Però lo aveva deluso la faciloneria di Capa, quando si erano rivisti dopo la liberazione di Parigi, ed era stato l'altro a cercarlo e riabbracciarlo. Capa gli aveva promesso che sarebbe passato dalla Springerstrasse, se fosse capitato a Lipsia, e che avrebbe portato provviste e medicine a sua madre. Poi era uscito il numero di *Life* del maggio '45, con quel piccolo strafottente G.I., il soldato americano per antonomasia, nel gestaccio di un « Sieg Heil! » sulla tribuna di Norimberga: un'immagine di tanta trionfale irriverenza che poteva averla ideata un unico fotografo. Era stata un'emozione riconoscere in lui l'autore della fotografia, come se quella copertina, che mostrava al mondo intero il trionfo dei piccoli uomini alla Capa, fosse un tributo allo spirito di Gerda, il modo giusto per dedicarle la vittoria. Aveva aperto il giornale sugli Champs-Élysées e, seguitando a camminare, scoperto gli ultimi americani su un balcone che azionavano una mitragliatrice, e poi le foto di uno dei soldati caduto sotto il colpo di un cecchino («*maybe the last man to die in WWII*»), il sangue che si allargava sul parquet di un interno borghese, a Lipsia. Ricevuto il suo messaggio di congratulazioni, Capa lo aveva richiamato quasi subito. Troppe morti cretine fino all'ultimo, grandi casini con una ragazza, non aveva avuto tempo e testa per passare da sua madre: *c'est dommage, Entschuldigung*. La testa per fotografare un uomo appena ucciso però l'aveva avuta, e probabilmente pure quella per decidere che non valeva la pena visitare una vecchia bolscevica, anche se Dina lo avrebbe ripagato di storie strabilianti a proposito di Gerda, persino senza l'obolo di qualche *K-ration* che l'avrebbe molto aiutata.

Il fotografo è un lavoro che premia gli opportunisti, favorisce i pattinatori in superficie. Un medico, al contrario, si trova implicato nelle vite dei pazienti, vite che neanche con l'aiuto di qualche lastra spesso offrono un'immagine univoca. C'è chi è nato per barcamenarsi e chi lo fa comunque, bene o male. Gerda avrebbe avuto la *Souveränität* di non voltarsi indietro e, al tempo stesso, non rinnegare nulla.

Neanche Capa, doveva ammettere, era stato un'assoluta banderuola: quel viaggio in URSS con Steinbeck non gli era stato di giovamento già nel '47. Meno ancora negli anni successivi, quando Parigi e Roma si erano riempite dei suoi amici americani finiti sulle liste nere, i quali, non certo esiliati nullatenenti come erano stati loro, non si allontanavano dai confortevoli alloggi oltre a Montmartre o Trastevere...

Georg ricorda e medita tutto questo, mentre Mario, fuori dal bar del Pigneto, è stato chiamato da qualcuno della produzione che la tira per le lunghe. Lo aspetta paziente, intanto fuma una sigaretta e inganna il tempo a fantasticare su quel locale così simile a una *taberna* di paese, dicendosi che a Capa avrebbe smosso una corda più segreta dei caffè di via Veneto, e così a Gerda.

Conviene che esca sul terrazzo per liberare l'amico dalle chiacchiere, si dice Georg, e finalmente riescono a ripartire con la Vespa. All'incrocio con la Prenestina, Mario gli propone di fare un salto dove hanno girato la maggior parte delle scene di *Roma città aperta*, se è d'accordo.

«Andiamo.»

Si trova dall'altro lato della strada consolare, via Montecuccoli. I crolli e le macerie che s'intravvedono nelle celebri scene del film li ha bonificati con profitto la nuova edilizia, tirando su palazzine non più elevate dello stabile d'anteguerra davanti a cui Mario gli fa segno di fermarsi. Sono quei piani aggiunti in altezza e, soprattutto, l'estensione dei caseggiati a mutare drasticamente il volto del quartiere: non meno periferico, visto che la via finisce a ridosso della tratta ferroviaria, ma operaio senza equivoci.

«Di qua della Prenestina la città dei lavoratori, di là la parvenza di un habitat ancestrale, generoso del *frisson* che il visitatore prova dinnanzi al popolo di guappi e lazzari, come a Napoli in pieno centro» osserva Georg all'amico, che annuisce pensieroso.

Nessuno fa caso a quei due che, davanti al numero 17, appoggiati alla Vespa, discutono di cose astratte, di poeti e registi del neorealismo, nel sereno viavai del giorno di riposo.

«Non sarà il cinema a cambiare chissà cosa» riflette Georg. «Saranno quelli che vivono in questi caseggiati, le nuove leve operaie, le ragazze che portano a casa un salario.

243

Per loro è più facile opporsi al padrone che farsi valere tra le mura domestiche e le lenzuola, ma una volta che hanno cominciato, non le fermi. Credimi, l'ho visto: in Spagna che non era meno arretrata dell'Italia, per non dire di Lipsia e di Berlino nei primi anni Trenta. Lo sai che certe studentesse a volte sembravano quasi invidiose delle compagne proletarie? Perché la libertà di portare i capelli corti o di andare a bere una birra – e ci andavano anche da sole, le nostre operaie – non l'hanno avuta in concessione da un padre o fidanzato, ma guadagnata con le proprie mani. Sono conquiste lente, poco adatte a *épater le bourgeois* e insieme ad attrarlo perché ne rispecchiano l'ipocrita pochezza.»

«Spero che tu abbia ragione» replica Mario e, già rimontato in sella, obietta che quando si lottava per la libertà, si era messo in movimento persino il Veneto retrivo, solo che adesso è tornato come prima.

«Non si torna mai completamente indietro» dice Georg prima di ripartire.

Gliel'ha strappata l'ottimismo del momento la frase fatta? E tuttavia quelle strade di quartiere e, tutto sommato, l'Italia intera alimentano una certa fiducia nel progresso, mentre il confronto con la Germania è desolante.

Georg riceve qualche lettera dagli interbrigatisti saliti con lui sulle montagne o arruolati nella Legione straniera, molto più raramente da chi è stato a Buchenwald, Mauthausen eccetera. Sono tornati nelle città d'origine, dovendo subentrare ai padri e ai fratelli caduti o distrutti dalla prigionia, oppure seguendo il richiamo di quella che, nonostante tutto, era la *Heimat*. Scrivono di essersi allontanati dalla politica, «perché se ti fai arrivare al naso tutti quei vecchi nazi ti viene l'asma». Un artificiere tornato al tornio di un'acciaieria di Mannheim gli ha scritto che «respiri ovunque un *Mief* e una *Spießigkeit* a cui sfuggi solo andando nella *Kneipe*». Non sono proprio equivalenti le traduzioni suggerite dal dizionario Sansoni: «aria muffita, viziata, stagnante», e non lo è neppure «perbenismo». «Siamo tornati indietro di cent'anni» fa eco un compagno medico, *Halbjude* battezzato, rientrato in possesso della villa a Francoforte, ma non dei beni accumulati da generazioni di *Kommerzienrat*. «Il paese è stato lavato con il Persil in una di quelle lavatrici che adesso tutti sognano: ne è uscito candido e decisamente apprettato.»

Gli descrivono cauti il loro stato di malessere. Lo interpellano in qualità di specialista «perché il mio dottore dice che non ho niente, ma dietro mia insistenza mi ha prescritto queste pillole». Quali consigli può dare lui, per lettera, quando nell'intera *Bundesrepublik* non conosce il nome di un collega da raccomandare?

È diverso nella DDR, dove i reduci della Guerra di Spagna sono celebrati come eroi, ricoperti di medaglie, avvantaggiati nel lavoro. Gli scrivono poco e non si lamentano, pur lasciando affiorare qualche sprazzo di nostalgica insofferenza.

Ma quando pensa a sua sorella, rimasta di una bellezza ragguardevole, vale a dire che nelle strade monocrome di Lipsia spiccano la sua figura snella, i foulard che le manda dall'Italia, l'impalcatura dei capelli cotonati, avverte una stonatura.

I rinfreschi che Jenny organizza quando lui torna a Lipsia esprimono quanto siano attese quelle visite. «Brindiamo a mio fratello che lavora per le Nazioni Unite.» Riempie di *šampanskoe* i calici di Boemia, offre il vassoio con le tartine («Assaggia il caviale, Georg, ce lo regalano, ma non abbiamo molte occasioni per mangiarlo»). Un'ospite perfetta, la moglie incantevole di cui il compagno *Professor Doktor* deve considerarsi fortunato. Basta però guardare verso sua madre, già messa comoda con il suo bicchiere o intenta a conversare con voce stentorea, per cogliere un divario non riducibile al carattere, una differenza epocale. «È contenta così. Durante la guerra ha avuto l'alta scuola di un diplomatico americano» taglia corto Dina, e lui non ha nulla da ribattere.

Dina, però, non si sarebbe mai prestata a comparire al fianco del Prof. Dr. Karl Gelbke come fa Jenny. Fin dove lo accompagna la memoria, ha sempre visto sua madre mandare i figli a prendere bevande e cibarie, seduta a discutere con gli altri. Dina non si sarebbe mai sognata di risciacquare i bicchieri perché si passava da un vino secco a un vino dolce. Può ignorarlo, adesso, forte della licenza di cui gode in virtù della sua età e della sua storia venerabile, può non ricordare come era stata sua figlia da ragazza: una buona selvaggia, più buona ma non meno selvaggia dei fratelli. E così, riconvocando «la nostra Gerda», può sovrapporre un'eroina inesistente alla ragazza a piedi nudi, la camicetta sbottonata sulla sottoveste, che le stava accanto mentre strappavano le erbacce in giardino, zappavano, piantavano rose e insalata.

Dina aveva un abbigliamento più adatto al giardinaggio, un grembiule verde stinto, un paio di vecchi sandali, un fazzoletto variopinto annodato alla maniera delle contadine, da cui scappava qualche ciocca grigio-nera. Erano così prese

246

dal ritmo del lavoro scandito da una canzone molto russa, molto ballabile, da non essersi accorte del suo arrivo.

Quella volta non lo aspettavano, e Georg non si aspettava di trovare Gerda. Le aveva detto che i treni da Berlino erano pienissimi, le aveva consigliato di andare da loro in serata con il dottor Gelbke. Lui non sarebbe partito presto per non viaggiare in piedi con le valigie pesanti (scarpe, lenzuola e asciugamani, libri universitari), e non aveva idea di quando l'autobus passava alla stazione. Poi un compagno camionista gli aveva dato un passaggio e, nonostante le tappe a Luckenwalde, Wittenberg e Dessau in cui lo aveva aiutato a scaricare lampadine OSRAM, era arrivato nella tarda mattinata. Si era fatto lasciare all'incrocio con la stradina in salita, si era incamminato trascinando i bagagli (la valigia con i libri era un macigno) per mollarli davanti alla porta, una piaghetta sul palmo destro e un fiatone a malapena controllato.

Cantavano così forte da zittire gli uccelli della Dübener Heide, sua madre e Gerda, e non lo aspettavano. Nemmeno lui, fermo a guardarle sulla veranda della casetta di villeggiatura, si aspettava di vederle lì assieme, e così accordate in quella melodia che apparteneva ai suoi ricordi infantili più profondi. Avrebbe voluto annunciare la sua presenza unendosi al loro *tumbala tumbala tumbalalaika!* Però la voce interiore che anticipava il ritornello suonava invadente, fuori luogo. Ripresero il refrain, accelerando. E Georg, ancora muto e immobile, non si era più sentito il terzo incomodo, ma il protagonista di una scena onirica, dove l'estraneo e il familiare si confondono, le cose più vicine appaiono intangibili, e poi all'improvviso sono già tue, senza bisogno di toccarle.

«*Tumbalaaaika, spiel Balalaika, tumbalaika, fröhlich soll sein!*»

O era Gerda, che procedeva di strofa in strofa senza nessuna esitazione, che non doveva essere svegliata dall'incantesimo?

Comunque era diventato tutto limpido, come nei sogni: ciò che Gerda vedeva in sua madre e viceversa, nonostante le apparenze e le reali differenze. Le due si somigliavano. Ecco perché la sua bella signorina piaceva tanto alla figlia undicesima di un tessitore giunto per fame da uno *shtetl* lituano nella città di Łódź, scappata di casa per seguire la rivoluzione, ricercata a sedici anni dalla polizia zarista, fuggita dalla Russia a diciotto, diventata madre a venti, divorziata a ventisette con tre figli a carico...

E poi? Poi c'era stata un'ultima ripetizione del ritornello, tanto veloce che sua madre si era bloccata con la zappa in mano e, raddrizzandosi, lo aveva finalmente visto. Non Gerda, che aveva chiuso su una nota alta, trascinata, traballante. Poi aveva lanciato un urletto acuto: «Oddio, sei qui da molto? Mi sa che ho stonato in una maniera orribile!»

«Ma no, che sei bravissima! Era da secoli che non sentivo più *Tumbalalaika.*»

«Davvero? Dai, che ti aiuto con le valigie... Hai messo dentro i sassi?»

«I libri, Gerda. Prendi l'altra, se proprio insisti.»

Dopo il primo bagno al laghetto con i suoi fratelli, erano tornati a casa. Il corpo un po' abbronzato (non era mai stato così pallido in quel periodo dell'anno, Gerda invece frequentava la piscina), il battito dell'altro cuore ancora accelerato, l'odore d'acqua di stagno e di pelle sudaticcia che avvolgeva entrambi. Si era disteso sul letto e si era addormentato. Gerda ronfava, di lato, un piede che sporgeva dal materasso. Lo aveva ritirato soltanto dopo che lui si era alzato. Per un istante aveva aperto gli occhi, rigirandosi supina con un mmmhm che l'aveva scombussolato, un sospiro non molto da dormiveglia. Era rimasta così, una mano sul ventre, a gambe aperte.

Lasciala stare, non è il momento.

L'aveva coperta ed era andato a disfare i bagagli. Era finita senza domande, quella giornata.

Fermo ai semafori di piazza Esedra, Georg sente ronzare nella testa lo stupido aggettivo «fuoriclasse» che Gerda gli evocava pensando a quegli orgasmi strappati alle abitudini vacanziere della sua famiglia. Soma e Jenny che rientravano sul tardi, Dina che leggeva all'ombra di un albero aspettando il dottor Gelbke, mentre Fritzchen, sfinito dai giochi e dai tuffi con i fratelli grandi, riposava accanto a lei nel passeggino.

L'ambiente in cui era cresciuto lo aveva avvantaggiato. Gli erano state risparmiate le ansie e le smanie della doppia morale, le mele avvelenate in paradiso, questa menzogna originaria per fondare il dominio dell'uomo sulla donna e lo sfruttamento dell'uomo sull'uomo, che deve espiare con il sudore della fronte. Gli erano state portate a esempio alcune scimmie che si accoppiavano in modo ludico, condividevano la cura della prole, formavano in pratica una tribù comunitaria. «Noi però non viviamo ancora nel comunismo e non siamo scimmie» concludeva Dina, «tu perciò devi andarci piano e fare attenzione, mi capisci? Così fai contenta anche la ragazza.» Tutto questo l'aveva reso più sicuro dei compagni di liceo, persino quelli in cima alle gerarchie ricorrevano al portafoglio per sfogarsi. E ogni volta che millantavano i loro accoppiamenti, confermavano il suo disprezzo per la volgarità ipocrita delle classi agiate. Nei confronti degli amici, no, era piuttosto tollerante: dopotutto non era colpa o merito di nessuno che fossero pieni d'impedimenti e impacci a lui ignoti.

Gerda avrebbe potuto essere la sua nemesi, ma non era accaduto. La prima volta, Georg era così eccitato di scoprirsi corrisposto che non si era lasciato deviare da nessuna ansia. Soltanto dopo si era chiesto se il fatto compiuto avesse stabilito la vittoria su Pieter. La mente era stata sul chi vive finché Gerda non era tornata da Stoccarda, il corpo si fidava di quel corpo stupendo che gli parlava senza equivoci. Gerda era Gerda: una donna smaliziata che nei piccoli disguidi di un amplesso scoppiava a ridere come una ragazzina, un'amante dalla grazia principesca e dalla spigliatezza di una cameriera, un talento naturale che non somigliava alle borghesi né alle proletarie, e tantomeno alle scimmie edeniche di sua madre che forse non esistevano nemmeno.

Era la gioia di vivere. Qualcosa che esisteva, si rinnovava, accadeva ovunque, prima a Lipsia e poi a Berlino: nella *Pension* non lontana dal suo studentato, nella camera affittata dietro l'Alexanderplatz presso la vedova di guerra Hedwig Fischer e, infine, sulla branda di Max e Pauline, detta Pauli, in pieno Wedding.

Frau Fischer non aveva avuto problemi con la *Frollein*, bastava che pagasse un extra, calcolato sull'aspetto dell'elegante signorina e tuttavia inferiore al costo dell'albergo che aveva pesato sui suoi bilanci studenteschi. C'era stato da temere un aumento, ma la crisi s'era fatta così nera che conveniva tenersi buoni gli affittuari che pagavano la retta. Georg era stato riconoscente della duttilità di Gerda: che avesse imparato a raggiungere Berolinastrasse, quando non poteva venirla a prendere alla stazione. Che non avesse commentato il passaggio brusco da una traversa di Unter den Linden a una zona dove abbondavano i banchetti di roba scadente e le *Kneipen* aperte sino a notte fonda. Era curiosa, Gerda, per nulla intimidita dai ceffi e dalle inequivocabili presenze femminili. Si accorgeva, anzi, quando non vedeva più la tal passeggiatrice, quella così opulenta, che fine aveva fatto? Si era presa l'influenza, aveva avuto dei problemi con la buon costume, o qualche guaio più serio?

E se quelle osservazioni si dovevano in parte all'attrazione un po' posticcia per la metropoli sgargiante e malfamata, il suo occhio felino si era allenato a vedere anche il resto. L'aumento dei dormienti, uomini e donne, in ogni rientranza degli edifici dai quali riuscivano a non farsi cacciare. Le file per la distribuzione di una *Suppe* caritatevole inversamente proporzionali all'assortimento di alimentari nella bottega sotto casa. Le facciate di buona fattura guglielmina che si annerivano perché lo spazzacamino costava troppo, le fogne che puzzavano di più, idem la gente ammassata nella U-Bahn. Notava tutto, Gerda. Chiamava le cose con il loro nome, precisa e arrabbiata. Notava pure – e glielo riportava con supremo divertimento – che la fissavano come un'apparizione, a volte le fischiavano dietro, si precipitavano a domandarle: «S'è persa, *Frollein*, posso darle una mano con la valigia?» Certo che si lasciava dare una mano, «grazie, davvero, gentilissimo». Se Georg la invitava alla prudenza, «perché, ascoltami, tu non sai che effetto fai da queste parti», lei gli rispondeva con un sorrisetto.

«So distinguere un povero cristo da un farabutto, cosa t'inquieti se mi vengono dietro gli operai e i disoccupati: non sarai forse pure tu un po' classista?»

«Macché classista: qui non conta che la brutale forza fisica, se si mette male.»

«Può mettersi male anche quando prendo il sole al Tiergarten.»

Doveva avere ragione, per continuare a fare, come sempre, di testa propria.

Un giorno l'aveva vista arrivare in compagnia di un ragazzo della stazza di uno scaricatore. Camminava chino, smozzicando sotto i baffi qualche parola che si intuiva di ruvida *Berliner Schnauze*, mentre Gerda lo stordiva di chiacchiere inframmezzate da qualche domanda nel suo impeccabile tedesco salottiero. Georg, scostandosi dalla finestra, aveva scosso la testa e, da quel momento, smesso di stare in pensiero. Gerda non era un'intrusa in quei paraggi, ma una creatura celestiale la cui assenza di malafede rendeva quasi impossibile l'azzardo di sfiorarla con un dito. Si era sentito orgoglioso della sua ragazza, ma anche in difetto: le due cose insieme gli avevano impedito di fiutare che la questione, sotto sotto, era un pochino più complicata.

Era una questione di fiuto, alla lettera, una faccenda sorta a partire da una confezione di Aqua Velva che Gerda gli aveva regalato mesi addietro. Quell'acquisto infiocchettato, lo capiva, era simile agli altri doni che aveva imparato ad apprezzare, lui che ai grandi magazzini non avrebbe saputo scegliere il portafoglio perfetto per rimpiazzarne uno consunto, la sciarpa di un blu particolare. A volte erano regali di compleanno, a volte lo trascinava nei famosi saldi, quando i templi della merce si riempivano di tutta l'umanità che altrimenti non osava frequentarli e i commessi esibivano l'impassibile sopportazione dei maggiorenti costretti a ricevere gli omaggi della plebaglia. Però doveva ammettere che guardarla mentre provava una dozzina di cappelli o sfilava in abiti da *grande soirée*, che poi lasciava lì dicendo che cercava qualcosa di più semplice, lo divertiva, lo eccitava persino un po', come un gioco proibito.

Un pomeriggio, mentre uscivano da Tietz, avevano trovato un picchetto che rivolgeva lo sguardo cupo verso il *Polizeipräsidium*. Nessuna piazza berlinese era stata coinvolta nei moti di protesta quanto Alexanderplatz, nessuna aveva visto tanti morti, feriti, barricate, arresti di massa: dall'insurrezione spartachista al Primo Maggio del '29, l'ultima prova sanguinosa del trattamento che la SPD riservava all'opposizione di sinistra. Tenendolo sottobraccio come fanno le coppiette a spasso per acquisti, Gerda lo aveva subito tirato verso quei volti accusatori, alzando il pugno. Nel gesto, le era scivolata al gomito la busta semivuota del Kade-We usata per la recita della cliente abituata al meglio, e lui le aveva sussurrato all'orecchio: «Ka-de-We per tutti, compagni e compagne: di Tietz o Wertheim non ci accontentiamo!»

«Smettila, stupido.»

Quella risposta flebile gli aveva offerto la conferma che, per Gerda, un mondo guarito dalla disuguaglianza avrebbe dovuto realizzare anche il diritto universale al superfluo. L'aveva guardata rialzare il pugno con la busta al gomito, desiderandola moltissimo, promessa di un paradiso in terra che aveva il privilegio di assaporare in anticipo.

Ma il dopobarba che gli aveva portato dal Kaufhaus des Westens non riusciva a farselo piacere. Credeva di aver soppesato le parole con cui le aveva detto che per lui era uno spreco immeritato, ma poteva cambiarlo con una bella cosina per se stessa. Era successo un finimondo. Gerda si era addirittura incaponita sulle proprietà antisettiche del suo regalo, come se fosse la ragione per cui si era offesa a morte. Fatto sta che in un batter d'occhio erano arrivati alle accuse che rasentavano l'insulto: tu vorresti che io fossi tutt'altro, scordatelo, non sarò mai come prescrivono i tuoi schemi. Sai che ti dico? Torna dal tuo Pieter. E tu prenditene una che marcia come un dragone, possibilmente con i baffi, visto che è quello che ti meriti. Gerda era inferocita al punto d'almanaccare sulle doti amatoriali della virago, solo che poi l'esagerazione l'aveva fatta ridere, cambiare tono, ribadire nel modo più suadente quanto sarebbe stata felice se avesse tenuto quella lozione americana così fresca. Tenere l'aveva tenuta, usata quasi mai. Lo disturbava il profumo in faccia – non cattivo, affatto, ma inutile e alieno. Per quieto vivere, si cospargeva quando lei veniva a Berlino aspettando che l'odore da parvenu evaporasse. Per questo lo sconcertava come mai potesse di nuovo molestarlo a fine giornata, quando era l'ultima cosa da cui voleva lasciarsi invadere: affogando le mani nei capelli di Gerda, dirigendo la lingua sui piccoli capezzoli, annusando il secreto appiccicato alle sue dita in un profluvio odoroso così ricco da fargli arrivare le scie d'Aqua Velva come un sabotaggio, un'allucinazione olfattiva. Aveva quindi sospeso le applicazioni mattutine: se Gerda avesse avuto da ridire, le avrebbe dichiarato che alla chimica prediligeva lei allo stato di natura.

Ma non c'erano stati chiarimenti né quella volta, né quella successiva. Trascorso in bellezza il fine settimana, Georg aveva ripreso le lezioni e il tirocinio alla Charité, ma quegli impegni non erano motivo perché Gerda non prolungasse le sue visite a Berlino. Non si muoveva più come una turista, anche se amava ancora sedersi nei caffè alla moda, andare al cinema quando il tempo era brutto, passeggiare per i sontuosi viali di rappresentanza. Ma incamminandosi la mattina oltre l'Alexanderplatz si fermava spesso alla tabaccheria nella Karl-Liebknecht-Haus, per proseguire dalla fortezza comunista dove, di volta in volta, la mandava Georg: a versare il contributo per la Rote Hilfe, a lasciare dei volantini nei locali giusti, a incontrare qualcuno in una bottega-ufficio-stamperia o in una sede sindacale. Si crogiolava nell'accoglienza che trovava ovunque, ignorando le sigle e i simboli che cambiavano da un'insegna rossa all'altra. Seguendo le indicazioni di Georg, Gerda tracciava un possibile percorso per il fronte unitario della sinistra, spensierata per natura, speranzosa per principio. Non raccontava mai di un momento di paura, salvo una volta in cui s'era imbattuta nella feccia nazista che, con tanto di mezzi paramilitari, avanzava sulla Grenadierstrasse, la via più distintamente ebraica dello *Scheunenviertel*. Non sembrava troppo preoccupata dagli scontri tra rossi e bruni che erano all'ordine del giorno. Confidava che lui non l'avrebbe fatta avvicinare alle zone calde e, in ogni caso, seguivano le notizie come un bollettino meteorologico delle attese precipitazioni di violenza. Prevedere tutti i disordini era comunque illusorio: un'altra signorina di provincia non avrebbe più azzardato inoltrarsi nella capitale, forse neppure venirci in visita. Gerda invece aveva l'aria soddisfatta quando gli ripeteva che aveva imparato a scansare i pericoli come un'autentica ragazza di Berlino.

Georg, ritrovandola sul letto a leggere come niente fosse, l'abbracciava forte. E un giorno aveva sentito, inconfondibile, profumo d'Aqua Velva.

«Sto usando il tuo dopobarba, visto che tu non lo consumi. Ti dispiace?»

«No no, usalo pure» aveva replicato incredulo, «ma mi chiedevo...»

«Sai, io lo trovo ottimo, altrimenti non te l'avrei comprato. Non importa se è poco femminile...»

«Ecco, quel profumo... a che ti serve? Non mi pare che ti cresca la barba.»

«Dovrei far fuori la mia *eau de toilette* quando esco in quell'aria mefitica?»

La questione era evaporata: Gerda non mancava di trovare le sue soluzioni e, soprattutto, non sarebbe mai rientrata negli schemi di nessuno.

Poi le cose erano cambiate, precipitate all'improvviso. Il dottor Kuritzkes preferirebbe non ripensarci, ma il giro lungo intorno a piazza Venezia, incubatrice e palco del fascismo, rende impossibile distrarsi da quelle riminiscenze. Non aveva fatto in tempo ad avvisare Gerda che lo avevano arrestato. Prove non ne avevano trovate, ma dopo la perquisizione nella sua stanza berlinese, avvenuta mentre era ancora in carcere per accertamenti, la Fischer lo aveva lasciato entrare a stento. «Prenda la sua roba e se ne vada: qui va bene tutto, ma il nemico in casa non lo tollero. Bella gioventù, mandata all'università per imparare come si pugnala alle spalle la Germania!»

Tutto questo glielo aveva raccontato dopo, andando a prenderla alla stazione come avevano concordato in precedenza. Per costringerla ad ascoltarlo aveva messo a terra la valigia. Era meglio che tornasse a Lipsia con l'ultimo treno. La strega non voleva i traditori della patria, ma i suoi soldi li aveva voluti subito sull'unghia. Così si era trasferito nel Wedding da Max e Pauli, dove spartiva la cucina con un tranviere. Vale a dire che dormiva lì, e sarebbe rimasto ad abitarci.

«Andiamo alla vecchia *Pension*, pago io» era stata l'offerta immediata e generosa di Gerda.

«Non so neanche se ci prenderebbero. Andrò a processo, potrebbero esserci segnalazioni.»

«Adesso non esagerare, avere una ragazza non è ancora un delitto. O vuoi farti dettare ogni movimento?»

Nella settimana in cui si era adattato al ristagno di caffè ribollito e al dado Maggi, alle molle della branda e al sonno del compagno tranviere, Georg si era preparato. Così come aveva messo in conto un arresto, aveva ripensato alle reazioni di Gerda, calcolando quelle che sarebbero seguite. Non era passata un'ombra di spavento sul suo volto, un accenno di smarrimento, uno spasmo corrucciato.

«No. Non è il caso di andare in quell'albergo. Credimi» aveva ribadito lui.

«Va bene, ma ne esistono altri, *molto peggiori*, dove non faranno tante storie. Hai ammazzato qualcuno, forse? Capita, oggigiorno, ma gradirei saperlo...»

Provocava per insistere o si era indispettita proprio adesso? Proprio lì, in mezzo all'Anhalter Bahnhof pullulante di divise regolari e irregolari, forse persino più abbondanti dei borseggiatori, dei mendicanti e dei senzatetto? E lui, anziché dirle, vieni, ti spiego tutto, però usciamo, aveva cacciato fuori una voce strozzata per berciare quanto fosse fuori luogo il suo sarcasmo. Non lo sapeva che *ammazzare qualcuno* non era mai stato in cima alla scala dei reati di uno Stato invalido di guerra, ossia accecato all'occhio destro? Non l'aveva forse trascinata al cimitero di Friedrichsfelde, dove si era tanto commossa davanti a quel muro di mattoni ossidati, la stella enorme che le aveva ricordato uno *Zimtstern* natalizio, il cumulo di rose offerti alla loro Rosa? Quale pena avevano scontato gli assassini di Luxemburg e Liebknecht, e poi Leo Jogiches ucciso in custodia a Moabit da uno sbirro di cui erano noti nome cognome e pure grado? O quelli del ministro firmatario della resa, quell'Erzberger perdipiù colpevole di aver tassato i proprietari terrieri, quanti anni si erano presi? E gli studenti che avevano ammazzato con un colpo in testa quindici operai fermati per chissà quale sedizione vicino a Marburg? Zero. Per non parlare del piccolo caporale austriaco che per un putsch da birreria se l'era cavata con otto mesi e nemmeno l'espulsione, per carità di patria! No, un così sincero amante della Germania poteva aspirare al cancellierato. Ludendorff: assolto. Hindenburg, l'assassino di milioni di soldati: presidente della Repubblica! A lui, invece, gli avvocati della Rote Hilfe avevano comunicato che, se saltava fuori un riscontro della sua vicinanza alla sinistra rivoluzionaria, non si escludeva l'imputazione di Alto Tradimento. Perché? Perché non se l'era data a gambe di fronte all'ennesimo assalto terroristico fascista. Perché stava venendo giù l'intera Repubblica di cartapesta allestita negli studio Ufa a Babelsberg...

«Già meglio» gli aveva sussurrato Gerda, e poi, prendendolo sottobraccio, a voce alta: «Non ti arrabbiare, caro: se hai già comprato i biglietti per l'operetta, andremo al cinema un'altra volta!»

L'operetta?

Certo, li stavano osservando. Nell'attraversare speditamente l'atrio, con la valigia di Gerda che gli sembrava un grave impaccio e l'angoscia che però si allentava, gli era sfuggito: «Come andrà a finire?»

«Hanno perso più del quattro percento rispetto a luglio...»

«Ma hanno Hindenburg e la sua camarilla al guinzaglio.»

Fuori tirava un vento siberiano, pioveva di sghimbescio, Gerda congelava nella sua giacchetta corta. Si erano infilati nel primo cinema, uno di quelli che davano senza interruzione vecchi film muti e servivano da riparo a gente come loro. Gerda si era rannicchiata il più possibile, i piedi in cima alla valigia. L'aveva baciata nell'oscurità fluttuante da fondo sottomarino, a lungo, un brivido di due temperature mescolate che si scioglievano in bocca. Nervoso, allupato, incastrato sul sedile duro e stretto, le aveva proposto di andare nel Wedding, tanto a quell'ora non c'era nessuno in casa. Dalla fermata dell'autobus erano passati davanti al più notorio casamento di Berlino. Non c'era ancora nessun segno visibile dello sciopero dell'affitto a cui si erano appena uniti gli inquilini, solo l'aspetto di cittadella miserabile, di carcere ammuffito. «Meyers Hof, vero?» aveva commentato Gerda e lui, annuendo, l'aveva tirata oltre, quando prima l'avrebbe portata da un cortile all'altro, per mostrarle come era ridotto a vivere il proletariato.

Georg ricorda la branda tirata giù, il gelo umido (accendere la stufa era escluso), lo sguardo neutro con cui Gerda osservava la stanza, esitando su quali indumenti togliersi. Il vestito, le scarpe e le calze no, la giacca di pelliccia rinfilata sulla sottoveste. Le mutande finite sopra una molletta attaccata al filo dove erano stesi i pannolini della piccola. Ricorda i rumori continui sulle scale. L'inquadratura sul secchio di patate, il secchio di carbone, la palla amatissima del figlio (che ci faceva lì, o era sempre stato il suo posto?), l'asse da stiro che balzava ai margini della visione nei suoi movimenti a stantuffo – cose da fissare per non rovinare tutto. Ricorda che Gerda era venuta all'improvviso, prodigiosamente, venuta con la sua mano sulla bocca, mordendola, e appena in tempo per tirarsi fuori anche lui.

E poi? Poi chi lo sa. Si erano ricomposti, probabilmente, avevano rimesso in ordine, scambiato qualche parola, qual-

259

che bacetto. Tenuti per mano ritornando alla fermata? Sentiti bene? Sì, questo sì.

Al piano superiore c'erano due posti vicini in fondo all'autobus. C'era un rullio, un tepore come di stalla che faceva assopire. La testa nuda di Gerda sulla sua spalla, il cappellino zuppo di pioggia tenuto in grembo. Sognava? Non era detto. C'era un gran traffico dovuto al maltempo o perché si era a ridosso del Natale, ma quel procedere a singhiozzo andava incontro allo stordimento euforico in cui ogni tensione si era sciolta.

Senza cambiare posizione, Gerda aveva riaperto gli occhi, sussurrandogli qualcosa all'orecchio: una proposta per organizzarsi meglio di cui adesso non rammenta i particolari. Ricorda che gli aveva chiesto di informarsi sugli alberghi a ore e di ricomprare i Fromms: costavano una scemenza a pacchetto. In lui doveva essersi rianimata una certa voglia, una speranza animale che era andata estinguendosi via via che lei si concentrava sugli aspetti economici dei loro prossimi incontri berlinesi. I soldi non erano un tema nuovo, perciò i discorsi di Gerda si erano ridotti a un ronzio che lo avvolgeva.

I Pohorylle avevano licenziato la domestica, e poi un commesso o garzone. Con i fratelli sistemati ai grandi magazzini Ury, si era reso necessario che Gerda si applicasse ai bilanci in bilico del commercio paterno. Il signor Heinrich pareva uno degli ebrei galiziani più negati a far girare gli affari, tant'è che aveva chiesto prestiti non solo ai parenti ma persino, tramite sua figlia, all'ex fidanzato di Stoccarda. Eppure era indubitabile quello che sosteneva Gerda, ossia che i tempi erano così difficili, molto più difficili per chi vendeva uova che per chi era nel ramo delle pellicce, non importa se aveva un'attività modesta, come quella di Kuritzkes padre rispetto ai Chardack, per esempio.

«I ricchi sono sempre ricchi, come tu m'insegni, mentre chi non lo è comincia a risparmiare persino sulle uova. L'uovo è una merce deperibile, una mercanzia fragile per antonomasia. Adesso vogliono farcele marcire con l'ideologia della razza, la concorrenza ne approfitta finché ci tocca abbassare ancora i prezzi. Ma così diventiamo l'incarnazione dell'ebreo sleale, e alla fine l'ariano ci guadagna due volte con le stesse uova di gallina uscite dagli stessi culi sporchi. Che fare? Auguriamogli la salmonella, ad ogni modo non abbattiamoci. Basta: non sono venuta a Berlino per lamentarmi.»

Gli sfoghi di Gerda erano così, energici quanto evanescenti. Spesso non erano più nemmeno sfoghi, ma solo il riassunto di quel che le era capitato da quando si erano lasciati, sciorinato su qualche mezzo di trasporto o lungo un tratto di strada poco attraente. Invece lì, in fondo a quell'autobus che li riportava in centro, lo sfogo consueto si era rotto: con un sospiro, no, un risucchio d'aria incontrollabile, un singhiozzo sconsolato.

«Che c'è? Perché piangi?»

«Niente. Lasciami stare che mi passa.»

«No, dimmelo, ti prego: forse non dovevamo, non capisco...»

Non rispondeva, cercava un fazzoletto e, per aprire la borsetta, le era caduto il cappellino. Georg aveva fatto una manovra malagevole per ripescarlo da sotto il sedile, mentre Gerda era rimasta col fazzoletto appallottolato dentro il pugno, lacrime che venivano giù di nuovo, un aspetto spaventoso, mai visto prima.

Non era in grado di parlare. L'aveva riabbracciata, le aveva dato una carezza ravviandole una ciocca.

«Non ne posso più.»

Sembrava di pergamena, improvvisamente vecchia. Anche la voce, quando era riuscita a ritrovarla, era un pigolio che diventava afono non appena si quietava un poco. Raddrizzarsi dopo ogni colpo, piagnucolava, trovare sempre un rimedio. Da quando era una bambina, grazie alla zia, che aveva mezzi ma non figli, sempre vestita a modino. E così s'era giurata di non portare mai più in casa le compagne che avevano avuto da sghignazzare sul loro strano tedesco, lo strano candelabro, la casa nel cortile, il disordine, sua madre. Pazienza, non la meritavano. E poi, passata dalle elementari alla *Realschule*, correre via al primo squillo, correre per ricevere il foglietto con la quantità di uova esatte trasmessa alla ditta dello zio «Vereinigte Eierimporte» dove papà faceva il commesso viaggiatore con provvigione sulle vendite: metà in valuta (e in quella metà c'era tutta la salvezza), metà in carta straccia. I cartoni smerciati diminuivano, gli zeri del cambio esplodevano, bisognava fare i calcoli prima che New York si risvegliasse, conteggiare le uova e la provvigione, l'uovo cadauno che valeva un centinaio e passa di miliardi, fino ai trecentoventi miliardi di Reichsmark, diventati dopo la riforma trentadue Pfennig, niente. E i fratelli accorsi in bicicletta con le valigie piene di banconote per mettersi in coda dal panettiere e dal macellaio, lei all'emporio perché era la spesa più importante. A tredici anni stabiliva priorità e strategie, correndo da Karl e Oskar per capire cosa potevano comprare e quanto dovevano pagarlo, nel caso fossero ancora in coda. Se suo padre non riusciva a chiamare in tempo, se la coda era lunga, se la borsa americana aveva riaperto quando non toccava ancora a loro, bisognava rifare tutti i programmi. Non bastava nemmeno la valuta. Non possedere altro che le provviste accaparrate nei giorni fortunati o barattate con le uova di scarto, ed era sempre lei che doveva occuparsene. Non poter contare su nessuno. Sentirsi dire dal professore di matematica che non meritava un voto migliore «perché il calcolo voi l'avete già nel sangue, ma vi difetta lo spirito geometrico degli antichi greci». Sentire sua madre, impaurita dalla volatilità dei numeri che costringevano papà ad aggirarsi tra la Svizzera illegale e la Polonia antisemita, ripetere che, grazie a Dio, lì la gente non poteva fare a meno delle uova: per colazione, per le torte e per gli *Spätzle* che da soli facevano pietanza. Risentire oggi la stessa tiritera, senza gli *Spätzle* e con molta più paura. Sentire di nuovo che i genitori stavano parlando di andarsene, tornare a Leopoli per un periodo, trasferirsi in Jugoslavia, cercare contatti in Argentina, come nel '23 e poi nel '29, quando c'era stato il fallimento e il trasloco a Lipsia. Una vita non seduta sulle valigie, diceva Gerda, indicando quella davanti al sedile, ma sui cartoni delle uova. «Ecco perché volevo essere messa molto meglio, o per essere sincera, molto ricca.»

«E adesso?»

«Adesso pure, ma non significa...»

«Cioè?»

«Che non sappia bene quel che ho scelto... te, per esempio.»

«Ah magnifico! Dai, preparati, dobbiamo scendere.»

Come sembra tutto luminoso, adesso, con quella vista ampia sul Tevere nel punto dove abbraccia l'isola Tiberina, passando oltre la sinagoga incolume (l'avessero distrutta, come quelle tedesche, e risparmiato la congrega), il sole in fronte riverberato dalla massa d'acqua per un abbaglio più completo. Diventano belli anche i ricordi che non lo sono del tutto, dalla distanza. Subiscono un restauro simile agli affreschi di santi e madonne e angeli nei cieli in occasione delle Olimpiadi: e se a Berlino è rimasto poco da restaurare, non è un problema che lo tocca.

Non si era più incontrato con Gerda, a Berlino. L'aveva rivista a Lipsia, ma non ricorda se era stato prima dell'incendio catastrofico del Reichstag, quando si era nascosto in svariati *Schrebergärten* del Rosental, in attesa dei timbri doganali per le volpi bianche con cui gli amici d'affari di suo padre l'avrebbero contrabbandato in Italia.

Adesso a Lipsia torna per rivedere i suoi cari, ma camminando per Gohlis o, peggio, capitando sul Brühl, deve rimanere con tutti e due i piedi nel presente. Non trova più quasi nessuna faccia nota. Chi non era morto in campo di concentramento, quasi sempre era rimasto nel paese dove aveva trascorso gli anni dell'esilio. Alcuni compagni rifugiati in URSS erano stati inghiottiti dal grande bianco artico da cui venivano le volpi scuoiate, la merce più pregiata trattata da suo padre. Suo padre, suicida. Le famiglie di Łódź e di Odessa, scoperte attraverso le ricerche avviate da qualche parente superstite a cui le organizzazioni ebraiche avevano al contempo annunciato la scomparsa. Ma quel che è peggio, è dover ammettere che nel paese dove si era formato assieme alla barbarie, era stata anche una questione di classe vivere o morire. Dove te ne andavi, ebreo con un piccolo deposito di uova, un piccolo magazzino di pellicce, o proletario disoccupato e piccolo militante comunista? I banditi ti prendevano la vita quando non avevi nient'altro da rubare: con calcolo, però, un calcolo senza precedenti nella storia secolare di invasori sterminatori e tiranni succhiasangue. Ladri patentati, sfruttatori e arrivisti, con il favore dell'oscurità fanatica che esaltava la necessità dell'assassinio. No, lui non ha nulla da rimproverarsi, visto che avrebbe potuto rimanere a Napoli anziché partire per la Spagna, e poi è stato il filo tiratissimo della fortuna a farlo arrivare intero al momento della resa del nazifascismo. Però gli pesa, a volte, la semplice ingiustizia di essere vivo.

È così, ma non può farci niente, tranne godersi l'ingiustizia, cosa non troppo difficile in una simile giornata di settembre. Non era forse stata persino Gerda, l'ultima volta a Madrid, ad aver detto che era quasi un peccato divertirsi ancora con Charlie Chaplin, quando non potevano più farlo tanti ragazzi che aveva incontrato il giorno prima? E non aveva riso lo stesso delle scene più memorabili di *Tempi moderni*, anche se la pellicola, rivista tante volte, frusciava in modo spaventoso? Persino Ted Allan aveva dismesso l'aria impostata da galletto e si era lasciato andare a gorgheggi fuori registro. E lui? Lui aveva apprezzato tutto: non si poteva davvero fare di meglio in tempo di guerra.

Non gli dispiacerebbe raccontare a Mario di quel proiezionista che tuonava dall'alto come Zeus, «zitti laggiù», e giustamente, perché ci voleva una calma sovrumana a mandare avanti gli spettacoli nella città da anni sotto assedio. Ma intanto è fermo ad aspettarlo poco oltre piazza Belli, dove è apparso un venditore di sigarette con cui Mario ha già concluso le trattative, pronto a tornare con una stecca di Muratti. Un tempo erano un'altra cosa, roba di lusso. La marca preferita di Gerda, sino a quando se le poté permettere, che poi coincideva su per giù con la scoperta che non erano *as Smoked by Royalty and the Nobility*, bensì prodotte in una fabbrica di Kreuzberg dove lavorava Pauli. Ah sì? Se le tenessero: in fondo, tranne la scatola stupenda, non avevano un aroma granché diverso dalle altre.

Il problema con Gerda, pensa Georg mentre l'amico rimonta sulla Vespa, era che la prontezza al cambiamento la faceva apparire sempre uguale a se stessa. Certo che produceva sbalordimenti, ma quelli passavano in superficie e, sotto sotto, alimentavano la convinzione che fosse inscalfibile. La guerra, sì, aveva cambiato Gerda, così come cambiava tutti quanti, i civili e tanto più gli uomini sul fronte. Perché una donna, che al fronte ci andava quasi ogni giorno, non doveva somigliare a un soldato?

Georg, a dire il vero, l'aveva vista al lavoro quando si era sistemata presso la sua brigata, poi qualche altra volta a Madrid. Era rimasto affascinato dalla disinvoltura con cui sapeva scegliere i suoi soggetti, aveva ammirato gli scatti rapidi e istintivi, ma non l'aveva mai vista fotografare durante una battaglia o un bombardamento. Vale a dire che, a sua volta, conosceva quella parte di Gerda soltanto per immagini riflesse: le foto che lei stessa gli illustrava squadernando i suoi taccuini a ogni loro incontro, e poi la figura evocata dalla risonanza cameratesca con cui la salutavano uomini di ogni grado, la fama di un coraggio strepitoso, la confidenza con cui la chiamavano *pequeña rubia*, piccola bionda. C'era l'eco di un rispetto straordinario intorno a lei, un'eco lusinghiera in cui riverberavano doti e caratteristiche che Georg conosceva bene, ma amplificate in un'aura leggendaria. Era vero che si presentava sulle barricate in calze di seta e tacchi alti? Che veniva accolta come una sorta di talismano, una Madonna pellegrina che donava protezione ai combattenti?

«Macché! Dove le hai sentite queste stupidaggini?» si

schermiva Gerda, divertita, e forse neanche troppo. L'idea che qualcuno la venerasse le sembrava incredibile, una fandonia per sminuire il suo lavoro e il suo impegno. Sì, era vero che un paio di volte era andata al quartiere universitario in abiti carini, visto che si arrivava dritti in tram sino alle prime linee di difesa. Ma era solo un modo festoso per dire a quei ragazzi che grazie a loro Madrid riusciva a vivere, per incoraggiarli, «e sta' sicuro che lo apprezzavano».

In quelle reazioni Georg aveva trovato la conferma che Gerda, anche in guerra, in fondo era rimasta sempre la solita. Amava farsi ammirare, sai che scoperta, però non c'erano fuoco, fumo e cieli in fiamme che potessero darle alla testa – la sua testa attaccata alle spalle, soprattutto nei momenti critici. Nemmeno le fotografie dei fronti di Segovia, Jarama e Guadalajara, di cui diceva molto meno delle circostanze in cui erano state scattate (perché avrebbe dovuto farlo? Conoscevano entrambi l'esito delle battaglie e cosa significava starci in mezzo) e molto più riguardo ai giornali che le avevano pubblicate, nemmeno quelle foto gli avevano mai fatto sorgere il sospetto che fosse diventata spericolata.

Georg prova una fitta retroattiva all'affiorare di quella parola che lo fa quasi sbandare nei tornanti di via Dandolo, e poi gli riporta in mente l'unica volta in cui aveva avuto la sensazione che la Spagna stesse modificando Gerda: non sotto il coprifuoco madrileno o sulla Sierra Morena, ma già nel novembre del '36, quando era venuta a trovarlo a Napoli.

Era stato tutto familiare, deliziosamente familiare, dopo più d'un anno di distanza che coincideva con il tempo per assorbire l'affaire con Willy e poi la separazione irreparabile: l'attesa alla stazione, la comparsa di Gerda sul binario, l'averla riconosciuta da lontano dalla giacca di astrakan, il berretto sportivo, il passo svelto. Sentirla gridare il suo nome, vederla sventolare la mano libera. L'abbraccio euforico, il passaggio di mano della valigia, l'incamminarsi fianco a fianco, avvolti dalle chiacchiere di Gerda. L'unica variazione stava nell'averla portata alla fermata del Rettifilo senza chiedere se avrebbe preferito, come al solito, andare a piedi.

«È così lontano dove abiti?» aveva chiesto infatti. «Sono giorni che sto seduta, avrei un gran bisogno di fare due passi.»

«No, anzi, è vicino. Però è brutto.»

«Soltanto brutto? O brutto che ti tagliano la gola?»

Georg aveva riso. Ma aspettando il tram che tardava ad arrivare, aveva cominciato a respingere l'accerchiamento di ragazzini velocissimi a spuntare dai vicoli. Parlavano l'uno sopra l'altro, in combutta o spintonandosi. Chiedevano monetine, sigarette, bon-bon, offrivano escursioni e *bell'otelle*, reperti antichi, coralli, preghiere miracolose, «signora bella, vulite farcela n'offerta per la salute vostra...»

«Come vedi, il problema principale è questo. E se va male, il furto o il borseggio.»

Gerda si era illuminata, scandendo una risposta incomprensibile a un piccolo *Schnorrer* e, forse, ladro che mai avrebbe potuto indovinare che *Strumpfband* e *Büstenhalter*, quei nomi ostici e marziali, indicassero rispettivamente il reggicalze e il reggipetto. A mettere al sicuro i soldi aveva pensato prima di scendere dal treno, «e scusa Georg, non possiamo risparmiarci il tram, che sarà pienissimo, e farci portare la valigia da uno di questi ragazzi? Se gli diamo una mancia, non ce la ruba, si presume, e dovrebbe pure tenere i suoi simili alla larga...»

Lo stupore che avesse avuto quell'idea dopo dieci minuti che era a Napoli, lo aveva fatto tergiversare quel tanto che bastava perché Gerda, fraintendendolo come un assenso, si indirizzasse a uno dei più grandi e gradevoli d'aspetto.

«Tu, come ti chiami?»

Lasciandogli l'incombenza di accordarsi con il prescelto, aveva camuffato a meraviglia di non aver afferrato altro che Mimì («Non è un nome da ragazza?» gli aveva chiesto dopo).

Georg, per farsi riconoscere come residente e non turista, si era premurato di non dare semplicemente l'indirizzo, ma di indicare la strada che gli sembrava più corta, dato che la signora aveva viaggiato molte ore ed era stanca: tagliare per Forcella, attraversare via Duomo e svoltare in via dei Tribunali sino ad arrivare alla piazzetta con la chiesa seicentesca e il palazzo nobiliare dove aveva trovato alloggio assieme ad altri due studenti. Aveva avvisato Gerda che il suo piccolo *Ganeff* dagli occhi grandi poteva ancora scomparire con la valigia, «ma non preoccuparti, nel caso mi hanno spiegato come recuperarla».

«Bene» aveva replicato lei già distratta.

Per strada, Georg si era reso conto che Napoli non era solo la città più economica per mantenersi, e la più protetta perché il Duce lì comandava fino a un certo punto: era anche la più adatta per svicolare a piacimento dalle coordinate della propria appartenenza. Le scritte CREDERE OBBEDIRE COMBATTERE si concentravano nelle piazze maggiori, lungo i corsi incavati dalle dominazioni antecedenti. Si fermavano alle facciate, dove cadevano con gli intonaci corrosi dall'umidità del suolo e dal ristagno di piogge datate chissà quando. Il primo quindicennio dell'era nuova a Napoli era stato riassorbito dalla fatalità barocca. CHI SI FER-MA È PERDUTO. Non lui. Strada facendo, aveva offerto una sigaretta al ragazzino che ora la succhiava con un'avidità infantile, felice, camminando un po' sbilenco. Tra le perdute genti era venuto ad abitarci, era compare di quel *criaturo* scalzo più di quanto li portassero a immaginare le prospettive antitetiche di entrambi. C'entrava pure Gerda, il fatto che fosse rimasta a Parigi, il fatto che l'avesse persa in seguito a una scelta a cui non aveva potuto opporre alcun biasimo. Eppure vederla attraversare quei vicoli rappresi in una miseria atavica, con le grida strascicate che apparentavano uomini e randagi nel tanfo di piscio e avanzi di pesce gettati dai carretti degli ambulanti; vederla prendere nota di tutto con una curiosità impassibile, gli altari votivi, la sporcizia, la ricrescita dei capelli di Mimì in confronto agli altri bambini rapati e spidocchiati, i piccoli attaccati ai balconi per tirarsi in piedi con il culetto all'aria e il moccio al naso («Non quanti se ne vedono in estate.» «Ach so!»); vederla così gli aveva fatto percepire qualcosa di insolito che non sapeva definire. Che cosa c'era di diverso in quel modo fluido di muoversi e di guardare? E poi cosa avrebbe dovuto aspettarsi, lo scandalo, il ribrezzo impaurito, la commiserazione schifiltosa? Da Gerda?

La sera erano andati a cena con un gruppo di amici sia stranieri che napoletani, e lei aveva appagato le curiosità in un italiano rocambolesco con cui prendeva in giro sia il timore che lo scugnizzo («È così che si pronunzia?») potesse trafugare i suoi bagagli, sia la propria incoscienza, che giustificava come un effetto accecante dello sguardo fotografico. Quando era sbarcata la prima volta a Barcellona, aveva raccontato, tutto il mondo le aveva parlato di un'alemana che si era stabilita nel Barrio Chino, un quartiere molto malo, e così ben ambientata che ladruncoli e zingarelli non soltanto non provavano più a toccarla, ma le arrivavano di corsa davanti all'obiettivo. Trovarsi confrontata con quell'exemplo non era stato un benvenuto agréable: lei era stata inviata come fotografa di guerra e lasciava ad altri il compito di immortalare l'intollerabile condizione proletaria.

La frase aveva suscitato una costernazione ammirata, che Gerda aveva raccolto subito tornando al suo primo impatto con Napoli e dandosi della stupida perché aveva lasciato la Leica al suo compagno. Ma dopotutto era in vacanza, e ne avrebbe approfittato per reimparare a vedere soprattutto le cose belle. Chi di loro si candidava ad aiutarla?

Incitati da quella richiesta, l'avevano portata a prendere il caffè sulla terrazza del Grand Hotel Excelsior (spendendo poco meno che nella trattoria del Borgo Marinai frequentata da borghesi e turisti), e poi sul lungomare, dove la bassa stagione e il vento di ponente avevano spazzato via le altre presenze. Bastava perché Gerda, attaccata al suo braccio, potesse narrare senza remore della grandiosa lotta repubblicana e, nelle pause, sospirare «guarda che stelle, senti che aria e che pace!»

Georg era sollevato. Avevano trascorso la prima settimana tra soste al Gambrinus, passeggiate panoramiche a Posillipo, ritorni in via Toledo sull'onda di un ripensamento su un paio di scarpette scamosciate («Sono molto carine, ma in Spagna a che mi servono?»), puntate sempre più estese nei quartieri popolari. Una giornata di maltempo, che aveva suggerito un itinerario breve tra chiese, musei e catacombe, era stata sufficiente per far capire a Georg che la pazienza di Gerda per le cose belle, o almeno belle e antiche, era piuttosto limitata. Non ne era mai stata particolarmente attratta, ma ora il suo sguardo sembrava orientato da un istinto di cronaca anche quando ammirava le scene di vita degli affreschi e dei mosaici pompeiani. Era diventata una fotoreporter. Ma questo non era che l'approdo di un'evoluzione che Georg aveva incoraggiato nelle sue lettere, e Gerda non gli aveva mai nascosto nulla. Forse, dopo la liaison con Willy e tutto quel dilungarsi sulle esperienze di laboratorio a casa degli Stein, le flânerie didattiche con la Leica dell'amico ungherese, e poi – evviva! – la prima fotografia venduta a un giornale, una foto di moda, Gerda voleva riconquistare la sua fiducia su ciò che le sembrava più necessario: fotografare le cose che andavano mostrate.

Ma anche Georg era stufo di fare il cicerone. La sua vita a Napoli era una cuccagna, però una cuccagna da miserabili. Voleva tornare a casa, guardare di nuovo le fotografie tirate fuori da un voluminoso *Baedekers Italien*, farsi spiegare meglio come arruolarsi nelle Brigate Internazionali.

Gerda gli aveva scritto di quella foto venduta prima che si rivedessero a Torino, nell'aprile del '35? Là avevano parlato dei preparativi bellici a cui all'estero non si dava abbastanza credito; dell'Italia che, seguendo la sua vocazione guerrafondaia, non poteva che tirarsi dietro la Germania. C'era il gusto di un tono da congiurati nel riprendere il discorso, deambulando sotto i portici. Il tempo per fare quattro chiacchiere da soli era poco, e lo era anche per sua scelta. Come doveva presentarle la compagna di studi con cui si vedeva? Come una morosa, la parola che lì usava dire (ma lui così non avrebbe detto)? Amica era sufficiente, anche per non passare per sottilmente vendicativo, quindi inadeguato e un po' ridicolo.

«Non rivangare niente» era stato il consiglio dell'uomo che lo aveva visto crescere e che per Gerda nutriva una simpatia al di sopra di ogni equivoco. Sas era a Torino per passare un po' di tempo con lui e suo fratello, ma anche – come s'era poi scoperto – per ricevere da Gerda informazioni da portare a Berlino. Arrivava da un interludio confortevole, però snervante quanto le esibizioni al pianoforte per cui lo aveva ingaggiato una vedova prussiana che svernava a Portofino. Gerda era felice di rivederlo, felice di tutto. Perfetta nella cornice di elegante signorilità sabauda da assaporare con spruzzi d'ironia insieme al Punt e Mes, simpatica con la sua ragazza, insospettabile come corriera clandestina. Il coraggio dell'amico musicista e di tutti coloro che resistevano nella fogna bruna aveva fornito un argomento di complicità sincera finché, dopo aver scortato Sas a Porta Nuova, era ripartita anche Gerda.

Georg aveva continuato a vedere la ragazza torinese, ma aveva anche risposto alle lettere nelle quali Gerda gli diceva del desiderio proibitivo per una Reflex-Korelle. Poi c'era stato lo stacco delle vacanze, la puntura che sarebbe andata in Costa Azzurra con il Bassotto (ma con Willy era stato terribile, gli aveva confessato Gerda, e c'era da crederle). Infine una notizia prevedibile, accantonata nel retro dei pensieri da così tanto che, lì per lì, era riuscito a prenderla alla leggera. Divertiti con il tuo fotografo finché non puoi avere la tua fotocamera, avrebbe voluto scriverle. E invece non le aveva più risposto. Così Gerda lo aveva scovato al telefono. «Ti chiamo dall'agenzia dove André mi ha trovato un lavoro, per me è importante» gli aveva detto, «ma non voglio perderti.» Lui le aveva risposto «sono qui» e «cordiali auguri», sarcastico, distante, per quanto emozionato. Dopo aveva cominciato una lettera ridondante di concetti come «rispetto», «verità», «bisogno di chiarezza», ma non l'aveva spedita. Intanto Mussolini aveva dichiarato guerra, in tre giorni conquistato Adua nel ripugnante tripudio revanscista della *Stampa* e del *Corriere della Sera*. La Società delle Nazioni si era riunita annunciando misure punitive. Le poste, travolte dalle comunicazioni patriottiche, minacciavano di inghiottire la corrispondenza tra Torino e Parigi. Una lettera, arrivata mentre l'Italia esecrava le sanzioni con autentico furor di popolo (poteva contare sulle dita le sue conoscenze rimaste tiepide, ossia antifasciste), si era arenata chissà dove per circa un mese. Gerda lo esortava a stare sereno: «Ascoltami, le nostre strade al momento procedono separate, ma corrono sempre in parallelo...» Le aveva risposto poche righe. Non aveva mai saputo se quella lettera avesse raggiunto l'indirizzo parigino dov'era andata a vivere con Friedmann o, grazie all'aiuto delle poste, avesse continuato a viaggiare su quelle rette parallele. Comunque, il suo momento di chiarezza l'aveva avuto. Anche all'università, dove gli studenti fascisti avevano preso a bersaglio gli stranieri, vale a dire i rifugiati, riuscendo a estromettere coloro che già collaboravano con gli istituti di ricerca. Così si era trasferito a Napoli, dispiaciuto di perdere una cerchia di amici appena collaudata e la ragazza verso cui si era accorto di provare dell'affetto nel momento in cui aveva detto di non avere alcuna idea sul futuro. Ma si era sentito in qualche modo rinfrancato da quella disillusione che abbracciava tutto, costringendolo a voltare pagina.

Con Gerda si erano scambiati alcune lettere, dove la necessità di non nominare la politica aveva rafforzato i confini della pura amicizia. Poi era arrivata la Guerra di Spagna, e infine, l'occasione per rivedersi a Napoli e raccontarsi mille cose, come lei gli aveva scritto con prudenza. Smanioso di ascoltarle, Georg si era ritrovato a rincorrere una donna che, dopo aver contrabbandato un campionario di miliziani, contadini con il pugno alzato sulle terre collettivizzate e bambini con i berretti degli anarchici, adesso correva su e giù per *salitelle* con quello sguardo famelico. Era tutto così interessante, diceva, tutto così paragonabile con la Spagna – anche se il popolo spagnolo si stava liberando. I ragazzini seduti sul selciato a giocare a carte, i bar affollati per il rito magico del lotto, le vecchie nere davanti all'uscio, la musica arabeggiante. E Capa che si sarebbe intrufolato dappertutto come il topo nel formaggio. Sì, Capa sembrava proprio uguale a quella gente, scuro e stazzonato com'era venuto fuori dalla sua culla levantina: un trafichino abile, un simpatico spaccone, un casanova da strapazzo. No, non veramente un casanova, ma con la fregola di fare colpo sulle ragazze e una faccia tosta che lo aiutava. Benissimo. Libero tu libera io liberi tutti. Però appena lei si filava liberamente qualcun altro, allora dava di matto...

Per questo era venuta a Napoli? Per un dispetto amoroso? Oppure per dargli un segnale che l'amore si stava raffreddando? Ma perché citare Capa a ogni passo, perché chiamarlo sempre con il nome con cui si vantava di averlo ribattezzato, quasi fosse un titolo che investiva anche lei di chissà quale grandezza? Lo considerava un collega, un maestro, insomma un fotografo su cui non aveva nulla da ridire, tranne sfogare l'avvilimento che fosse tornato a Madrid, mentre lei al momento era a spasso. Dunque le cose interessanti che notava, in realtà, non la interessavano affatto?

A casa seguivano la radio fascista che andava ascoltata per quello che non comunicava. Gli «strenui progressi per liberare la capitale dal bolscevismo» volevano dire che Madrid non era caduta al primo assalto. Madrid doveva opporre una resistenza forsennata, visto che, a sentire la voce roboante, l'offensiva godeva del sostegno morale, fisico e militare del grande patto d'amicizia tra Roma e Berlino, ora protese nell'abbraccio al generale Franco. A quella notizia Gerda si era irrigidita, era scattata dalla sedia. «Se non fossero convinti che nessuno muoverà un dito, quei due delinquenti non avrebbero annunciato la fine della neutralità formale.» Avrebbero scaraventato sulla Spagna l'ira di dio, d'ora in avanti, considerato che non si erano mai sforzati troppo di occultare i loro interventi. Era tesa come un ratto, le tremava la mascella. Georg l'aveva portata a Villa Floridiana in funicolare, ma il parco era un bel parco come tanti («mai come il giardino delle meraviglie di Gaudì a Barcellona!»), il golfo offuscato, e tutta Napoli, con i suoi richiami spagnoleschi, la sua chiassosa indifferenza, cominciava a darle un po' sui nervi.

Avevano deciso di partire per Capri.

Nella casa contadina dove Soma aveva trovato un compromesso tra l'idillio campestre e il risparmio sull'affitto, l'acqua toccava prenderla nel pozzo e non c'era luce elettrica. Gerda però ne era entusiasta. Le piacevano la famiglia ospite di vignaioli, la comunità degli studenti che andavano all'università con il traghetto, la villa a picco sugli scogli dove Gor'kij aveva accolto Lenin, e le altre dimore celebri con quei paradisiaci giardini che avevano protetto ciò che altrove era perseguitato in nome della legge. Un paradiso per diavoli, secondo i benpensanti, e non occorreva essere un Krupp o comunque ricchi e ricchioni (aveva imparato dai locali) per abitarci! Fantasticava di venirci a vivere, arrossata dall'aria fresca e dal vino fatto in casa, infilandosi nel letto di Georg con la spiegazione semplice che un corpo striminzito impiegava un'eternità a riscaldare le umidissime coperte: i piedi, per esperienza, si sarebbero scongelati verso l'alba. Non parlava più di Capa, della Spagna raramente, eccetto quando c'era un pubblico da convincere alla causa.

Georg aveva preservato una soglia di vigilanza, anche se dormire accanto a Gerda, baciarla due o tre volte, era stato tutt'altro che sgradevole. Sino a quando, una domenica, era venuta a trovarli sua sorella Jenny, che in casa del viceconsole statunitense, dove aveva trovato impiego come *Fräulein*, poteva leggere i giornali americani. Il *New York Times* riferiva di massicci bombardamenti su Madrid, il cui fine non era militare, ma di piegare alla resa la popolazione cittadina. Era stato danneggiato persino il Prado. E se lo scriveva la stampa capitalista, la devastazione doveva essere inimmaginabile. « *No pasarán!* » avevano scandito, gettando i torsoli di mele annurche nella teglia ripulita degli sgombri all'acquapazza, con una rabbia compatta quanto sterile. E poi un'ultima volta, sottovoce, salutando Jenny davanti al molo dove si imbarcava sul traghetto delle cinque. Bisognava andare in Spagna, il resto erano sciocchezze. Gerda sarebbe ripartita entro pochi giorni, certa di poter strappare un ingaggio per raggiungere Capa, che chissà quante immagini di questa guerra eroica e criminale era riuscito a catturare nel frattempo.

« Sei preoccupata? » le aveva chiesto Georg.

« Per lui? Può sempre darsela a gambe, se la cava. Ma i madrileni? »

Lui non aveva risposto nulla, solo spostato un sasso con la punta della scarpa. Il sentiero fuori dal paese era appena rischiarato, la luce rapidamente declinante del sole già scomparso sembrava avvicinare la musica ballabile alle loro spalle, i suoni delle barche nella Marina Grande.

«Dammi il tempo per mettere insieme un gruppo e ti raggiungo.»

«Lo sapevo.»

Anch'io so una cosa, si era detto: che sei affezionata a quest'uomo più di quanto vuoi ammettere. Non so perché, non so se lui ti meriti. Ma almeno qui possiamo arrenderci entrambi alle circostanze, e andrà tutto come deve andare.

Sono arrivati da Mario, che è andato a cambiarsi la camicia, invitandolo a prendere dell'acqua in cucina. Georg si avvicina alla finestra, si accende una sigaretta e guarda giù in direzione del mare metallizzato dai riflessi, buio, quasi piatto...

Soma e Gerda si stanno allontanando sul sentiero, lui mette via i fiammiferi e riprende a camminare senza allungare il passo, sentendo che non ha nulla da perdere e che non avrebbe mai perduto Gerda...

Fa un respiro profondo, butta fuori l'aria come un paziente, si sforza di rivivere quel sentimento sconfinato che ha avuto la bontà di riemergere senza soffocarlo di sgomento e tenerezza. Poi torna al tavolo dove Mario lo sta aspettando, si aggiusta la sedia e si concentra.

Scorrono insieme le bozze dell'articolo, leggendo ad alta voce quando è necessario. Ormai i refusi sono pochi e qualche dubbio lessicale da proporre direttamente all'amico madrelingua si risolve presto. Finiscono in mezz'ora, e solo perché si sono messi a riconsiderare alcuni intoppi dell'esperimento: i filtri Wratten non reperibili, la macchina fotostatica al posto della camera a singolo obiettivo con immagine sdoppiata da prisma, filtrata nei due modi differenti per poter fotografare la scena due volte nello stesso istante. Peccato, ma non si poteva fare di meglio, non hanno i mezzi della Polaroid.

Georg ricorda di estrarre la lettera a Mr. Land dalla cartella recuperata in ufficio.

« Avec Monsieur Mario Bernardo nous avons l'intention de réaliser un film publicitaire de vulgarisation scientifique sur la vision des couleurs en présentant vos expériences. Nous serions très honorés de connaître votre avis et d'avoir vos conseils en ce sujet » legge marcando le frasi con un dito e chiedendo se la lettera non potrebbe venire malintesa come un modo discreto per battere cassa.

« Georges, vedo che hai scritto quattro pagine: sei sicuro che il nostro genio autodidatta con il francese se la cavi? » si informa Mario.

« Si parla solo di ciò che è oggetto delle sue teorie e dei suoi studi... »

« È un businessman, ne ho visti tanti a Cinecittà negli anni in cui facevo la gavetta. Non è la stessa cosa che rivolgersi a un membro della comunità scientifica. Aspettiamoci in risposta due righe o, visto che *time is money*, neanche quelle. »

Possono mettere via le carte, liberando il tavolo da pranzo, e infilarle nella busta che Mario ha predisposto. Le bozze di *Colore bidimensionale* verrà a ritirarle un fattorino mandato dalla redazione di *Filmtecnica*.

« Comunque, dai, abbiamo dimostrato che ci vuole solo la luce giusta per dare colore alle immagini in bianco e nero » dice Mario, per consolarlo preventivamente di una eventuale delusione, e si avvia verso il balcone dove è pia-

279

cevole sedersi a discutere, specialmente in una serata come quella.

Non ha detto nulla di nuovo, il suo amico, eppure Georg si sorprende. È questa la visione: rivedere la stessa cosa e proiettarci qualcosa di diverso. A riconferma che al di fuori del circuito tra l'occhio e il cervello non si dà nessuna cosa, e il cervello, sempre carico dell'attività di selezione e trasmissione degli impulsi, gioca talvolta degli strani scherzi. È il lato della ricerca che lo riguarda, la spinta originaria che lo ha portato a imbarcarsi in quell'esperimento. Ma per realizzarlo hanno usato pellicole, proiettori, macchina e immagini fotografiche. Riproduzioni di quadri astratti geometrici, è vero, nulla che richiami le fotografie rivoluzionarie nascoste tra le pagine di una guida turistica tedesca, o quelle scattate l'ultima volta nelle trincee di Madrid, quando Gerda gli aveva mostrato la cinepresa avuta da *Life*, con la quale, sosteneva, era diventata più abile di Capa.

«Conosci Robert Capa?» chiede a Mario.

«Vuoi sapere se l'ho conosciuto di persona? L'ho incrociato quando giravano *La contessa scalza* con Ava Gardner e lui è venuto a Roma per fotografare le riprese. Conoscevo di sfuggita il suo amico David 'Chim' Seymour, lo incontravo a Trastevere da Checco er Carrettiere, scendeva sempre all'Hotel d'Inghilterra. Aveva grandi esigenze da buongustaio, bizzarre per uno straniero che di solito non distingue neanche una pasta scotta, e coltivava un'eleganza incongrua con quell'aspetto pasciuto da maestro: l'antitesi di un paparazzo, così discreto che si capiva come mai fosse il ritrattista preferito delle dive – la Loren, la Lollo, la Bergman che ai tempi dello scandalo gli diede l'esclusiva – ma così orbo che sembrava improbabile come fotografo di guerra. Capa invece attraeva per la sua fama romanzesca, le voci su una tormentata liaison di cui la Bergman si era consolata con Rossellini. L'hai conosciuto in Spagna? Magari in quelle foto dell'addio alle Brigate Internazionali, straordinarie, compare pure la tua faccia?»

«Me ne sono ben guardato. Mi irritava vederlo appollaiato come un uccello del malaugurio arrivato giusto in tempo, mentre noi eravamo sbrindellati, disperati, tenuti a stringere i pugni e i denti per trattenere le lacrime dinnanzi a quelli che ci stavano guardando, o, appunto, fotografando. Non puoi capire quanto noi sbandati detestassimo, non lui, ma i suoi amici alla Hemingway, che in Spagna si facevano una scorpacciata d'eroismo e poi, appena varcata la frontiera, una di ostriche e champagne, spostandosi a piacimento con l'autista e l'aereo. Però è vero, quelle immagini esprimono precisamente ciò che sentivamo, Capa con il suo mezzo era bravissimo: un senzapatria come noi interbrigatisti, un ungherese che aveva assaporato sin da ragazzino le gioie del fascismo. Chim non lo conoscevo all'epoca, siamo stati presentati dopo, a Parigi, non ricordo in che anno.»

«Dev'essere stato terribile, neanche i compagni italiani che conosco ne vogliono parlare.»

«Abbiamo visto, no?, com'è andata a finire. Ma perlomeno dall'Italia li avete cacciati...»

Le sedie sul terrazzo della casa di Mario Bernardo consentono di sprofondare all'indietro, una scarpa contro la ringhiera che affaccia su un cortile troppo scosceso per giocare a boccette o biglie, ma i bambini di questa parte di Monteverde, quasi senza un buco per farsi un circuito, ci si ritrovano lo stesso. I tetti uno addosso all'altro, le ultime gru e betoniere, le donne che si affacciano per ritirare i panni o gridare giù qualcosa, i vicini di fronte che fanno come loro: due chiacchiere, mandando i riccioli di fumo verso lo schermo verde sbiadito della tenda da sole. Stare in alto, dentro la vita di un quartiere, gli piace talmente che avrebbe voglia di trasferirsi lontano dalla baraonda di via Veneto, ma si considera ancora troppo provvisorio per pensare seriamente a un trasloco.

«Li abbiamo cacciati, sì, ma non è stato facile e neanche bello. Che devo dirti, Georges? Lo sai anche tu cosa significa la guerra civile. E meno male che oggi si ricordano di nuovo di quello che abbiamo fatto, che a qualcuno gliene importa...»

A luglio, con l'amicizia già consolidata dalle domeniche passate a correggere l'articolo sul tavolo di via Dezza, si erano ritrovati tra la folla dei dimostranti affluiti a Porta San Paolo. Dei fatti di Genova, seguiti alla convocazione del sesto congresso del MSI, avevano discusso proprio lì, su quel balcone, ma non avevano ancora avuto modo di commentare l'estendersi della rivolta persino alla Sicilia, dove il giorno prima la polizia aveva sparato con i mitra sui braccianti e sugli operai della Montecatini di Licata in sciopero, uccidendo un ragazzo di venticinque anni.

Il dottor Kuritzkes stava entrando in ufficio, dove avrebbe dovuto coordinarsi con Modrić su una ricerca, ma alla vista dei gruppi con le bandiere che si incamminavano lungo viale Aventino, aveva legato la bicicletta al cancello e si era avviato dietro il corteo. Che sbucassero già all'altezza del Circo Massimo non era un buon segno: forse, in seguito al divieto di quella che doveva essere soltanto una rituale deposizione di corone, era stata chiusa la fermata della metropolitana di Piramide e impedito l'accesso alla stazione ferroviaria. Mario Bernardo perciò poteva anche non esserci. La ragione che faceva ben sperare era che la manifestazione era stata indetta dal Consiglio della Resistenza. D'altra parte, un ex partigiano, ma attuale direttore della fotografia con vari contratti già firmati, forse non era disposto a rischiare un arresto o una botta in testa. L'aria in piazza era inequivocabile: da scontro programmato, guerra latente, da moto popolare che irrompe in superficie misurandosi con un moto potenzialmente opposto, sotterraneo e golpista. Era stata quell'aria di famiglia così tossica e intossicante, ancor prima dei lacrimogeni, a spingerlo a farsi strada fin dietro al cordone, dove l'amico, dietro le file dei deputati di tutti i partiti di sinistra, si era sbracciato tanto da farsi riconoscere. Se non fosse arrivato così presto, se Mario, sorpreso di vederlo, non avesse trovato il modo di sfilarsi per salutarlo, qualche minuto dopo si sarebbero beccati in pieno la carica a cavallo lanciata contro i deputati che cercavano di raggiungere la lapide ai Martiri della Resistenza, posata nei pressi della Piramide di Cestio. Non era chiaro come fossero riusciti a schivare il peggio, scappare di lato, accodarsi a una linea di ragazzi che, trascinando via qualche compagno colpito dagli zoccoli prima che potesse raccoglierlo un celerino, li fece arrivare alle barricate del Testaccio. « Sono un dottore » aveva annunciato lui, al che li avevano portati in una rimessa improvvisata a infermeria. Fuori continuavano i rumori della battaglia e le urla incessanti « fascisti, fascisti, assassini! » Un giovanotto in striminzite braghe di tela americane gli aveva chiesto che ci faceva lì con la bella giacchetta color crema e sto modo de' parla' da crucco. Si era sentito replicare, con una cantilena veneta accentuata dall'agitazione, che il compagno Georges aveva fatto la Resistenza in Francia e la Guerra di Spagna dalla parte giusta.

«Nun ce credo! Sto signore ha meno anni dde mi' padre: e quello fa' secco solo 'na boccia de vino al pasto.»

S'era messo a ridere pure il ragazzo appena fasciato e il dottor Kuritzkes, stupidamente lusingato, aveva dichiarato l'anno di nascita e cantato *Ay Carmela!*, *Los cuatro generales* e *El quinto regimiento*.

«So' proprio spagnole, ammazza, però ci piace di più 'a musica dei tempi nostri!»

Più tardi qualcuno aveva pensato di far uscire dallo sfracello i compagni partigiani, scortandoli ai piedi del ponte Testaccio. Sulla sponda trasteverina s'erano incamminati fino a piazza San Callisto per concedersi un bicchiere.

«I cavalli contro i deputati eletti non me li sarei aspettati» aveva detto Mario, «ma grazie al cielo siamo in democrazia... cristiana!»

«Speriamo non sia stato l'aperitivo. Altrimenti ci tocca infilare l'uniforme maglietta e blue jeans sulle nostre stanche membra e riprendere la lotta...»

«Ti vedo preoccupato.»

«Un po'. Meno di stamattina.»

La gente agli altri tavoli commentava le notizie. C'erano stati molti feriti, molti arresti, il morto era stato evitato per miracolo. Georg aveva sostenuto di aver visto una massa di tutte le età, vera, non arginabile. Gli slogan, gli insulti romanacci, i cartelli MA QUALE MIRACOLO ITALIANO? ROMA NON È LA DOLCE VITA lo dimostravano. Potevano serrare le fabbriche, bloccare tutto: o la DC era davvero pronta alla guerra civile, e questo non conveniva né a loro né agli americani, o il governo Tambroni doveva fare i bagagli in tempi rapidi. Mario aveva detto che però quei ragazzi non avevano una coscienza politica, tanto meno un po' di disciplina.

Sarebbero tornati presto a dimenarsi nei loro dancing dopo la settimana di lavoro.

«Eravamo così anche noi» aveva obiettato. «D'accordo, non ballavamo su canzoni altrettanto isteriche, ma era *Katzenmusik* per buona parte dei nostri compagni adulti. Tra uno scontro e l'altro ci divertivamo come matti. Eravamo scatenati, ti assicuro.»

I bambini giù in cortile hanno smesso di giocare a campana, ed è un peccato. I saltelli equilibristici di certe piccoline con i riccioli che scappano dai cerchietti erano una vera delizia. Adesso sono passati a nascondino, sparpagliati nei nascondigli, eccetto il bambino che, di tanto in tanto, sfreccia a perdifiato per arrivare alla tana di un garage che non si vede dal balcone.

Là sopra loro se la prendono con comodo, rilassati, persino troppo pigri per prelevare una bibita dal frigorifero. Stanno ancora chiacchierando delle vecchie conoscenze e della loro doppia vita tra destinazioni belliche e ritorni in hotel a cinque stelle. Una vita sempre più bislacca man mano che la ricostruzione avanzava e gli altri trovavano un impiego, una moglie, un alloggio di due locali con l'acqua calda. Capa a Parigi scendeva al Lancaster, che aveva fornito la suite all'esilio dorato della Dietrich prima che andasse a Hollywood, ed era risorto a quegli antichi fasti dopo la guerra. Il conto della camera bruciava anche gli utili futuri dell'agenzia Magnum, ma lui ripeteva che altrimenti non avrebbe potuto procacciare ingaggi degni dei suoi fotografi. Lo incrociavi in pausa pranzo sugli Champs-Élysées, tu con il filone sottobraccio da sbocconcellare all'aria aperta: certe volte ricambiava a malapena il saluto, altre volte non c'era verso di non farsi portare da Le Fouquet's, dove ti rifocillava di ogni ben di dio, mentre lui, appena sveglio, ordinava per se stesso e l'eterea mannequin, o mignotta non sempre d'alto bordo, prima un caffè, poi un'omelette, e infine una seconda bottiglia di champagne oltre a quella stappata per brindare a un amico dei vecchi gloriosi tempi. Chim era un personaggio di tutt'altra pasta, ne convengono. Mario si è ricordato che, secondo i pettegolezzi dell'ambiente, avrebbe fatto parte dei tanti froci internazionali per cui Roma si stava rivelando una pacchia. E se passavano per indizi gli abiti curati, la fama di gourmet, la cortesia squisita verso le mutevoli presenze femminili, l'alone di segretezza pareva la prova più schiacciante. Era facile notare che teneva ben separate le proprie conoscenze – il bel mondo, per esempio, dai compagni intorno a Carlo Levi con cui faceva quei viaggi nei paesini meridionali da strappare all'analfabetismo. Può darsi che i suoi motivi fossero politici e non privati, ed erano comunque affari suoi.

Georg s'è messo a ridere, una risata secca, commentando che lì la gente si crede furba di secoli, *caput mundi*, ma ha la mentalità di una bigotta di provincia, solo più presuntuosa e volgare.

«A chi lo dici. Ma si sta bene a Roma.»

«Quassù da te sicuramente.»

In cortile un ragazzino è inciampato facendosi acciuffare dall'inseguitore – più piccolo per giunta – e tra le alte lamentazioni, perché avere così tanta iella non è giusto, zoppica riottoso in direzione della tana.

«Hai mai visto la serie che Chim ha fatto per l'UNICEF?» chiede Georg. «Era la prima volta che commissionavamo un progetto simile, *Children of Europe*. Poco più di una brochure a tiratura limitata, le foto però le hanno pubblicate dappertutto. Se ti porto il libro, forse qualcuna la ricordi.»

«In che anni?»

«Verso la fine del '48, il libro è uscito nel '49.»

«Può essere. Scrivevo per i giornali, all'epoca, con il cinema faticavo ancora a mantenermi. Facevo tanti lavori, persino l'operaio in un altoforno a Marghera, un po' di tutto. A Roma sono venuto nel '50, l'anno dopo.»

Georg racconta del materiale consegnato all'UNESCO man mano che Chim tornava dai suoi viaggi, ansioso di sottoporglielo, perché avevano in comune Capa e tante altre cose: Lipsia, dove il fotografo aveva studiato all'Accademia per le arti grafiche e editoriali, la Spagna, com'era ovvio, e anche le origini polacche. Scoprendo che era il russo la lingua che Georg aveva orecchiato da bambino, Chim a volte gli lanciava qualche frasetta, ma parlavano perlopiù in tedesco. Era la scelta naturale e garantiva una certa riservatezza. Lavoravano su quattro scrivanie, una dietro all'altra, come sui banchi di una scuola. L'UNESCO si era stabilita in via provvisoria in quello che era stato uno degli alberghi più sontuosi della Belle Époque, il Majestic. E dato che stava a un quarto d'ora dal Lancaster, Chim gli proponeva di accompagnarlo quando passava a trovare Bob, come ormai lo chiamava. Capa invece non si era adattato a chiamarlo David, nonostante, tra i due, fosse l'unico nome autentico.

«Era di Varsavia, giusto? Un ebreo di Varsavia?»

«Sì, un ebreo di Varsavia.»

I paesi che Chim aveva visitato per l'UNICEF erano quelli dove la condizione dell'infanzia era più disperata: l'Italia, la Grecia, l'Ungheria che stava molto a cuore a Capa, l'Austria che traboccava di campi profughi, e immancabilmente la Polonia. Una serie d'immagini mostrava una colonna di scolari che attraversano le macerie del ghetto di Varsavia – cumuli bassi, umidi di terra, cosparsi degli ultimi mattoni fracassati – per raggiungere la parte già riedificata con i primi casermoni socialisti. Chim gli aveva fatto notare che, dietro la grande chiesa che rappresentava l'unico edificio non raso al suolo dai tedeschi, c'era una volta la casa editrice di suo padre, che pubblicava libri in yiddish e in ebraico. La testimonianza più diretta che i suoi genitori non c'erano più, aveva mormorato girando il foglio di contatto, non l'aveva avuta però a Varsavia, ma in una cittadina dove, fatalità, aveva riempito gran parte dei suoi rullini. In quel luogo di villeggiatura risparmiato dalla distruzione erano state allestite scuole, orfanotrofi, ospizi per bambini disturbati. Grazie a un'organizzazione ebraica, si era mutata in un sanatorio anche la pensione diretta da una zia, dove suo padre e sua madre si erano trasferiti allo scoppio della guerra. «Era questa» aveva detto mostrandogli un paio di fotografie. In una si vedeva una paziente tubercolotica che esibiva, appoggiata ai materassi delle compagne, un corsetto rigido. Chim non ricordava che cosa avesse fatto per ottenere quel sorriso e quella buffa espressione degli occhietti scuri. Timida e radiosa, un po' innamorata forse, aveva osservato Georg. Chim aveva opposto un cenno di diniego, e lui aveva azzardato una prognosi sui tempi di guarigione della colonna vertebrale, cosa di cui si intendeva, essendosi battuto contro la TBC quando era partigiano in Alta Savoia.

«Davvero?» chiede Mario.

«La gente dei villaggi temeva l'infezione poco meno dei tedeschi, soprattutto per i figli. Contrastarla significava guadagnarsi la loro gratitudine e complicità sincera.»

«Capisco. Quindi lassù non ti è toccato prendere le armi?»

Georg fa un sì svagato di conferma, distratto dal grido «arrivo!» giù in cortile, che si rivela essere del ragazzino sfortunato, o forse non troppo, vista la velocità della sua corsa.

Probabilmente Mario è più curioso della *Résistance* in montagna che della genesi di una pubblicazione con cui l'UNICEF, appena nata e in cerca di sostegno, voleva denunciare lo stato di necessità in cui erano finiti milioni di minori costretti a tutto pur di sopravvivere – rubare, mendicare, prostituirsi, raccogliere mozziconi e rivenderli – e al contempo dare risalto agli sforzi per farli crescere, studiare e guarire, perché potesse crescere e guarire anche l'Europa. Ma l'impegno a debellare il male dell'ignoranza è qualcosa che loro condividono, altrimenti non penserebbero a quel film didattico per spiegare come si vedono i colori.

Allora Georg prende spunto dai bambini del cortile che sbucano alla spicciolata dai loro nascondigli, a volte in tempo per toccare tana, a volte acciuffati nell'ultimo tratto dove, schiacciato dietro l'angolo, il cacciatore ha trovato il sistema per catturarli.

«In teoria i più piccoli che giocano laggiù potrebbero essere i figli dei più grandi che Chim ha fotografato all'epoca. Diciamo i più fortunati o ostinati, o dotati di talento, e mettiamoci pure il talento per la vita che non so dirti come si possa educarlo, e forse è meglio non si sappia.»

Ridacchia Mario, commenta che lo vede ottimista e tutto sommato non a torto: sì, quello che hanno vissuto loro pare davvero lontano da questi figli del miracolo, anche se constatarlo rischia di assecondare una certa propaganda, e neanche la pace sarà mai una certezza.

«Comunque possono correre, acciuffarsi, giocare...»
Georg rievoca alcune immagini nate nel parco di una villa romana per spiegarsi meglio – non una villa qualsiasi ma quella dove nel '43 era stato arrestato Mussolini. Per ironia della sorte, proprio sull'erba riarsa di Villa Ada, Chim aveva fotografato dei ragazzini scalzi, spogliati sino ai mutandoni a sbuffo forniti dalla pia istituzione che li aveva portati all'aria aperta e li faceva giocare a pallavolo. Chi senza una gamba, chi senza un braccio, uno addirittura con la stampella necessaria per compensare la rigidità di movimento dovuta alle protesi degli arti inferiori: il bambino in primo piano, il solo a indossare una maglietta e pantaloni lunghi. Chim gli aveva fatto notare che gli unici due giocatori inquadrati in volto, però a distanza, erano ciechi. Li aveva accecati l'impatto di un ordigno. Magari non del tutto, ma abbastanza perché lo sforzo di partecipare alla partita fosse enorme.

«Sapeva catturare l'energia assieme alle menomazioni incurabili. La sua arte doveva molto a questa consonanza così fine, una qualità che faceva dire al suo socio che, tra loro due, Chim era il fotografo migliore. Credo alludesse pure alla stoffa umana, perché è sicuro che ai pellegrinaggi tra campi profughi e orfanotrofi, il tuffo nel vuoto della propria infanzia, Capa si sarebbe sottratto: non per sei mesi e un cachet irrisorio, forse neanche per tutto l'oro del mondo.»

Mario vuole sapere in che anno sono morti Seymour e Capa, ed è una domanda così facile che Georg continua a seguire l'eco dei battibecchi in cortile che accusano di scorrettezza il ragazzino lungo. Nel frattempo pensa alle menomazioni invisibili, le alterazioni del sistema nervoso riversate sull'apparato percettivo-sensoriale di chi ha attraversato certe esperienze, non come combattente, ma come fotografo. Nessuna *shell shock syndrome*, come la chiamavano gli americani, solo un vago squilibrio che amplifica l'attrazione del pericolo, quasi fosse una sfida sportiva, un gioco all'apparenza più affine a quello laggiù in cortile che alla partita di pallavolo a Villa Ada.

Chim ne era conscio. Ai tempi, Georg era fiducioso che l'UNESCO avrebbe svolto un compito più rilevante dei lavoretti di riparazione, come li aveva definiti Chim. Era dispiaciuto che quell'uomo equilibrato, ma evidentemente afflitto da una tempra malinconica aggravata dai trascorsi, dicesse di accontentarsi dei bambini ritratti nei suoi viaggi (si era persino segnato i loro nomi: Tadzio, Tereska, Elefteria, Angela...), non potendosi permettere di metterne al mondo. Il discorso di Chim gli era parso inaccettabile, visto che quasi tutti coloro che avevano perso la famiglia ne stavano creando una propria. Così un giorno, mentre visionava le fotografie, si era permesso di obiettare che la guerra era finita. Chim, imbarazzato, aveva spostato il discorso su Capa e buttato lì che in altre circostanze il loro amico avrebbe voluto dieci marmocchi, come un rabbino dalla barba lunga.

«Peccato che le *altre circostanze* fossero di idee diverse» aveva ribattuto Georg con delicatezza.

«Magari non dovrei dirglielo, dottore, ma io quei due li ho visti più felici che il contrario... Poi le cose, *natürlich*, possono sempre cambiare, finché c'è tempo.»

Il tempo ora non c'è più, non c'è più da un pezzo. Ma è rimasto pur sempre qualcosa da riparare, ad esempio con una telefonata al Bassotto e, quando sta per confidarlo, Mario gli rivolge la domanda che si aspettava dall'inizio.

No, risponde, non l'aveva conosciuto proprio a fondo,

Robert Capa. Erano stati amici, vero, anche se andava preso a dosi moderate. Però aveva una infinita riconoscenza nei suoi confronti. Il mondo libero avrebbe preferito non vedere la vita immonda che la Grande République riservava ai profughi repubblicani: e il grande fotografo, venuto a Argelès-sur-Mer per catturarne tutta la vergogna premonitrice, aveva scoperto che lui era in uno di quei campi. Se Capa non fosse stato capace di ottenere il suo rilascio, lo avrebbe probabilmente atteso la sorte dei compagni passati dal filo spinato francese e democratico a quello tedesco e nazista.

«Come mai Capa ti è venuto in mente proprio oggi?» chiede Mario.

Il silenzio che segue li consegna agli ultimi schiamazzi dei bambini eccitati dal gioco finito bene, agli apparecchi radiofonici che trasmettono il notiziario, ai clacson e ai motori accesi giù nella strada. Poi Georg, lambito da quei rumori, risponde illuminandosi.

«Avevamo un'amica in comune che è morta in Spagna. Oggi nessuno sa più chi era Gerda Taro. Si è persa traccia persino del suo lavoro fotografico, perché Gerda era una compagna, una donna, una donna coraggiosa e libera, molto bella e molto libera, diciamo libera sotto ogni aspetto.»

Mario deve avere capito, evita di porgli altre domande. I bambini in cortile hanno deciso di non giocare più a nascondino. A volte, per seguire un esempio, basta fare un nome.

Epilogo

Coppie, fotografie, coincidenze #2

Guardali infine sulla terrazza del Café du Dôme con quei sorrisi che si parlano, l'allegria sprigionata da una gentilezza o stupidaggine qualsiasi, a loro due basta una cosa da niente. Lo vedi a colpo d'occhio guardando questa fotografia, la luce uniforme sul profilo di André, il sole che gli permette di tenere il giubbino aperto, una giornata primaverile così bella che Gerda si è spogliata della giacca, o forse è uscita in maniche corte visto che la rue Vavin è a pochi passi.

Non si accorgono di essere fotografati. Il fotografo si è piazzato sul marciapiede dirimpetto, ha messo a fuoco con il grandangolo e scattato in un secondo. Qualcuno però si è accorto di quello scatto: il signore al tavolino dietro ha interrotto la lettura del giornale e, la pagina abbassata tra le mani, ora sbircia le mosse della coppia, come indicano la direzione dello sguardo e il sorrisetto che gli è affiorato alle labbra. Dall'altro lato della scena, e del tempo che la fotografia scavalca, c'è un uomo del secolo passato che, come te, osserva. Se lo guardi meglio, noti che il suo sorriso affabile sembra quasi un commento al sorriso raggiante del protagonista: *ah, ils sont beaux, les jeunes*, quando riescono a far ridere la ragazza di cui sono innamorati...

Ma come fa a saperlo? Dopotutto ha di fronte solo il fotografo che ha lasciato il terzo bicchiere pieno a metà di una bevanda lattiginosa. Forse gli è capitato di osservare quella vivace liaison e lo diverte che qualcuno si sia preso la briga di immortalarla. Alle loro spalle, il garçon indaffarato si sottrae al concerto di sorrisi, in compenso rifulge nel candore della giacca ravvivato dal gioco delle pieghe intorno al gomito, centro perfetto dell'inquadratura.

Il cameriere, ecco, lui conosce gli habitué, questo puoi darlo per certo. A partire da quel Friedmann che si è dato un aspetto decoroso per merito di mademoiselle Gerda, sempre *très chic* e simpatica con tutti. Il cameriere però non sarebbe all'altezza di quel celebre ritrovo, se non conoscesse anche la clientela che non alloggia sulla terrazza tutti i santi giorni. Come l'uomo che arrivava da Montmartre e talvolta scambia le sue foto ai loro tavoli: ritratti di persone più importanti di quella coppia, famosa soprattutto al Dôme, e certe stampe che, a chi lavora in mezzo agli artisti, fanno pensare che monsieur Stein abbia talento nel cogliere il *flair* di Parigi.

Nel 1934, giunto da nemmeno un anno, Fred Stein aveva catturato un amore notturno e invernale, un segreto coperto dai cappelli e dai cappotti dei due amanti, i corpi fusi nell'ombra che la luce del lampione stampa sulla neve.

Quell'istantanea forse si porta dentro la memoria viva di una fuga travestita da luna di miele, il modo più veloce e insospettabile per avere dei passaporti, quando l'arresto di Fred era ormai questione di tempo. A Dresda si erano sposati in municipio – fuori la gente applaudiva gridando

Heil Hitler! – e poi si erano fatti un regalo perché Fred amava fotografare e secondo Lilo era portato: una Leica.

T'immagini che si alzasse con delicatezza, Fred, per andare a catturare immagini di Parigi, e che uscisse senza far rumore per non svegliare Lilo, sfinita dai lavori in nero – cuoca, sguattera – con cui gli permetteva di diventare un fotografo. Più tardi, dopo il trasloco all'indirizzo che sul biglietto da visita figurava come «Studio Stein», anche lei aveva imparato a fotografare matrimoni o battesimi, sostituendo il marito quando lui aveva altri impegni. Ed era Lilo che teneva i conti e il ménage delle camere subaffittate nella casa sempre aperta a qualunque amico o compagno di partito suonasse alla porta. Figlia di un grande medico, amministrava una vita agli antipodi della sua infanzia con servitù e giardino, ma quella vita era lontanissima dalla solitudine a due catturata da Fred nei vagabondaggi notturni: chiassosa e, nonostante l'appartamento affacciasse sul cimitero di Montmartre, ricca di momenti luminosi. Nel '35, quando avevano festeggiato l'arrivo di Gerda e Lotte con lampadine incappucciate di un velo rosso e verde, Lilo era stata subito conquistata dall'inchino esagerato con cui André Friedmann si era presentato. Le piacevano l'aria scapigliata, il modo comico di esibirla, la sbruffoneria da ragazzino. Fred e Lilo erano maggiori di pochi anni, ne avevano venticinque, ma erano diventati un appoggio per chi era più scombinato di loro con i soldi, gli alloggi e i sentimenti.

Quel giorno d'aprile del '36, Fred Stein arriva al Dôme e si ferma a bere qualcosa con gli amici. Parigi non è più il teatro notturno di uno spaesamento, l'amore non ha più bisogno d'infagottarsi nell'anonimato di figure che disegnano un autoritratto a due dell'esilio. Adesso esige il primo piano, appartiene a chi lo manifesta: a Gerda Pohorylle e André Friedmann, sulla terrazza del caffè dove tutti li conoscono. André ha appena cominciato a chiamarsi Robert Capa, Gerda si è procurata il primo tesserino stampa, gli Stein vivono in un appartamento più confortevole vicino a Porte de Saint-Cloud, dove Lilo gestisce il laboratorio senza doversi dedicare a mille altre incombenze. Si è fatto una buona clientela, Fred, e un nome come ritrattista. L'anno successivo, incluso per la seconda volta in una collettiva alla Galerie de la Pléiade, esporrà alcuni dei suoi ritratti di scrittori accanto a Man Ray e Philippe Halsman (che in quegli anni sceglie Ruth Cerf come modella). Non è l'unico a essersi imbarcato in quel mestiere per necessità, ma a Dresda lui non ha fatto nessun apprendistato, a differenza di Chim all'accademia di Lipsia o di Capa per tramite di Eva Besnyö e Kati Horna, che ai tempi del liceo sono andate a scuola da un maestro dell'avanguardia ungherese. Fred Stein ha imparato da solo, grazie al dono di nozze di una Leica e a Lilo che lo assiste. È la Leica, dice, che gli ha insegnato a fotografare, la porta sempre al collo, la tratta come un'estensione del suo corpo. Non può farci nulla se quella simbiosi si scontra con la diffidenza dei clienti che, abituati a un imponente abracadabra, dubitano che da un congegno poco più grande di un portafoglio possa uscire un ritratto accettabile. Gli inizi sono stati così duri che occorreva inserire « Promotion gratuite photo portrait » tra i piccoli annunci sul giornale.

Le avversità, la fata buona, il dono magico: sembra una fiaba che volge al lieto fine, la storia di Fred Stein, e forse neanche lui, enfatizzando il ruolo della Leica, l'ha raccontata proprio giusta. Macchina fotografica, fiducia, perseveranza e un cuore intrepido non sarebbero stati sufficienti a farlo emergere tra le centinaia di fotografi confluiti a Parigi. Vale lo stesso per Capa e Gerda, malgrado avessero escogitato la loro favola milionaria con l'ambizione di affermarsi come fotoreporter. Creare arte non rientrava nel loro mestiere, ma sapevano da cosa dipendeva la qualità di una foto: avevano assorbito le idee estetiche del tempo insieme a quelle politiche e sociali, ed erano consapevoli che proprio lì, nell'arte, si era già realizzata una rivoluzione. Fred Stein, impegnato in politica sin da liceale, membro attivo di un piccolo partito socialista, brillante dottorando in giurisprudenza, non si era portato nel bagaglio solo una macchina fotografica di facile utilizzo. A Dresda avrebbe voluto farsi avvocato dei più deboli e, una volta a Parigi, si era dedicato a fotografare i lavoratori, gli ambulanti, i mendicanti – i poveri in generale. Questo però non dice nulla su come l'abbia fatto: con un rispetto unito allo sguardo ironico, con il rigore modernista delle inquadrature, con quel particolare senso estetico che collimava con il suo senso di giustizia.

E poi, ci pensava Parigi a formare i suoi fotografi. Bastava andare al caffè e si incontravano Cartier-Bresson o André Kertész, con cui l'André più giovane era in ottimi rapporti. Anche Walter Benjamin lo amava molto, il Dôme, quando era un berlinese innamorato di Parigi e non ancora un rifugiato che evitava l'accozzaglia degli *emigrés* tedeschi. Ma si dirigeva ancora lì appena usciva dalla tana di rue Bénard, come potrebbe essere capitato anche nel giorno in cui Fred Stein ha scattato la foto di André e Gerda. Del resto, si trova a Saint-Germain la redazione che in quella primavera del '36 attende una bozza su cui ha molto discusso, e magari al ritorno Benjamin ha bisogno di fermarsi all'aria aperta e concedersi un bicchiere.

A giugno, quando *L'opera d'arte nell'epoca della sua riproducibilità tecnica* comincia a essere sulla bocca degli intellettuali parigini, l'autore tiene due incontri nei circoli tedeschi, uno al Deutscher Klub, l'altro al Café Mephisto. Gerda, che approfitta spesso di quelle opportunità gratuite per acculturarsi, in quel momento è presa dagli impegni con l'agenzia Alliance e dagli sforzi per vendere la sua prima foto. Ma Fred Stein, che ha già ritratto Ernst Bloch e Bertolt Brecht, per nominare due amici stretti di Benjamin, come mai si è fatto sfuggire quegli appuntamenti? O è stato Benjamin a non lasciarsi fotografare? E quando Fred ne sentirà parlare a New York da Hannah Arendt, a cui lo lega un'amicizia testimoniata dalle fotografie che le dedica nel corso degli anni, quella lacuna gli sarà pesata?

È probabile che Stein avesse letto il saggio di Benjamin, cresciuto com'era in una casa piena di libri e precetti. Il padre rabbino riformista, la madre, rimasta vedova, insegnante di ebraico e religione. Chiusa la Torah per aprirsi al socialismo, i volti di ciascuno per Stein avevano preso il posto di Colui che lo aveva creato a propria immagine e somiglianza. In un articolo del '34, scrive che un ritrattista deve catturare «la storia e il carattere che ogni modello possiede», compito ideale per la Leica, così «disarmante» nella sua piccolezza. Notevole la coerenza con cui traduce quel pensiero in metodo: non solo sceglie i soggetti per stima e affinità, ma prima di incontrarli si prende il tempo per studiare le loro opere e poi per dialogare in modo da far dimenticare la seduta.

L'episodio più esemplare risale al '46, quando Einstein gli concede dieci minuti e finisce per parlare con lui per due ore. Il ricavato sono appena venticinque fotogrammi. Nel ritratto, che diventa uno dei più celebri, ha uno sguardo dolce addolorato e non sorride, Albert Einstein. Un'immagine che mira a cogliere la storia e il carattere di un uomo deve essere in grado di non ridurlo a uno specchio o a un oggetto, fosse anche la più attraente delle icone. L'amico che quel giorno trova André e Gerda così assorbiti da catturarli al volo è colui che riversa quelle aspirazioni sul ritratto. Se Stein non avesse creduto di aver fermato un istante veritiero sui loro volti, la foto del Dôme sarebbe forse sprofondata nel limbo dei negativi che non assurgono a immagini, e invece ora puoi guardarla anche tu, come se il tempo trascorso da quell'attimo non esistesse.

T'immagini allora che Fred e Lilo si ritirino a sviluppare i rullini. C'è una parte di lavoro su commissione, qualche foto da proporre ai giornali, e il ritratto di André e Gerda. Fred osserva il negativo sotto la lente di ingrandimento e trova riscontro al sentore di aver fatto centro: la composizione in equilibrio, nessun dettaglio troppo sfocato. «Vedi qui?» dice a Lilo indicando il cameriere nel punto giusto, «e guarda quel signore che sorride... Prodigi della Leica che cattura anche ciò di cui non fai in tempo ad accorgerti.» Poi aggiunge: «Lilo, tu che al soggetto sei sensibile, come la definiresti questa faccia? Strafottente? Da canaglia?»

La casa non è più quella di Montmartre, ma la camera oscura è ancora il piccolo bagno dell'appartamento. La luce è minima, lo spazio pure, l'attesa delle immagini che affiorano nelle vaschette sul lavabo sempre magica.

Fred tocca il braccio di Lilo e lei risponde che è proprio

vero: «André è venuto così com'è. Potere dell'amore e del fotografo che l'ha colto al volo».

«Facciamo subito una stampa, così gliela porto.» Lilo, aspettando di estrarla, la guarda meglio. «E Gerda?»

«Gerda, perché?»

«Non è venuta bene.»

«La foto sì» ribatte Fred. «E poi quante gliene ho fatte dov'è stupenda, spiritosa, insomma Gerda...»

«Appunto.»

Fred ora riconsidera il ritratto da quell'ineluttabile prospettiva femminile. Il berretto che copre i capelli taglia la fronte accorciandola e accentua la sporgenza del naso dritto. E quelle guanciotte da criceto. Gli occhi chiusi, l'ombra della visiera che crea quasi l'effetto di un doppio mento, e lei tiene tanto alla sua linea. Gerda che appena sveglia faceva gli esercizi di ginnastica nel loro salotto, croce e delizia degli altri inquilini.

«Non sarà molto contenta» sbuffa.

Ora è Lilo a ribadire che va consegnata, quella fotografia. È bella, un bel ricordo, un bel gesto d'amicizia, cosa che una persona vanitosa, ma per niente sciocca, sa riconoscere di certo.

E poi?

Poi Fred torna a casa e racconta che è andata come previsto. Gerda che si vede brutta, André che fa sparire dal tavolo del Dôme la busta («Questa, mein Schatz, la prendo io»). Comunque è lei a ringraziarlo quando si accinge a lasciarli: «Caro Fred, sei stato premuroso, come sempre».

Era sincera? O voleva solo far credere al suo compagno di averla avuta vinta, in modo che poi dimenticasse la foto e pazienza se fosse scomparsa nel prossimo trasloco?

«Non importa» dice Lilo, «tu hai fatto quel che dovevi. E poi con André le cose si perdono comunque. A futura memoria, noi ce l'abbiamo.»

Questa è una prima congettura, ma è altrettanto possibile che la foto sia rimasta dagli Stein in attesa di un'occasione per consegnarla ad André e Gerda. Sono tutti presi dalla campagna del Front Populaire e poi dalla vittoria elettorale. A maggio, Fred scatta un ritratto del primo ministro Léon Blum e lo vende a *Life* per mille dollari con cui tirano avanti per un mese. A giugno arriva un mare di lavoro con l'ondata degli scioperi e, in un batter d'occhio, ci si ritrova nei grandi festeggiamenti del *Quatorze Juillet*, ricordandosi di colpo del ritratto ancora nella cassetta delle consegne.

«Lascio la busta al concierge se non vi trovo, lo faccio in settimana» promette Fred.

Ma poi basta che passino tre giorni e si arriva al 18 luglio, quando l'euforia del 14 si rovescia nello shock che in Spagna è in corso un *coup* fascista. Fred esce di corsa, trova gli amici al caffè, eccitati dalla partenza imminente e, con gli auguri più partecipi, estrae finalmente quella busta. Sono felici del loro ritratto, lo trovano di buon auspicio, ma sono già altrove, André e Gerda.

Poi c'è una storia che quella foto non può raccontare, perché comincia il 3 settembre 1939, quando la Francia dichiara guerra alla Germania. *Drôle de guerre* la chiamano i francesi, visto che per otto mesi a loro non succede nulla, ma non per gli uomini che hanno la nazionalità del nemico, anche se è proprio per scampare ai nazisti che sono arrivati in

Francia. Il 5 settembre 1939 Fred Stein viene trasportato allo stadio di Colombes traboccante di rifugiati tedeschi e austriaci, e da lì spedito nel primo di vari campi d'internamento. Lastrica strade francesi finché nel giugno del '40 la strana guerra si muta in débâcle per la nazione che lo ospita come prigioniero. Nell'onta della resa imminente, un ufficiale risolve il problema dei loro *boches* a cui i tedeschi non aspettano che di fare la pelle: «*Les allemands sont là, débrouillez-vous*». Fred raccoglie l'ordine di sbrogliarsela, svicola per le campagne, ripara in cascine abbandonate, miete seicento chilometri sino ad arrivare a Tolosa. Non ha notizie di Lilo, che si trova a Parigi, nella Parigi occupata, con una bambina di neanche un anno. Marion è nata così a ridosso del fatidico 3 settembre che sono state inutili le pratiche avviate con l'aiuto dei Salzburg, i parenti di Lilo emigrati in America dopo la Notte dei Cristalli. La cosa più angosciosa è che ad aver organizzato il ritorno in città di madre e figlia, facendo il diavolo a quattro per ottenere una licenza, sia stato lui. In Normandia non accettavano le *apatrides* tra gli sfollati. L'orfanotrofio che alla fine le ha accolte tiene Lilo negli scantinati permettendole un contatto minimo con sua figlia. La bambina deperisce, senza le cure e il latte materno che mitighino le privazioni del pio istituto.

Adesso che non ha idea di dove sono rintanate, tenta la via più insospettabile per comunicare che è vivo. Si mette in coda allo sportello per le inserzioni, dove detta solo nomi che passino per francesi: persino «Stein» si associa alla fuga degli alsaziani che ingrossano le colonne dei giornali con le ricerche dei congiunti. ALFRED STEIN, DÉMOBILISÉ A TOULOUSE, CHERCHE SA FEMME LILO E SA FILLE MARION.

Sua moglie non lo vede, quell'annuncio. Ma una delle

due cartoline che Fred ha spedito ai suoi contatti più fidati la riceve in una data che rammenterà per il resto della vita: 9 luglio 1940. Deve muoversi presto, non vede l'ora di arrivare, solo che è così difficile. C'è la bambina, c'è il bagaglio indispensabile, una valigia piena di negativi e stampe che contiene troppe teste ricercate dai nazisti. Come può portare tutt'e due attraverso la zona occupata e poi la « zona libera» che, per una come Lilo, non è libera per nulla?

Da quando il maresciallo Pétain ha stabilito la sede del governo in un Grand Hotel termale per prestarsi al servizio degli occupanti come un maître d'albergo, i suoi *gendarmes* e privati cittadini si dividono in coloro che fanno gli zelanti camerieri, porgendo il piatto alla Gestapo, e quelli che ci sputano dentro di nascosto. Significa che non c'è da fidarsi di nessuno che non si conosca bene, e fuori da Parigi non conosce nessuno, Lilo Stein. Così si lancia in un azzardo su cui si gioca tutto. Si carica in braccio la bambina e, con l'aiuto di Marion che minaccia gli strepiti di una lattante affamata, salta la fila alla *Kommandantur*. Il padre della *petite gosse* è smobilitato a Tolosa, S-T-E-I-N scandisce con uno slancio così parigino che l'ufficiale non le chiede nemmeno i documenti. Premiata da un salvacondotto a croce uncinata per un coraggio che oltrepassa la fantasia del tedesco, *Liselotte Stein née Salzburg* sale sul treno con Marion. E quando, finalmente, può deporre la valigia e farsi stringere da Fred, in quell'abbraccio c'è come una scintilla, una scossa di piacere quasi criminale. Adesso sono riuniti, sì, ma imbottigliati a Tolosa. Per uscire dal collo stretto della Francia occorrono visti su visti di cui le nazioni sono sempre più avare, o che si fanno pagare a caro prezzo, e la Leica con cui racimolare qualche soldo è stata requisita durante la prigionia. Se Vichy non effettuasse « consegna su richiesta» alla Gestapo e Fred non comparisse nelle liste dei ricercati, potrebbero richiedere un visto d'uscita, raggiungere il Portogallo, ricontattare i familiari di Lilo negli Stati Uniti. Il tempo stringe, Marion ha acquisito le prime paroline che tra poco potrebbero tradirli, ma è un supplizio tenerla nel pollaio dove hanno trovato alloggio. Infine li raggiunge uno spiraglio, una voce che sembra attendibile. Fred deve andare a Marsiglia e scovare il Centre américain de Secours, dove un certo monsieur Fry sta allungando un elenco ricevuto a Manhattan: duecento grandi nomi di arte, letteratura e scienza che l'America, selettiva come si addice al miglior offerente, vuole accaparrarsi nei saldi di liquidazione del vecchio continente. SAVE CULTURE EUROPE STOP ribadisce un telegramma di Varian Fry con la perentorietà di un grido che non si ferma ai *desiderata*. L'eccesso di zelo (cosa s'immischia nei *current affairs* un laureato in lettere antiche a Harvard?) sta rischiando di incrinare i rapporti tra la Francia e l'America. E questo per portare alla Terra dei Liberi e Coraggiosi un'onda anomala di ebrei ed estremisti, di cui nessuno sente alcun bisogno – non il Dipartimento di Stato, e il popolo americano men che meno. Varian Fry ignora i richiami vieppiù inconfondibili dalle minacce, spende a discrezione i dollari destinati al salvataggio delle personalità prescelte, procaccia documenti falsi, vaglia sentieri clandestini e imbarcazioni scalcagnate diventate più care di un transatlantico. Non ha la facoltà di impedire quel che può comunque andare storto generando talvolta esiti irreparabili, come quando, annichilito dalla non validità del visto di transito, Walter Benjamin si suicida. I *passeurs* dovranno lasciarlo a Port Bou, dato che l'indomani gli spagnoli faranno proseguire gli altri profughi. Fry non può nemmeno aiutare tutti coloro che si mettono

305

in fila davanti al suo ufficio, gli avvocati e i medici che si presentano imploranti con il terrore di borghesi ridotti agli ultimi gioielli di famiglia. Al proprio turno, Fred Stein si scopre invece soccorso per quel che è diventato: un fotografo, un artista della Leica. Può tornare a Tolosa e riferire a Lilo, non troppo forte ma con il calore erotico di una promessa, la parola che gli ha dato l'emissario americano.

Lilo porta la bambina, Fred la valigia. O viceversa. Forse Marion preferisce stare in braccio a papà, mentre sua madre trascina il florilegio del lavoro fotografico grazie al quale ora hanno dei visti americani e un passaggio su una nave diretta alla Martinica. La salvezza, incrociando le dita. Varian Fry, sulla banchina del porto di Marsiglia, segnala la vigilanza di una grande nazione, nel caso le autorità si azzardino a tirare giù qualcuno dei suoi protetti. Nel gruppo imbarcato ci sono altri fotografi, come il famoso Josef Breitenbach, molto provato dalla prigionia, e le amiche Ilse Bing e Ylla. Ma si incontrano tante persone note, tra le quali spunta pure Willy Chardack. Stanno stretti come galeotti, in compenso la *Winnipeg* ha la fama di «nave della speranza»: ha portato in Cile duemila rifugiati spagnoli strappati ai campi del Midi. Ecco perché la stiva del vecchio cargo è farcita di brande a castello, un affare d'oro per la compagnia francese di navigazione che nel '39 ha concesso l'adattamento per stiparvi i profughi repubblicani.

Pablo Neruda decanterà il viaggio sulla *Winnipeg*, da lui organizzato per far evacuare dai campi francesi i duemila esiliati spagnoli, come l'unica delle sue poesie che nessuno potrà mai cancellare, ma in anni recenti una macchia ha segnato quell'opera indelebile. Nella sua facoltà di console speciale per l'immigrazione in Cile Neruda avrebbe scelto d'imbarcare in prevalenza i comunisti. Fred Stein fotografa il poeta nel '66, memore della nave e della speranza, ma quel 6 maggio 1941 non vede nulla di ciò che accadrà alle sue spalle e oltre l'orizzonte di cielo e acqua che riapre il futuro. I mesi contati di Varian Fry che, su pressioni statunitensi, verrà espulso dalla Francia ai primi di agosto. Il fatto che la *Winnipeg* sia una delle ultime navi a lasciare un porto francese. Non approda alla Martinica perché i britannici la dirottano su Trinidad, dove Fred finisce di nuovo in un campo per «*enemy aliens*», separato da Lilo e Marion. Ma il 6 giugno la *S.S. Evangeline*, una nave su cui si viaggia comodi come se fosse una cosa normale mettersi in viaggio, li consegna finalmente a Ellis Island.

Se Capa fosse stato a New York in quel periodo, forse gli Stein avrebbero scoperto che a rilasciare il suo visto per l'America era stato, combinazione, Pablo Neruda. Avrebbero potuto scambiarsi le loro disavventure, sollevati di aver dovuto scegliere solo il contenuto di una valigia, cernita assai meno spinosa di quella di Varian Fry, di Neruda e di chiunque abbia applicato un criterio selettivo a coloro che dovevano fuggire e, comunque, non potrà mai essere ringraziato abbastanza. Ma l'archivio di Amsterdam a cui Lilo è riuscita a mandare la produzione più politica di Fred finirà per bruciare sotto le bombe con cui gli Alleati riconquisteranno l'Olanda e molti negativi di Robert Capa non riappariranno mai più. Arrivata invece al porto di New York, la foto del Café du Dôme è salva.

La *drôle de guerre* espone Capa a un rovescio tragicomico. Sin dai primi di settembre del '39 si rende disponibile alle autorità militari francesi, che gli rispondono di non accettare i servizi di chi ha lavorato per la stampa comunista. Da quando Hitler e Stalin hanno stretto il patto Molotov-Ribbentrop (consegnando alla disperazione gli spagnoli e gli interbrigatisti nei campi profughi e direttamente ai nazisti i compagni tedeschi riparati in URSS), in Francia i comunisti – il partito, i giornali eccetera – sono fuorilegge. A quel punto lui non è soltanto uno « straniero indesiderato », ma uno straniero piuttosto in vista. Potrebbero, da un giorno all'altro, deportarlo in uno dei campi riservati ai politici, i meglio sorvegliati e i più duri. Alla ricerca affannosa di una via d'uscita, Capa passa il suo tempo in telefonate e corse per Parigi. I suoi contatti di *Paris-Soir* e *Match* si dicono *très désolés*, ma non c'è assolutamente modo di procurargli un visto. Persino a *Life* non fanno che riempirlo di complimenti (« *today you're number one war photographer* ») e prometterglì ingaggi, se riuscirà ad aggirare le quote di immigrazione statunitensi. Dal momento che la stampa borghese non può fare niente per lui, Capa si ricorda di Pablo Neruda. Si erano conosciuti nell'assedio di Madrid e forse rincontràti dopo la sconfitta, in visita solidale alle tendopoli tenute assieme dal filo spinato, nelle quali il fotografo non scorge più soltanto del materiale di denuncia, ma l'immagine incombente sul suo futuro. Aiutare un compagno che si era tanto speso per la causa spagnola era un gesto da poco per il console cileno, ancora emozionato per il suo « grande poema » attraccato a Valparaíso. Dal 19 settembre 1939, *André Friedmann, Profesión: fotógrafo; Nacionalidad: húngaro; Estado Civil: soltero; Religión: no tiene*, può dunque recarsi EN VIAJE COMERCIAL nella Repubblica del Cile. Al resto pensa *Time Inc.*, il colosso dell'informazione capitalista, riservando una delle ultime cabine sulla *Manhattan* in partenza da

Le Havre. Capa giunge a New York con un visto turistico per gli USA, ma avrà tempo di inventarsi qualcosa quando si avvicinerà la data di scadenza. Intanto può brindare ai suoi ventisette anni appena compiuti e stramazzare dove lo dirigono Julia, sua madre, o suo fratello Cornell.

T'immagini le cose da fare prima della partenza per Le Havre. Pagare l'albergo, contattare gli americani per conferme, inviare un telegramma a Julia. Un saluto rapido ai parenti di Parigi, un ultimo bicchiere con gli amici. L'abbraccio a Cartier-Bresson, simile a un bronzo di Giacometti premodellato in plastilina, quando si abbassa verso Capa che trasuda ansia e alcol. La fraterna raccomandazione a Chim («Mon vieux, segui l'esempio, fallo presto!»), il primo ad aver firmato un contratto con un giornale comunista. Un'ultima notte con una figlia di Parigi da congedare con bacetti francesi al lato delle guance, l'amore corrisposto in banconote, troppe, *c'est bien chérie*, divertiti, stai bene.

Niente fiori per Gerda. Nemmeno un sassolino da deporre sulla pietra tombale vegliata da un Horus scolpito da Alberto Giacometti su commissione del Partito. Il Père Lachaise è fuori mano, i morti badano a se stessi, le preghiere ebraiche imparate svogliatamente a tredici anni per colui che è «soltero» e «religión no tiene» minacciano rigurgiti tremendi.

Le foto di Gerda invece vanno prese. Sono in camera, sulla scrivania disordinata o nel cassetto del comodino. Già pronte da due anni, rientrate dalla Cina, tornate incolumi dalle linee repubblicane, scivolate sempre più su, verso il confine, verso la sconfitta. Gerda che dorme, Gerda che s'infila le calze, Gerda accasciata sulla pietra miliare iberica.

Gerda che sceglie i mughetti per celebrare il Primo Maggio infilata nel suo giubbotto scamosciato, quello che lui indossa nella foto del Dôme, quando era ancora quasi nuovo.

Ha preso solo le foto che aveva in albergo e il doppio ritratto di Fred era tra quelle? O in vista di quella traversata definitiva ne ha aggiunta qualcuna, quando a Csiki sono stati consegnati gli ultimi rullini, i conti ancora aperti, le istruzioni per il periodo in cui sarebbe stato irreperibile? Istruzioni di appena qualche frase, frasi fondate sul sottinteso che il compagno di ruberie e frodi di pesca, l'amico scappato insieme a lui da Budapest a Berlino e da Berlino a Parigi, avrebbe mandato avanti gli affari come le altre volte che era stato in viaggio.

Mentre si aggira per l'unico luogo posseduto dove tutto risponde al suo nome (Atélier Robert Capa, 37 rue Froidevaux, Paris (XIV), Tél: DANTON 75-21) e il tempo sino alla partenza per Le Havre si dilata, forse si è fatta strada la classica domanda: «Che cosa ho dimenticato?» E, riversata su Csiki, può darsi che si sia tradotta in «Mi cerchi quella foto di me e Gerda?» Poi basta, uno scambio elusivo per commiato («Mi raccomando.» «Anche tu.») e il sollievo, appena salito sul taxi per la stazione, di avere fatto tutto, finalmente.

Per ogni dimenticanza rimane comunque Csiki, l'assistente che non dà pensieri. Non è profilato come simpatizzante comunista e non è ancora cittadino di un paese nemico, anche se Hitler e Horthy sono alleati di fatto sui fronti orientali. Con i bonifici che Cornell manda da New York, i vari contatti, deprivati degli amici internati, sfollati o partiti, come Ruth, per un paese più sicuro, non vive male, Csiki Weisz.

Le cose cambiano di colpo con la guerra lampo. I tedeschi arriveranno a Parigi annullando ogni distinzione tra gli ebrei di qualsiasi provenienza. Lilo Stein non ritenta nemmeno un altro sfollamento. Nel raggio di una torcia guarda di nuovo i negativi, mentre Marion si gira nel sonno calciandole addosso un piedino. Dovendo prepararsi a tutto, forse confida a una persona di fiducia il nascondiglio fotografico. Ad ogni modo – così immagini – comincia a fare la valigia molto prima di chiuderla per l'ultima volta.

Così, mentre i nazisti avanzano, anche Csiki sceglie il materiale che deve essere a tutti i costi sottratto alle loro grinfie. Costruisce tre scatole piatte rettangolari, le riveste di colori differenti (rosso, verde, ocra), le riempie di divisori di cartone. Somigliano alle confezioni di un *maître chocolatier*, talmente grandi da essere impagabili per chi ha un piccolo stipendio inviato dall'America. Ma al posto delle praline artigianali, ripone nel reticolato le prove più schiaccianti di ciò che è accaduto in Spagna – una selezione dei negativi di Capa, Chim e Taro – contrassegnando i riquadri sul coperchio in una chiarissima grafia a matita. Terminato il lavoro, infila le scatole in uno zaino e, caricatoselo in spalla, inforca la bicicletta. Sulle ruote appesantite dai minimi averi personali, si fa largo sulle *routes nationales* intasate dai parigini in fuga, pedalando fino a Bordeaux o a Marsiglia. Forse pedala fino a Bordeaux e poi prosegue senza bici per Marsiglia, ma sta di fatto che pedala pure per la sua vita, la vita di un ebreo di Budapest gravato di un bagaglio che lo tradirebbe come complice di chi si è opposto con la fotografia alla prima guerra nazifascista sul continente.

Perché Csiki è fuggito così tardi? Per non dare grattacapi all'amico che cominciava a temere un'estradizione a Budapest quando a Parigi era ancora tutto calmo? Calpestava la terra promessa statunitense senza visto, Robert Capa, così, a marzo del '40, lo hanno condannato a sei mesi d'espulsione. *Life* poteva inviarlo lontano dalle patrie galere, ma per poter tornare negli USA ha dovuto agire di propria iniziativa. La prima newyorkese disponibile («*Can you do me a big favour, honey?*»), un viaggio di nozze spartito con una coppia di amici fotografi che si trovano nella stessa situazione. Il medico attesta due finte gravidanze, il ministro di Dio celebra il vincolo cristiano del matrimonio pagato dalle spose. Il ritorno da Elkton, Maryland, sotto la pioggia, rintronati da un mutismo nervoso. L'indomani gli uomini sarebbero stati spediti in America Latina.

Quando i tedeschi sono in marcia verso l'Atelier Robert Capa, il titolare sconta i sei mesi di espulsione a Città del Messico. Deve seguire la campagna presidenziale di due generali, uno con i baffi, l'altro con la pappagorgia, che ai comizi gonfiano pance e retorica di chi si è battuto al fianco di Zapata. Ha voluto diventare un fotografo americano, dunque si esercita a fare Robert Capa. Esce con i colleghi *for drinks and chicks*, ingolla a grandi sorsi di cattivo whisky i grandi rospi per come *Life* usa le sue immagini («*Nazi Fifth Column and Communist Allies Active in Mexico*»), foto ottenute grazie ai veterani della Guerra di Spagna che lo hanno ricevuto a braccia aperte. Qualche volta sparisce, si dimette da se stesso, va dall'amica che si trova bene in quel paese assurdo. Kati, che già in Spagna gli dava del venduto, raccoglie il suo disgusto pur non credendo agli sfoghi quando dice che vorrebbe mollare tutto. Ma erano inseparabili, quegli amici ungheresi, e mentre Kati e André rievocano la loro giovinezza a Budapest, l'ultimo del trio sta pedalando sulla sua bicicletta in cerca di salvezza per sé e le fotografie.

Anche Csiki è andato in Spagna come fotografo, seppure per un periodo più breve dei suoi amici. Perciò, appena arriva a Bordeaux, cerca uno spagnolo in partenza per il Messico, che accoglie i rifugiati repubblicani con una generosità superiore a qualunque altro paese al mondo. Infine, non potendosi aggirare troppo mentre i tedeschi avanzano, si accontenta di un compagno cileno, a cui affida le tre scatole per farle portare al sicuro di un consolato. Da lì si perdono le tracce di Csiki Weisz sinché, probabilmente a Marsiglia, finisce arrestato dai *gendarmes* collaborazionisti e deportato in Marocco.

Dev'essere stato in quel periodo che l'amico fraterno riceve una lettera da un campo di concentramento pieno di reduci repubblicani arruolati nella Legione straniera e un buon numero di ebrei riparati a Casablanca. Il visto, i documenti, il posto-nave: ottenerli è un compito per cui occorrono le leve di Robert Capa. Deluso che l'attesa del permesso di soggiorno statunitense gli abbia fatto perdere la Battaglia d'Inghilterra, Capa risiede al Dorchester di Londra che funge da anticamera (con vista su Hyde Park), in attesa che qualcuno abbia il coraggio di spedirlo nella guerra che vuole coprire a tutti i costi. Da quando l'Ungheria è entrata nel conflitto, anche *The Greatest War Photographer in the World* è diventato un «*enemy alien*». Si reca quindi all'ambasciata messicana, dove si appella alla conoscenza dell'ex presidente Lázaro Cárdenas e al suo impegno verso chiunque abbia dato un contributo alla lotta repubblicana. Una volta ottenuto il visto, resta il problema della nave.

L'imbarcazione che salta fuori, la *Serpa Pinto*, è stata acquistata dalla Companhia Colonial de Navegação per incrementare i passaggi transoceanici che solo la neutralità del Portogallo poteva ancora garantire negli anni Quaranta. Al ritorno da Rio de Janeiro, imbarcava un po' di coloni tedeschi smaniosi di combattere per il Führer, ma la domanda inesauribile nasceva all'andata. Nelle sue venti traversate, la *Serpa Pinto* trasporta Marcel Duchamp, Simone Weil, un rachitico bambino berlinese che diventa l'impresario dei Grateful Dead, persino il *Lubavitcher Rebbe* che, arrivato a Brooklyn, avrebbe dovuto rivelarsi come messia – un'accozzaglia di santi e iconoclasti a cui si aggiunge una sorta di spaventapasseri che sale a bordo nel settembre del '42.

Csiki Weisz sale sulla *Serpa Pinto* senza una valigia. Possiede solo un cappotto, uno spazzolino da denti e il passaporto falso (gli ungheresi non sono accettati neppure in Messico) che Capa è riuscito a fargli avere assieme ai soldi necessari. Quando sbarca a Veracruz non gliene restano per pagarsi il treno, ma il biglietto glielo regala uno degli spagnoli con cui ha fraternizzato sulla nave. Arriva a Città del Messico, gli apre Kati Horna, lo rifocilla per ricongiungerlo ai vestiti che gli cadono, lo aiuta a trovare lavoro. Csiki Weisz fotografa per la stampa, bazzica gli amici artisti di Kati con circospezione, anche se molti li ha già incrociati. Il nazifascismo ha creato uno sconfinato campo profughi che un mostruoso spostamento d'aria trasporta da un paese all'altro. In Messico però quella comunità di esiliati si trasforma. L'impotenza, che della salvezza è il rovescio, misura migliaia di chilometri, le discussioni sprofondano nei miti antichi del nuovo mondo. Ora anche Kati produce fotografie surrealiste che, a suo dire, sono più veritiere di quelle che scatta Csiki.

Prima che la fine della guerra gli porti la notizia che sua madre e i suoi fratelli sono andati in fumo, all'orfano di Budapest capita una cosa fantastica come il luogo dove ha trovato asilo. Conosce una donna: sposata, circonfusa di una fama leggendaria (era la compagna di Max Ernst), bella come un'eroina delle favole evasa da una lugubre *mansion* d'Inghilterra nel mondo sconfinato che dipinge. Non ha nulla da offrirle, Csiki, e con le donne non ci sa fare, ricorda a Kati, che però scrolla la testa: Leonora Carrington non si sbaglia in ciò che vede e quel che ha visto in Csiki non è un capriccio. Forse gli ha anche detto che quando si sposeranno (« Vedrai che vi sposate ») non dovranno cercare il fotografo. Kati Horna li riprenderà infatti nel giorno delle nozze come una coppia sospesa nel tempo e nello spazio. Csiki con quell'enorme basco che pare un omaggio all'arte di Leonora, non-

ché un espediente per aggraziare la sporgenza del naso. Ma non basta a nascondere quanto, in quel momento, sia felice.

Avranno due bambini, che cresceranno assieme alla figlia di Kati e José Horna in case vicinissime, piene di gatti e arredi creati dalle madri artiste. Non vivranno per sempre felici e contenti, ma moriranno vecchissimi. Csiki, a novantacinque anni, nel 2007. Leonora quasi alla stessa età, nel 2011, dopo aver trascorso gli ultimi tempi vicino a un uomo che perdeva la vista, la mobilità e infine la parola.

Leonora Carrington sarebbe stata invece di una lucidità perfetta nell'accogliere, con il suo umorismo upper-class ribelle, un colpo di teatro all'altezza della sua fantasia surrealista. La ricomparsa delle tre scatole di negativi nella soffitta di un generale, un tempo ambasciatore del Messico a Vichy, che suo marito avrebbe potuto raggiungere a piedi quando, per farla dipingere in santa pace, portava i bambini al Parque México. O quando, morto il generale, morta nel '95 l'erede del generale, i reperti passano a un nipote che capisce finalmente quello che ha ereditato, però ripone le scatole in un armadio che terrà chiuse le ante per altri dodici anni. Anni di trattative con l'International Center of Photography di Cornell Capa che, ansioso di portare a New York la «valigia messicana», ottiene, chissà come, l'esatto opposto.

Nel documentario *The Mexican Suitcase* di Trisha Ziff, Leonora Carrington siede accanto al figlio come una divinità materna da rabbonire con tazze di tè e sigarette, rovista nella borsetta e non dice una parola. L'eccitazione per i quattromilacinquecento negativi riportati alla luce dopo che Csiki se n'è andato non la riguarda. La sua narrazione l'ha già fatta: uno squalo-Zeppelin che schiva un tornado traghettando nella pancia pochi eletti, tra cui un omino con un berretto – curvo sul foglio di giornale, solo. *Tiburón* è un disegno battuto da Sotheby's nel 2008. Affiancando la datazione attribuita dalla casa d'aste (ca. 1942) alle date riportate in un necrologio per il marito dell'artista («*En 1944, en una reunión en casa de José y Kati Horna, Chiki conoció a Leonora Carrington*»), l'immaginazione si schianta contro l'ordine cronologico. Ma poi si affida a Leonora e prova a inventarsi un salto fantastico.

Nel '44 Leonora Carrington aveva la sensazione di avere già visto l'amico timido di Kati che cominciava a incuriosirla. A Montparnasse, quando stava con Max Ernst, probabilmente, ma quante persone s'incontrano senza che meritino un ricordo. Era lei ad averlo visto, lei soltanto. L'«*hasard objectif*» di cui parlava André Breton l'aveva ispirata disegnando un dono per un'amica («Remedios, t'ho detto che ti ho fabbricato uno scongiuro – ieri sera avevo 38 di febbre, autosuggestione forse...») che aveva ancora la morte scampata nelle ossa. Remedios Varo, spagnola repubblicana e pittrice surrealista, era fuggita da Barcellona a Parigi, da Parigi a Marsiglia per salpare da Casablanca alla fine del '41 con la *Serpa Pinto*. Vale a dire che mentre lo inseriva nella pancia dello squalo apotropaico, il futuro sposo di Leonora era in attesa d'imbarcarsi sulla nave che aveva portato in salvo la sua amica – a riprova che la realtà più vera viaggia a balzi, spirali, anticipazioni, sacche d'arenamento invisibili all'occhio empirico. Ma anche Csiki, che non usciva mai senza berretto sotto il sole messicano, aveva incluso un dono nelle sue scatole.

Quando viene ufficialmente aperta la «valigia messicana», saltano fuori settantaquattro negativi che non hanno attinenza con la Guerra di Spagna, tra cui quello della foto al Café du Dôme e la serie di Gerda alla macchina da scrivere, che rivela un altro gioco degli specchi. La modella si divertiva ad atteggiarsi come una diva contesa da due fotografi. Fred Stein ha ripreso l'altro fotografo di spalle, una scarpa sul tavolo, e di profilo, mentre scattava. Ha dei capelli scuri tirati indietro, un naso imponente. Csiki ha salvato i fotogrammi di Fred Stein, Fred l'immagine di Csiki Weisz mentre fotografava Gerda. Di quel salvataggio, Gerda è stata la forza motrice – come lo squalo con le eliche rosate che fende il turbine di morte, perché l'amore è un propellente attinto al passato che non sai dove ti porta.

Resta da immaginare il momento in cui Fred Stein ha deciso di separarsi dei negativi di ogni immagine – posata, occasionale, persino mossa e sfuocata – in cui compare Gerda.

Gli Stein avevano visto André nei giorni della marcia funebre: svuotato della forza di tenersi in piedi, spettrale, irriconoscibile. Erano tornati a casa, avevano fatto scorrere l'acqua («Versi un bicchiere anche a me?»), si erano tolti le scarpe, sdraiati sul letto, forse abbracciati, forse no. Non era stato allora che si era affacciata l'idea di quel dono, ma più avanti, quando capitava di chiedere «Come sta Capa?» e il conoscente incontrato al caffè non sapeva bene cosa dire. Fred accenna a quello scambio, Lilo lo guarda: «E noi cosa possiamo fare?» Alzata di spalle.

T'immagini che dopo il funerale avessero offerto ad André il loro appoggio, lo ipotizzi sempre a ritroso, a partire da quei negativi ricomparsi. Ma la frequentazione non era quella di una volta, e che fossero stati amici di Gerda e poi amici di una coppia dissolta in quel modo indicibile, rendeva quell'offerta sincera una sequenza di parole senza seguito.

Fred non si rassegna. La foto al Dôme e le migliori fotografie di Gerda gliele aveva già regalate all'epoca, però adesso avevano un altro valore. Ed era adesso che Capa doveva averle, averle tutte.

A quel punto Fred e Lilo si mettono al lavoro nel laboratorio. Ma la porta chiusa riavvicina il tempo in cui André e Gerda trafficavano nel loro bagno, l'attesa che le foto affiorino duplica la sensazione di sprofondamento, l'alchimia buona soltanto per estrarre il passato che ritorna ma non rivive.

«Basta, Fred. Non credo gli faccia bene, se già noi c'impressioniamo.»

C'è un silenzio in cui – forse – gli occhi di Fred si arrossano più di quelli di sua moglie, ma nel buio del laboratorio non si nota. Non si muovono, non si toccano, per un istante attendono un segnale che arriva come un sospiro minimo da chissà quali labbra.

«Diamogli tutti i negativi. Bisogna solo trovare quelli con scritto 'Gerda'. Non occorre che lui li guardi adesso.»

«Sicuro?»

«Che cosa cambia se sono qui o in rue Froidevaux?»

«Poco» dice Lilo. «Csiki Weisz è un ragazzo affidabile.»

E se la sbrigano in pochissimi minuti.

Non è un'invenzione che Stein avesse dato a Capa anche un certo numero di stampe, perché alcune riappaiono nel '79, appena dopo la morte di Franco. Il nuovo ministro degli Esteri spagnolo riceve dall'ambasciatore svedese un baule

Louis Vuitton ritrovato in Svezia che contiene documenti e lettere di Juan Negrín, capo del governo spagnolo in esilio, insieme a un centinaio di fotografie di Capa, Chim e Taro, più alcuni ritratti di quest'ultima alla macchina da scrivere. Un giornalista raggiunge al telefono Csiki, che conferma di averle date a Negrín con la preghiera di recapitarle agli archivi repubblicani in Messico. Dove? A Bordeaux, poco prima che il politico s'imbarcasse su una nave diretta a Londra.

Bordeaux è stata il rifugio dell'ultimo governo francese eletto, luogo di negoziazioni e incontri diplomatici, e questo getta una luce nuova sulla traiettoria in bici di Csiki Weisz. Non cercava un compagno spagnolo purchessia, ma puntava a uno così in alto da dargli la sicurezza che sarebbe riuscito a partire subito.

Arrivato in centro, Csiki va dritto alla ricerca delle personalità che contano, Hôtel Splendid, gli dicono, la hall e il Grand Café sono talmente affollati di politici e altre preminenze che non dà nell'occhio la sua figura impolverata. Ma quando, in quella calca, trova addirittura il primo ministro della Repubblica spagnola, perché gli lascia solo le stampe e non le scatole? Negrín gli ha detto che non aveva spazio? O Csiki temeva che sarebbe stato tra i primi arrestati nella sventura di un contrattempo e non voleva affidargli i negativi?

E quindi altre pedalate, altri giri: al porto, alla biglietteria delle compagnie di navigazione, a scremare tutti i giardini pubblici sovraffollati di rifugiati, sempre più esausto. Nel frattempo, in un palazzo davanti a cui era passato troppe volte, la Francia aveva firmato l'armistizio. Lo dicevano le radio accese a volume alto saturando l'aria atlantica di un odore compiuto di fine mondo. Non c'era tempo per trovare qualcuno con un posto-nave, bisognava accontentarsi di quel cileno, e poi fuori, via, di corsa a Marsiglia.

È davvero surreale dove sono finiti i reperti caricati in spalla da Csiki Weisz, nonostante la sua prudenza ostinata. In Svezia le stampe destinate al Messico, i negativi da portare al consolato cileno nei colli di un bagaglio diplomatico spedito a Mexico City – scoperte che confermano a posteriori l'impossibilità di riaverli inseguendone le tracce.

Ma c'è un elemento che pone ancora qualche domanda ed è, di nuovo, Csiki.

Nella foto del 1998 che lo ritrae con Leonora a ottantasette anni è vestito come se stesse per uscire. E se anche la me-

moria, non il corpo, avesse cominciato a tradirlo, avrebbe quasi di certo cancellato alcuni ricordi più recenti, ma non quelli legati ai negativi riapparsi nella città dove ha trascorso gran parte della vita. Come mai nessuno ha pensato di contattarlo? Perché non si è cercato di portarlo a rivedere le sue scatole, cosa che, forse, avrebbe potuto fare leva su chi le aveva ereditate? O era Csiki che non voleva più avere a che fare con tutta la vicenda? Possibile, sì, che fosse stanco.

Erano passati oltre vent'anni da quando la più famosa fotografia dell'amico – il *Miliziano colpito a morte* – era stata accusata di essere inautentica. Allora Csiki non aveva tardato a mandare a Cornell Capa una testimonianza in inglese pronta per essere impugnata nel dibattito.

In 1939, when the Germans approached Paris, I put all Bob's negatives in a rucksack and bicycled it to Bordeaux to try to get it on a ship to Mexico. I met a Chilean in the street and asked him to take my film packages to his consulate for safekeeping. He agreed.*

La lettera del '75 riecheggia in un'inserzione che Cornell manda alla rivista francese *Photo*, quando il baule Louis Vuitton riaccende le speranze di ritrovare i negativi, divenuti ora cruciali come prove a discolpa del fratello.

Nel 1940, prima dell'avanzata dei tedeschi, mio fratello diede a un amico una valigia piena di documenti e negativi. Mentre

* Nel 1939, quando i tedeschi stavano avanzando verso Parigi, misi tutti i negativi di Bob in uno zaino e li portai in bicicletta a Bordeaux per cercare di imbarcarli su una nave diretta in Messico. Incontrai un cileno e gli chiesi di portare i negativi al suo consolato per tenerli al sicuro e lui acconsentì. (*N.d.A.*)

si dirigeva a Marsiglia, questi affidò la valigia a un ex soldato della Guerra civile spagnola che avrebbe dovuto nasconderla nelle cantine di un consolato latinoamericano. La storia finisce qui. La valigia, pur con tutte le ricerche, non è mai stata ritrovata. Naturalmente un miracolo è possibile. Chiunque abbia informazioni a riguardo mi contatti e sarà benedetto in anticipo.

Qualcuno si fa vivo. Dall'International Center of Photography parte una squadra che scava buche nelle campagne della Francia meridionale e torna a New York a mani vuote. Con il senno di poi, l'impresa non avrebbe potuto avere esito migliore – e tuttavia l'annuncio, pur correggendo la svista sulla data dell'anno nella lettera di Csiki, se ne distanzia per dei dettagli che lo rendono più impreciso. Non importa che Cornell abbia collocato il fratello a Parigi quando era bloccato a Città del Messico – per un altro scherzo del caso poi rivelatosi salvifico per colui che si era caricato in spalla i negativi. Ma perché uno zaino si trasforma in valigia, e Bordeaux scompare a vantaggio di Marsiglia? E perché, soprattutto, il consolato del Cile diventa un generico «consolato latinoamericano»? Perché Cornell non ha tenuto conto che, se si vuole ristabilire una verità o ritrovare un tesoro, l'esattezza degli appigli è essenziale?

All'improvviso credi di intuirlo. C'è una risata tenue che annienta ogni elucubrazione, una risata che t'immagini giunta all'orecchio interiore di Cornell Capa quando, ancora prima di tentare l'inserzione su *Photo*, cominciava a progettare una spedizione in Cile.

«Lascia perdere, mi senti? Non svegliare il can che dorme.»

Può darsi che i negativi fossero in Cile, ma nessuno si sarebbe fatto vivo. Erano tornati a essere un pericolo, come quando Csiki pedalava per non farsi acciuffare dai tedeschi. A essere fortunati, saranno finiti da tutt'altra parte, prendendo ancora una volta la via dell'esilio: in Messico o a Parigi, in qualsiasi posto che avesse accolto i cileni in fuga dal paese che era stato molto ospitale nei confronti dei profughi spagnoli.

« Morto un golpista, ne spunta un altro. In Spagna sta tornando la libertà, magnifico, in Cile non hanno ancora terminato il lavoro sporco. Vuoi forse che qualcuno finisca male per il sospetto di avere a che fare con delle vecchie foto? *And what's the difference, anyway*, per me e Chim e Gerda? »

Cornell nomina il fratello svariate volte al giorno, lo sogna ancora spesso e, a volte, quei sogni così intensi lo svegliano nel corso della notte. È Bandi che gli dà pensieri, pensieri che gli riempiono la vita, e se adesso ha quasi la sensazione di udirlo, non è insolito che lo riconvochi per chiedere un consiglio. Chi potrebbe dargliene uno migliore di quel fratello grande che ha attraversato guerre e fughe, minacce d'espulsione e regimi? Il grande Robert Capa però non capirebbe che al giorno d'oggi possa rovinarlo non solo la politica, e allora « *what's the difference, anyway*, non me lo dici, Bob. Non quando sono io che sto perdendo il sonno per i tuoi negativi e continuerò a cercarli finché vivo... »

Nella foga di scacciare l'ingratitudine, la voce del fratello è scomparsa. Cornell Capa si dice « domani ci ripenso », si aggiusta la coperta e si riaddormenta.

Discendenti dello stesso verbo, « rinvenire » e « inventare » rammentano che per ritrovare qualsiasi cosa bisogna attingere alla memoria, che è una forma d'immaginazione. Eppure, mettendosi alla ricerca, capita di fare dei ritrovamenti imprevisti. Così il dialogo notturno immaginario tra Cornell e Robert Capa ha portato alla luce un nuovo indizio. Era già lì, nero su bianco, ma non l'hai visto. Cornell Capa non sapeva che il negativo del *Miliziano colpito a morte* non era in una delle tre scatole, e anche per l'uomo che le aveva fabbricate era impossibile ricordarsene. Ma di Bandi, che aveva procurato carte false per strapparlo a un campo di concentramento, Csiki non si era dimenticato. Era giunta l'occasione per ricambiarlo, anche se non poteva fare altro che aggiungere un minuscolo aggettivo: *all*, tutto. Sì, era tutto.

Però forse «*I put all Bob's negatives in a rucksack*» non accontentava sino in fondo Cornell Capa. Allora potrebbe aver chiamato Csiki per incalzarlo con una domanda: nel bagaglio lasciato a Marsiglia c'era quel particolare negativo?

«A Bordeaux.»

«Chi se ne importa: c'era o non c'era?»

«Credo di sì...»

«Ma se hai scritto che li hai presi tutti, significa che c'era.»

Nella cornetta cade il silenzio, o il miagolio di un gatto che approfitta dell'immobilità dell'uomo al telefono per attirare l'attenzione.

«La foto era tra quelle che ho dato a Juan Negrín, ci sarà stato anche il negativo.»

Cornell capisce che non ne ricava nulla. Seccato, controbatte che Csiki avrebbe perlomeno potuto dirgli per iscritto che *Il miliziano colpito a morte* era autentico, visto che a Parigi era lui a eseguire i lavori di laboratorio.

«Cosa vuoi da me: un certificato di morte? Non ne hai avuti abbastanza? Ti ho scritto che ho cercato di salvare *tutte* le foto di tuo fratello, non posso fare più di così: per favore, Cornell, lasciami in pace.»

Cornell, rassegnato, estende i suoi saluti a Leonora e, in conclusione dell'inutile telefonata, consegna la lettera alla segretaria.

Intanto Csiki, un po' agitato, si sforza di ricordare suo malgrado. Nella scatola verde c'era il lavoro di Chim, in quella ocra i ritagli. Quindi magari lì in mezzo? O nella scatola rossa assieme alle battaglie di Madrid, Brunete, Teruel...

Poi si ricorda di avere fatto una pausa per sistemare i negativi di Fred Stein e vedere quanto spazio gli restava. Ricorda le strisce di Gerda alla macchina da scrivere, ricorda che neanche i suoi ritratti erano venuti male – lei era talmente fotogenica! – e poco importa che avesse dovuto lasciarli a Parigi assieme alla gran parte del proprio lavoro. Le immagini che Bandi voleva avere, quelle se l'era portate via tutte, a partire dall'unico scatto dove sono insieme, lui al colmo della felicità di stare accanto a Gerda.

Forse Csiki, dopo averla ristampata più d'una volta negli anni all'Atelier Robert Capa, si era chiesto come mai, proprio in quella preziosa istantanea, Gerda avesse un sorriso così stonato con la gamma che illumina ogni altro suo ritratto. E allora, ti azzardi a immaginare, aveva ceduto alla curiosità di guardare l'intera serie sotto ingrandimento.

Eccola lì, solita storia, solita scena. Gerda al tavolino con un bel ragazzo che ride, scherza, flirta. All'improvviso, quando l'altro si alza per chiamare il *garçon* o vai a sapere dove è andato, compare Bandi e si piazza sulla sedia che si è appena liberata. Sorride, sorride a Gerda, dopo averle detto qualcosa che a un ragazzo di Budapest esce per scherzo («Non posso lasciarti sola neanche un attimo!»), anzi gli esce proprio per amore assoluto di quella ragazza, nonostante lei ami scherzare e flirtare anche con gli altri. Ridacchia, la ragazza, e in fotografia le viene un sorriso un po' artefatto, ma non è una ragazza artefatta, per niente, e infatti lo riprende: «Finiscila, hai capito?»

E Bandi abbassa subito lo sguardo, torna com'era a sedici anni quando lo sgridava Julia, solo che allora lo faceva molto per scena, mentre con Gerda ci resta male sinceramente. Poi Fred ha fotografato un muro di propaganda elettorale e infine è ripassato al Dôme, dove Gerda ha ripreso a chiacchierare con quell'altro e Bandi deve essersene andato con la coda tra le gambe.

Gli spettatori del secondo atto sono quelli di prima: Fred che fotografa (ma poi si guarda bene dal portarne una stampa agli amici) e il signore al tavolino dietro che non sorride più, anzi sembra piuttosto costernato. Magari era anche lui un *emigré* in grado di afferrare alla lettera il ringhio di Gerda, o gli sono bastati il tono della voce, lo scatto della testa: *Mon dieu*, che temperamento! Queste ragazze moderne, ma tu pensa...

Infine ci sei tu che ti domandi se quel fotogramma emerso dalla «valigia messicana» modifichi in qualche modo ciò che hai immaginato, o contraddica solo l'effetto del fotogramma precedente, dove gli amanti si sorridono sullo sfondo di uno dei più leggendari ritrovi di Parigi. Ti accorgi, allora, che la falsificazione di una foto accade più di frequente sul lato di chi la guarda che sul versante del soggetto: cosa che per l'istantanea del Café du Dôme è comprovata dalla sequenza dei negativi ritrovati che svelano l'intrusione di André nel flirt di Gerda. Quei *clichés*, come si chiamano in francese, narrano una storia diversa dal cliché romantico proiettato sul famoso ritratto della coppia, ma quella visione non nasce con una diffusione delle immagini che neanche Benjamin avrebbe potuto presagire. Forse comincia quando Capa porta la foto a New York o addirittura nel momento in cui Fred gli offre quel dono destinato a far scivolare nell'oblio tutto ciò che non inquadra: perché le foto-ricordo, e i ricordi stessi, servono a dimenticare.

Dimenticare cosa? Che lei non era invaghita di lui con quel trasporto che entrambe le istantanee gli rubano in faccia? Che i battibecchi erano all'ordine del giorno, perché Gerda non sopportava che fosse geloso dei ragazzi che lei non smetteva di attirare? Che se non l'avesse travolta un carro armato, lui per Gerda sarebbe stato un episodio, probabilmente, e lei il suo grande amore giovanile che, però, avrebbe preso il colore di una cara vecchia foto?

Capa non ha potuto rivederla con distacco nel corso di un tempo che, con la fine di Gerda, sembra avere accelerato la caduta della sabbia nella clessidra. Allora ci riprovi tu, ora che puoi interpretare quello che le due immagini narrano insieme. C'è l'evidenza che, pur risplendendo dell'esultanza di avere rubato il posto a un rivale, lui si mostri subito così contrito, quasi ammettendo che non doveva comportarsi come se Gerda fosse sua. E infine si chiarisce perché, in quell'istante, lei non sembri troppo felice e innamorata. Eppure ride a qualsiasi scemenza le abbia detto André, prima ride e poi si arrabbia.

Le coppie si lasciano o restano insieme per motivi imperscrutabili, magari anche perché lo stesso uomo che così spesso ti esaspera, riesce comunque a farti ridere. E se non fosse stato abbastanza – vuoi perché alla lunga tutto può venire a noia, vuoi perché ci sarebbe stato poco da ridere negli anni a venire – forse avrebbe prevalso l'esigenza, o convenienza, di affrontarli insieme quegli anni, se Gerda fosse tornata a Parigi. Fuggire tutti e due con un visto cileno, ricominciare da capo grazie a *Life*, riprendere in grande l'esperimento dell'agenzia e battezzarla Magnum...

Molte coppie formate prima o durante o poco dopo la catastrofe che annientava il mondo della loro giovinezza (fucilati i fratelli e i genitori di Gerda che si erano rifugiati in Jugoslavia; il padre e il fratello maggiore di Capa scampati grazie al decesso nella Budapest dell'anteguerra) sono rimaste assieme tutta la vita: unite nella memoria e nell'oblio che incarnavano, vivendo come un dono della buona sorte qualsiasi affinità preesistente a quel vuoto sconfinato. Lilo e Fred, Leonora e Csiki e, infine, una coppia che costringe la narratrice a usare la prima persona. I miei genitori si sono fidanzati nel ghetto, si sono ritrovati dopo la guerra, si sono amati e, a tratti, odiati, divertiti e sopportati, finché morte non li ha separati. Mia madre, che di Gerda aveva la *coquetterie* testarda, avrebbe potuto esserne una cuginetta. Mio padre, grande affabulatore come Capa, un fratello minore. No, non fatico a immaginare Robert Capa e Gerda Taro su una panchina di Central Park, lei che gli dice di sistemarsi la camicia, lui che sbuffa *mein General, jawohl*, prendendo in giro il suo accento indelebile, e lei si irrita che debba ancora fare il buffone, il gradasso. E mentre continuano a beccarsi, passa un ragazzo su uno skateboard in braghe e maglietta così larghe che, schiacciate e rigonfie nel controvento, lo fanno sembrare un gigantesco pipistrello sgargiante di colori al neon e, visto che è sfrecciato a qualche spanna dal naso dei due vecchi, li azzittisce per un attimo.

«Quello sarebbe stato da fotografare.»

«*Ach!* Ormai chissà dov'è...»

Ringraziamenti e note

La prima persona da ringraziare è Irme Schaber.

Ho conosciuto *La ragazza con la Leica* grazie a una mostra da lei curata, mi sono basata sulle biografie che le ha dedicato (la più aggiornata del 2013, purtroppo, è disponibile solo in tedesco). Soprattutto, ho avuto un accesso davvero generoso ai materiali da lei raccolti nel corso del lavoro che ha strappato dall'oblio la vita e il corpus fotografico di Gerda Taro.

Ringrazio cordialmente Mario Bernardo per le sue risposte e Zenone Sovilla per aver ripristinato il podcast in cui Bernardo racconta il suo percorso resistenziale.

Grazie al prof. Giovanni Battimelli dell'Università La Sapienza e alla dottoressa Nicoletta Valente che mi hanno aperto l'archivio Vittorio Somenzi – mai visitato sino a quella data – e consentito di trovare i volumi giusti.

Ringrazio il prof. Peter Huber dell'Università di Basilea e Harald Wittstock, presidente dell'associazione Kämpfer und Freunde der Spanischen Republik 1936-1939, per le notizie su Georg Kuritzkes. Grazie al prof. Paul Mendes-Flohr per le informazioni su Ina Britschgi-Schimmer.

Grazie a Roberta Gado che mi ha scarrozzata per Lipsia e aiutata a consultare lo Staatsarchiv Sachsen.

Grazie a Giacomo Lunghini e Sabrina Ragucci per le spiegazioni su come funzionano una Leica e una reflex analogica.

Grazie a chi ha cercato di mettere un freno alla mia smania di documentazione, ricordandomi che stavo scrivendo un romanzo. È vero: pur aderendo alle fonti, l'anima del libro è, per forza di cose, frutto della mia immaginazione.

Mi sono presa la licenza di chiamare la mia protagonista sempre «Gerda», anche se si chiamava Gerta Pohorylle, perché lei stessa preferiva la versione più dolce e più diffusa del suo nome.

Grazie alle amiche e agli amici che mi hanno ascoltata, incoraggiata, sopportata. Loro sanno a chi mi riferisco.

Crediti fotografici

Si indicano di seguito i copyright per le fotografie presenti nel volume:

Pagina 9: Gerda Taro © International Center of Photography/ Magnum/Contrasto

Pagina 12: Robert Capa © International Center of Photography/ Magnum/Contrasto

Pagina 13: Robert Capa © International Center of Photography/ Magnum/Contrasto

Pagina 16: Gerda Taro © International Center of Photography/ Magnum/Contrasto

Pagina 293: © Estate of Fred Stein, www.fredstein.com

Pagina 295: © Estate of Fred Stein, www.fredstein.com

Pagina 315: © Kati Horna

Pagina 321: © Marion Kalter

Pagina 327: © Estate of Fred Stein, www.fredstein.com

Indice

Fotocomposizione Editype S.r.l.
Agrate Brianza (MB)

Finito di stampare
nel mese di luglio 2018
per conto della Ugo Guanda S.r.l.
da ❧ Grafica Veneta S.p.A. di Trebaseleghe (PD)
Printed in Italy